Wallace
Ben Hur

Lewis Wallace

Ben Hur

Ein historischer Roman mit
30 zeitgenössischen Illustrationen

Gondrom Verlag Bayreuth

Herausgegeben von R. W. Pinson

Neubearbeitung unter Verwendung
älterer deutscher Übersetzungen
Leicht gekürzt und in Sprache und Orthographie
in eine zeitgemäße Form gebracht von A. Horn
Titel der Originalausgabe: „Ben Hur. A Tale of the Christ"

© Gondrom Verlag, Bayreuth 1979
ISBN: 3-8112-0182-4
Schutzumschlag: Creativ-Shop Bachmann, München
Druck und Verarbeitung: Ebner Ulm
Printed in Germany

Inhalt

ERSTES BUCH

Erstes Kapitel

Der Dschebel es Zubleh ist eine lange, schmale Gebirgskette, die sich etliche fünfzig Meilen weit von Süden nach Norden erstreckt und den in ihrem Westen gelegenen Triften von Moab und Ammon zur Schutzwehr gegen die von der arabischen Wüste kommenden Sandwirbel dient.

Unzählige Wadis, wie die Araber im Süden und Osten von Judäa die zahlreichen Ausläufer des alten Dschebel nennen, durchschneiden die alte Römerstraße, und aus einem derselben, dem vom äußersten Ende der Gebirgskette ausgehenden, bildet sich schließlich das Bett des Jabbok. Von dorther sehen wir einen einsamen Pilger den Tafelländern der Wüste zu reiten.

Seinem Äußeren nach zu urteilen, mochte der Mann etwa fünfundvierzig Jahre alt sein, denn sein langer, tief auf die Brust herabwallender Bart war schon gehörig mit weißen Haaren durchsetzt. Der rote „Keffijeh", wie die Wüstenbewohner ihre turbanartige Kopfbedeckung nennen, ließ die kaffeebraunen Gesichtszüge nur notdürftig erkennen; aber hin und wieder schlug der Mann die Augen auf, und man sah dann, daß sie ungewöhnlich groß und dunkel waren. Er trug das lange, wallende Gewand, die übliche morgenländische Tracht, und ritt auf einem stattlichen weißen Dromedar, dem der Kenner auf den ersten Blick seine syrische Abstammung anmerkte.

Als das Tier die Grenze von El Baka, dem alten Ammon, überschritt, war es sehr früh am Morgen. Die Sonne war noch in weißen Nebel gehüllt, und vor ihm erstreckte sich die Wüste – zwar nicht die endlose Sandfläche, die in der Regel mit diesem Namen bezeichnet wird, wohl aber die Gegend, wo das Gras spärlich und immer spärlicher wird und wo nur noch einige wenige Akazien auf dem mit Granitblöcken und braunen Sandsteinen übersäten Boden ein kümmerliches Dasein fristen. Der Eichenbaum, dann die Himbeer- und Erdbeerstauden schienen beim Anblick der wasserlosen, öden Steppe plötzlich angehalten zu haben und scheu zurückgeblieben zu sein.

Nun war weder Weg noch Steg zu sehen. Das Dromedar machte mehr denn je den Eindruck, als werde es widerstandslos vorwärtsgetrieben; es flog mit lang vorgestrecktem Kopf unaufhaltsam dahin und atmete mit weit geöffneten Nüstern in vollen Zügen die Luft ein. Der Palankin schwankte auf dem breiten Rücken des Tieres hin und her wie ein von den Wellen geschaukeltes Boot. Von Zeit zu Zeit würzte ein absinthähnlicher Geruch die Luft. Weiße Feldhühner rannten gluckend davon, und manchmal eilten ein Fuchs oder eine Hyäne vorüber, um die fremden Eindringlinge aus sicherer Entfernung zu betrachten. Wie von einem perlgrauen Schleier verhüllt, erhob sich zur Rechten der Höhenzug des Dschebel und wartete auf den Augenblick, da die Sonne den Nebel zerreißen und die Bergspitzen mit purpurnem Lichtglanz überfluten werde. Über deren höchstem Gipfel kreiste mit weit ausgebreiteten Schwingen ein raublustiger Geier. Davon sah der Mann unter dem grünen Palankin wenig oder gar nichts. Seine Augen waren träumerisch ins Weite gerichtet, und wie sein Tier, machte er den Eindruck, als werde er widerstandslos vorwärts getrieben.

Zwei Stunden lang flog das Dromedar rastlos dahin, immerfort die Richtung gegen Osten einhaltend, und die ganze Zeit über blickte der Reiter weder rechts noch links, veränderte er nicht ein einziges Mal seinen Sitz. Während seines raschen Rittes hatte die Landschaft ein anderes Gesicht angenommen. Der Dschebel hob sich gleich einem hellblauen Band vom westlichen Horizont ab. Da und dort ragten mächtige Basaltblöcke aus den Sandwellen hervor, als sollten sie den Gebirgen inmitten der unabsehbaren Sandebenen als Vorposten dienen. Auch in der Atmosphäre machte sich eine Veränderung spürbar, denn die Sonne, die nun hoch am Himmel stand, goß ihre erwärmenden Strahlen auf die Erde ringsum und übte ihre wohltätige Wirkung auf den einsamen Reiter aus.

Zwei weitere Stunden ging es in ununterbrochenem Lauf vorwärts. Die Vegetation hörte allmählich ganz auf. Unter jedem Schritt des Tieres bröckelten von den ausgedörrten Sandmassen größere und kleinere Krusten ab. Der Dschebel war nun dem Gesichtskreis entschwunden, so daß keine Möglichkeit mehr vorhanden war, sich genau zu orientieren. Der Schatten, der vorher dem Dromedar und seinem Reiter gefolgt war, hielt nun vollständig Schritt mit diesem, und das Verhalten des Reisenden wurde je länger, je unerklärlicher.

Niemand macht eine Vergnügungsreise durch die Wüste, denn Leichname und Knochengeripppe bezeichnen die Fährten der durchziehenden Karawanen von Brunnen zu Brunnen, von Oase zu Oase.

Genau um die Mittagsstunde blieb das Tier aus eigenem Antrieb stehen und ließ den eigentümlich kläglichen Laut vernehmen, mit dem diese Art gegen Überlastung protestiert oder sein Bedürfnis nach Ruhe zum Ausdruck bringt. Sein Herr fuhr auf, als erwache er aus tiefem Schlaf, schlug die Vorhänge seines Palankins zurück, sah nach dem Stand der Sonne und spähte vorsichtig nach einem geeigneten Platz, wo er Rast machen könnte. Augenscheinlich befriedigt, atmete er tief auf und nickte vor sich hin. Dann faltete er die Hände über die Brust, senkte den Kopf und betete leise. Nach verrichteter Andacht schickte er sich zum Absteigen an und gab dem Dromedar mit dem üblichen „Ikh! Ikh!" das Zeichen zum Knien. Langsam und wohlgefällig grunzend gehorchte das Tier. Der Reiter setzte den Fuß auf den schlanken Nacken und stieg ab.

Zweites Kapitel

Es stellte sich nun heraus, daß der Mann wohl nicht sehr groß, aber ebenmäßig und kräftig gebaut war. Nachdem er die Kopfbedeckung abgenommen und die Haare aus dem Gesicht gestrichen hatte, erkannte man an den energischen Zügen, der niederen, breiten Stirn, der etwas ungewöhnlichen Form der Augen und den in langen Flechten auf die Schultern fallenden störrischen und pechschwarzen Haaren auf den ersten Blick die Abstammung aus Ägypten. Dafür sprach auch die Kleidung, die er trug. Merkwürdigerweise war er gänzlich unbewaffnet, ja, hatte nicht einmal den zum Antreiben der Kamele üblichen Stock, so daß er entweder in friedlicher Absicht gekommen und ungewöhnlich kühn war oder sich unter einem besonderen Schutz stehend wußte.

Die Glieder des Reisenden waren steif von dem langen, ermüdenden Ritt; er rieb sich daher die Hände, stampfte mit den Füßen und wanderte um sein treues Tier herum, das, sichtlich froh, ein Ruheplätzchen gefunden zu haben, mit dem Ausdruck tiefen Behagens und mit geschlossenen Augen dalag. Von Zeit zu Zeit hielt der Mann in seinem Rundgang inne, beschattete das Gesicht mit der Hand und spähte aufmerksam nach allen Seiten aus. Nach jedem neuen Ausblick aber, den er gehalten hatte, malte sich ein Anflug von Enttäuschung in seinen Zügen, der deutlich zu verstehen gab, daß der Fremde jemanden erwartete, der nicht eingetroffen war.

Dennoch gab er offenbar nicht die Hoffnung auf, denn das bezeugten die Vorbereitungen, die er nun zum Empfang der ersehnten Gäste machte. Nachdem er dem Dromedar Augen, Gesicht und Nüstern mit einem Schwamm gereinigt, sein Zelt aufgespannt und abermals Umschau gehalten hatte, sagte er leise, zu dem Tier gewandt: „Wir sind weit von unserer Heimat entfernt, aber Gott ist bei uns, o du, der du mit dem Wind um die Wette läufst! Wir wollen geduldig sein."

Hierauf nahm er aus einer der Satteltaschen ein Büschel Bohnen, steckte es in einen Sack und hing diesen dem Tier um den Hals, und nachdem er sich überzeugt hatte, daß dem treuen Diener das Mittagsmahl mundete, ließ er den Blick wieder in die Ferne schweifen und sagte ruhig: „Sie werden sicherlich kommen. Der mich geführt hat, wird auch sie geleiten. Ich will mich bereithalten."

Er eilte ins Zelt zurück, setzte die mitgebrachten Vorräte – geräuchertes Schaffleisch, syrische Granatäpfel, Datteln, Milchkäse und gesäuertes Brot – auf den Teppich; dann legte er noch drei Stückchen Seidenzeug zurecht, wie sie die vornehmen Morgenländer ihren Gästen zu verabreichen pflegen, damit sich diese damit während der Mahlzeit die Knie bedecken.

Als er mit seinen Vorbereitungen fertig war, ging er wieder hinaus, und siehe – nun zeigte sich im fernen Osten ein kleiner schwarzer Punkt. Wie festgewurzelt blieb der Fremde bei diesem Anblick stehen; seine Augen öffneten sich weit, und ein leises Schaudern ging durch seine kräftige Gestalt, wie es die Menschen etwa ergreift, wenn sie mit Übernatürlichem in Berührung kommen. Der Punkt wurde größer und immer größer, bis er schließlich deutliche Formen annahm und nicht mehr daran zu zweifeln war, daß sich ein ähnliches weißes Dromedar wie das unseres Reisenden in raschem Lauf dem Platz näherte, wo dieser sein Zelt errichtet hatte. Auf dem Rücken trug das Tier einen hindustanischen anstatt einen ägyptischen Palankin. Als unser Freund das sah, kreuzte er die Hände über der Brust und rief, dabei zum Himmel blickend: „Gott allein ist groß!"

Mittlerweile war der sehnsüchtig Erwartete herbeigekommen, und beim Anblick des knienden Dromedars, des aufgerichteten Zeltes und des in Anbetung versunkenen Mannes wirkte er ebenfalls wie ein aus tiefem Schlaf Erwachender. Anbetend kreuzte auch er die Arme über der Brust und senkte das Haupt; dann stieg er vom Dromedar und eilte auf den ihm entgegenkommenden Ägypter zu. Nachdem sie einander einen Augenblick prüfend angesehen hatten, umarmten sie sich.

„Friede sei mit dir, o Knecht des wahren Gottes!" sagte der Fremde, worauf der Ägypter tief bewegt erwiderte: „Und mit dir, o Bruder und Genosse des wahren Glaubens! Sei mir von Herzen willkommen!"

Der Fremde war groß und hager. Die Augen lagen tief in den Höhlen, und um das magere bronzefarbene Gesicht wallte langes, schneeweißes Haar. Auch der Bart war schneeweiß. Der Mann hatte ebenfalls keinerlei Waffe bei sich und trug das hindustanische Gewand und die turbanähnliche Kopfbedeckung seiner Landsleute. Er war vom Kopf bis zu den Füßen in Weiß gekleidet, nur die nach vorn spitz zulaufenden Halbschuhe waren aus rotem Leder. Der Mann hatte das Aussehen eines Asketen von der strengsten Sorte; nur aus den tränenfeuchten Augen, die er auf den Ägypter richtete, sprach ein menschliches Rühren.

„Gott allein ist groß!" rief er, nachdem sie sich umarmt hatten.

„Und wohl denen, die Ihm dienen!" entgegnete der Ägypter, nicht wenig verwundert, als er von des Inders Lippen den gleichen Ausruf hörte, der sich vor wenigen Minuten auch ihm entrungen hatte. „Warten wir jedoch noch einen Augenblick", fügte er dann hinzu, „denn siehe, dort kommt nun auch der andere."

Und richtig, denn als der Mann aufsah, kam schon mit Windeseile ein drittes weißes Dromedar von Norden her auf sie zugeflogen, und noch ein Weilchen, so war der Reiter abgestiegen und sagte, indem er auf den Inder zutrat und ihn umarmte: „Friede sei mit dir, o mein Bruder!" und dieser antwortete: „Gottes Wille geschehe!"

Der zuletzt Angekommene war sehr verschieden von den beiden anderen. Seine Gestalt war bedeutend zarter, seine Gesichtsfarbe weiß, und das lockige blonde Haar bildete gleichsam eine Krone auf dem kleinen, schöngeformten Kopf; der seelenvolle Ausdruck der dunkelblauen Augen zeugte von einem zartbesaiteten Gemüt, einer warmfühlenden, tapferen Natur.

Seine Gäste bei der Hand nehmend, führte er sie ins Zelt, zog ihnen die Sandalen aus, wusch ihnen die Füße, goß ihnen Wasser über die Hände und trocknete sie mit einem Tuch.

Als er damit fertig war und sich ebenfalls die Hände gewaschen hatte, sagte er: „Essen wir nun, Brüder, und stärken wir Der Mann war barhäuptig und unbewaffnet. Zwischen den Falten des tyrischen Teppichs, den er mit unbewußter Grazie trug, sah die kurzärmelige, am Hals ausgeschnittene und um die Taille mit einem Gürtel festgehaltene Tunika durch und reichte beinahe bis an die Knie hinab. Die Füße waren durch Sandalen geschützt, die Beine jedoch bloß. Niemand hätte dem Fremdling angesehen, daß er bereits fünfzig Jahre zählte, hätten nicht sein ernstes Wesen und seine weisen, wohlüberlegten Worte den reifen Mann in ihm erkennen lassen. Es war nicht schwer, nach seiner ganzen Erscheinung auf seine griechische Abstammung zu schließen.

Nachdem er den Ägypter umarmt hatte, sagte dieser mit vor Bewegung zitternder Stimme: „Der Geist hat mich zuerst hierhergebracht; daraus entnehme ich, daß ich dazu erkoren bin, meine Brüder zu bedienen. Das Zelt ist aufgerichtet, und es ist alles zum Brechen des Brotes bereit. Laßt mich meines Amtes walten!"

uns für die vor uns liegenden Pflichten. Während der Mahlzeit haben wir Gelegenheit, näher miteinander bekannt zu werden." Sobald die Männer Platz genommen hatten, senkten sie wie auf gemeinsame Verabredung die Köpfe, falteten die Hände über der Brust und beteten laut miteinander: „Vater unser aller – Gott! Die Gaben hier vor uns sind von Dir. Nimm unsern Dank dafür gnädig hin und segne uns, damit wir fähig seien, Deinen Willen zu tun."

Kaum war das letzte Wort über ihre Lippen, so sahen sie einander verwundert an. Jeder von ihnen hatte in einer den anderen unbekannten Sprache gesprochen, und doch hatten sie sich vollkommen verstanden. Eine tiefe Bewegung bemächtigte sich ihrer, denn an diesem Wunder erkannten sie, daß Gott in ihrer Mitte war.

Drittes Kapitel

Jenes Zusammentreffen war nach der römischen Zeitrechnung im Monat Dezember des Jahres 747, und in den östlich vom Mittelmeere gelegenen Ländern herrschte Winter. Ein Ritt durch die Wüste in dieser Jahreszeit ist äußerst appetitreizend; das verspürte auch die im Zelt versammelte kleine Gesellschaft. Die Männer waren hungrig und sprachen der Mahlzeit kräftig zu; als sie aber endlich gesättigt waren und der Wein die Runde gemacht hatte, sagte der Ägypter: „Dem Wanderer in der Fremde ist nichts so süß, als wenn er von den Lippen eines Freundes seinen Namen hört. Vor uns liegt eine Zeit des Zusammenlebens; daher ist es recht und billig, daß wir einander näherkommen. Beliebt es euch, so spreche denn der Zuletztgekommene zuerst."

Langsam, als lege er jedes Wort zuvor auf die Waagschale, begann hierauf der Grieche: „Was ich zu erzählen habe, meine Brüder, ist so seltsam, daß ich nicht weiß, wo anfangen und wo aufhören. Ich weiß nur das eine, daß ich eines anderen Willen folge, und an der unaussprechlichen Freude, die dabei mein Herz durchströmt, erkenne ich, daß der Auftrag, der mir zuteil geworden ist, von Gott kommt."

Der Mann hielt inne, denn die Bewegung erstickte seine Stimme, und die anderen senkten ebenfalls tief ergriffen die Blicke.

„Im fernen Westen", fuhr der Grieche nach einer Weile fort, „ist ein Land, das schon deshalb niemals in Vergessenheit geraten wird, weil ihm die Welt für das verpflichtet ist, was den Menschen die reinsten Genüsse bringt. Von der Kunst, der Philosophie, der Beredsamkeit, der Poesie und der Taktik oder anderem gar nicht zu reden, gebührt ihm, o meine Brüder, der Ruhm, die Erkenntnis dessen, den wir uns aufgemacht haben zu suchen und zu verkünden in der ganzen Welt zu verbreiten. Das betreffende Land ist Griechenland. Ich bin Kaspar, der Sohn des Atheners Kleanthes. Wie alle meine Volksgenossen", fuhr er fort, „liebte auch ich leidenschaftlich das Studium und gab mich ihm ganz hin; aber von allen Themata, über die sich die Gelehrten stritten, schienen mir nur zwei Lehrsätze der Beachtung würdig, nämlich: die zwei von unseren größten Philosophen aufgestellten Behauptungen, daß jeder Mensch eine unsterbliche Seele habe, daß es nur *einen* Gott gebe und dieser der Inbegriff der Gerechtigkeit sei. Je länger ich über diese beiden Behauptungen nachdachte, um so klarer wurde mir, daß zwischen Gott und der Seele bisher unbekannte Beziehungen stattfinden müssen. Beim Nachsinnen über dieses Thema kommt der Mensch indes nur bis zu einem gewissen Punkt; dann steht er wie vor einer undurchdringlichen Mauer, und es bleibt ihm nichts anderes übrig, als um Hilfe zu rufen. Das tat ich, aber umsonst! Ich erhielt keine Antwort von jenseits der Mauer, so daß ich mich, der Verzweiflung nahe, von den Städten und Schulen losriß."

Ein verständnisvolles Lächeln flog bei diesen Worten über die hageren Züge des Hindus.

„Im Norden meines Vaterlandes, in Thessalien", fuhr der Grieche fort, „liegt ein im Volksmund als Wohnort der Götter bezeichneter Berg, der Olymp. Dorthin begab ich mich, lebte in einer am Fuße des Berges gelegenen Höhle und flehte Tag und Nacht zu dem mir noch unbekannten Gott, an den ich jedoch von ganzer Seele glaubte, Er möge sich mir offenbaren, denn ich war der festen Überzeugung, wenn ich Ihn so von ganzem Herzen suche, werde Er sich meiner erbarmen und mich erhören."

„Und Er hat es getan! Er hat es getan!" rief der Hindu und hob anbetend die Hände gen Himmel.

„Hört weiter, Brüder", sagte der Grieche, mühsam seine Bewegung niederkämpfend. „Von meiner Höhle aus konnte ich einen Meeresarm überblicken. Da sah ich eines Tages, wie ein Mann von Bord eines vorübersegelnden Schiffes ins Wasser geworfen wurde. Er schwamm ans Ufer, und ich nahm ihn auf und pflegte ihn. Er war ein in der Geschichte und den Gesetzen seines Volkes bewanderter Jude, von dem ich erfuhr, daß der Gott, nach dem sich meine Seele mit inbrünstigem Verlangen ausstreckte, wirklich existiert und seit Menschengedenken der Gesetzgeber, Herrscher und König seines Volkes war. Was war das anderes als die heißersehnte Offenbarung? Mein Glaube war nicht vergeblich gewesen; Gott hatte mir geantwortet!"

„Wie Er allen antwortet, die sich vertrauensvoll an ihn wenden", sagte der Hindu.

„Aber ach!" fügte der Ägypter hinzu, „wie wenige wissen, Seine Antwort zu verstehen!"

„Damit nicht genug", fuhr der Grieche fort, „der Mann erzählte mir auch, daß die Propheten, die die erste Offenbarung empfangen und von Angesicht zu Angesicht mit Gott verkehrt hatten, behaupteten, Er werde wiederkommen. Der Jude nannte mir die Namen der Propheten und führte sogar deren eigene Worte an – ja, er sagte, Seine Wiederkunft stehe unmittelbar bevor, und er werde beinahe stündlich in Jerusalem erwartet."

Der Grieche hielt einen Augenblick inne, und ein Schatten flog über sein Gesicht. Nach einer Weile fügte er hinzu: „Allerdings hat der Jude auch gesagt, daß die Offenbarung Gottes, von der er gesprochen hatte, nur dem jüdischen Volk gegolten habe, und ebenso verhalte es sich mit Seiner Wiederkunft. Und als ich fragte, ob Gott nicht auch etwas für die übrige Menschheit habe, erwiderte er stolz: ‚Nein, nur wir sind Sein auserwähltes Volk.‘ Die Antwort entmutigte mich indes nicht, denn ich sagte mir: ‚Warum sollte Gott seine Liebe und Güte auf ein einziges Land, sozusagen auf eine einzige Familie beschränken?‘ Und ich setzte fortan allen Fleiß daran, dies zu erforschen. Endlich gelang es mir, des Mannes stolze Zurückhaltung zu durchbrechen, und es stellte sich nun heraus, daß seine Väter von Gott nur dazu ersehen worden waren, Zeugen der Wahrheit und Lichtträger für die übrige Welt zu sein, und daß letzterer so gut wie den Juden das Heil gilt. Als der Jude fort und ich wieder allein war, reinigte ich meine Seele im Gebet, damit es auch mir vergönnt war, den König bei Seinem Erscheinen zu sehen und Ihn anzubeten. Da sah ich plötzlich eines Nachts, während ich am Eingang meiner Höhle saß und das Geheimnis meines Daseins zu ergründen suchte, jenseits des Meeres einen Stern aufgehen, und immer heller werdend, näher und näher kommen, bis er gerade über der Öffnung meiner Höhle stand und mir voll ins Gesicht leuchtete. Ich sank in tiefen Schlaf und hörte im Traum eine Stimme zu mir sagen: ‚O Kaspar, dein Glaube hat den Sieg davongetragen! Gesegnet seist du! Du wirst mit zwei anderen von den äußersten Enden der Erde Kommenden den verheißenen König sehen und Sein Zeuge werden. Steh morgen in aller Frühe auf, um den Männern entgegenzugehen, und vertraue der Leitung des Geistes. Er wird dich sicher führen.'

Am nächsten Morgen erwachte ich mit dem Bewußtsein, daß ein Licht in meinem Innern aufgegangen war, das heller leuchtete als die Sonne, wenn sie im Mittag steht. Ich legte meine Einsiedlerkutte ab und zog die Kleider an, die ich früher zu tragen pflegte, nahm die mitgebrachten Wertgegenstände aus ihrem Versteck und fuhr mit dem ersten Schiff, das vorübersegelte, nach Antiochien. Dort kaufte ich mir ein Dromedar samt der nötigen Ausstattung und trat die Reise in die Wüste an. Das, o Brüder, ist in Kürze meine Geschichte. Nun laßt auch die eure hören!"

Viertes Kapitel

Der Ägypter forderte den Hindu mit einer Handbewegung auf, nun seinerseits das Wort zu ergreifen, und dieser begann: „Unser Bruder hat gut gesprochen; mögen meine Worte ebenso vorsichtig gewählt und maßvoll sein!"

Dann fuhr er nach einer kurzen Pause fort: „Meine Name ist Melchior, und ich bin von Geburt ein Hindu. Mein Volk war das erste, das die Gebiete der Wissenschaft und der Kunst nach allen Richtungen hin erforschte, und in den Schastras die heiligen Gesetze in ein Gesamtwerk vereinigte, das für alle Zeiten ein würdiges Denkmal von dem, meinem Volke innewohnenden Genius sein wird. Diese Gesetze versprachen ihren treuen Beobachtern, sie rasch der Vollkommenheit entgegenzuführen; aber ihre Verfasser verschlossen selbst dem Fortschritt Tür und Tor, indem sie den Menschen aus angeblicher Fürsorge für ihr geistiges Wohl alles Trachten nach neuen Entdeckungen oder Erfindungen untersagten, da ihnen der Himmel alles Nötige bereits gegeben habe. Damit war der indische Genius in Fesseln geschlagen und konnte sich nicht mehr frei entwickeln.

Ihr werdet mir zugeben, Brüder, daß diese Bemerkungen nicht einer hochmütigen Überschätzung meines Volkes entspringen, wenn ich euch sage, daß die zwei großen Gedanken ‚Gott und die Seele' alle Geisteskräfte der Hindus in Spannung hielten, lange ehe die Griechen auch nur dem Namen nach bekannt waren. Die Schastras lehren, daß es einen Gott gibt, dieser aber aus drei Personen besteht, nämlich aus Brahma, Wischnu und Schiwa. Von diesen dreien soll Brahma der Schöpfer unseres Geschlechtes sein und dieses allmählich in vier Kasten geteilt haben, als deren höchste und vornehmste die der Brahmanen bezeichnet wird. Das Gesetz verbot alle Vermengung der Kasten aufs nachdrücklichste; trat der Brahmane einer niederen Kaste bei oder verkehrte er mit den Angehörigen einer solchen, so wurde er als Verworfener betrachtet."

„Wie dringend nötig bedürfen wir angesichts solcher Zustände eines alliebenden Gottes!" warf der Grieche ein; denn mit raschem Geistesfluge hatte er sofort die notwendigen Folgen eines solchen Verbotes durchschaut.

„Ja, eines alliebenden Gottes, wie wir Ihn haben", setzte der Ägypter hinzu.

Die Stirn des Hindus umwölkte sich; sobald er jedoch einigermaßen seiner schmerzlichen Bewegung Herr geworden war, fuhr er fort: „Ich kam als Brahmane zur Welt, und mein Lebensgang war mir demnach von meiner Geburt an bis zu meinem letzten Atemzuge aufs genaueste vorgeschrieben. Ich konnte weder umhergehen, essen, trinken oder schlafen, ohne beständig der Gefahr ausgesetzt zu sein, diese oder jene mir vorgeschriebene Regel zu übertreten, und zwar zum Schaden meiner eigenen Seele. Je nach meinem Verhalten erhielt diese entweder Zutritt zu einem der Himmel, oder sie wurde von dort zurückgewiesen und in irgendeinen Tierleib verbannt. Die Belohnung für genaue Beobachtung aller vorgeschriebenen Regeln war die Seligkeit, das Aufgehen in Brahm oder mit anderen Worten, das Eingehen zur völligen Ruhe. Als ich nach langem Studium bereit war, in die zweite Ordnung der Brahmanen einzutreten, das heißt Ehemann und Hausvater zu werden, war aus einem Gläubigen ein Zweifler geworden, ja sogar ein Ketzer. Erst nach Jahren mühevollen Kämpfens und Ringens kam ich endlich ins helle Licht und erkannte, daß das eigentliche Wesen der Religion, das Band, das Gott und die Seele miteinander verknüpft, die Liebe ist."

Ein heller Lichtschein flog bei diesen Worten über die eingefallenen Züge des Hindus, und er faltete andächtig die Hände. Die anderen sahen ihn verständnisinnig an, und in des Griechen Augen glänzten Tränen. Nach einer Weile fuhr der Mann fort: „Die Seligkeit der Liebe liegt in deren Ausübung; sie zeigt sich in der Bereitwilligkeit, etwas für seine Mitmenschen zu tun. Ich konnte fortan das Elend, mit dem Brahm den Erdkreis erfüllt hatte, nicht mehr ruhig mitansehen. Die zahlreichen Opfer seiner grausamen Lehren bewegten mir das Herz. Ich begab mich auf die Insel Ganga und suchte im Schatten des Tempels, der dort an der Mündung des Ganges dem Andenken des Weisen Kapila gebaut wurde, den Frieden meiner Seele wiederzufinden. Zweimal des Jahres pilgerten Leute aus allen Teilen des Landes an diesen Ort, um in den Fluten des heiligen Stromes Reinigung zu erlangen. Ihr Elend fachte meine Liebe immer mehr an, bis ich schließlich alle Vorurteile meiner Kaste über Bord warf und dem Drang meines Herzens folgte, meinen armen Brüdern die Wahrheit zu verkündigen. Die Folge war, daß ich aus dem Tempel ausgestoßen und von Ort zu Ort verfolgt wurde, bis ich mich schließlich in die tiefste Einsamkeit des Himalaja zurückzog, um dort allein mit Gott betend und fastend auf mein Ende zu warten.

Eines Nachts, als ich am Ufer des Sang Tso auf und ab ging und mich fragte: ‚Wann wird Gott kommen und die Seinen zu sich nehmen? Gibt es keine Erlösung?‘ schimmerte plötzlich ein Licht über den Fluten des Sees; ein Stern ging auf, kam näher und immer näher und blieb schließlich über mir stehen. Ich fiel, von dem Glanze wie geblendet, zu Boden. Da hörte ich plötzlich eine wunderbar milde Stimme zu mir sagen: ‚Deine Liebe hat gesiegt! Sei gesegnet, du Sohn Indiens! Die Erlösung naht. Du wirst mit zwei anderen, die aus weiter Ferne kommen, den Heiland sehen und für Ihn zeugen. Steh morgen in aller Frühe auf und geh den Männern im Vertrauen auf die Leitung des Geistes entgegen.‘

Von Stund an hat es mir nicht einen Augenblick an dem nötigen Licht gefehlt, so daß ich wußte, daß der Geist Gottes mit mir war. Am nächsten Morgen machte ich mich auf den Weg. In einer Felsenkluft fand ich einen äußerst kostbaren Stein, den verkaufte ich, handelte mir dafür in Isfahan ein Dromedar ein und ritt, ohne auf eine Karawane zu warten, nach Bagdad. Obwohl ich einsam eine Straße zog, fürchtete ich mich nicht, denn ich spürte, daß der Geist mit mir war, wie er es noch heute ist."

Fünftes Kapitel

Der lebhafte Grieche machte seinen Gefühlen durch Ausru-
fungen und Beglückwünschungen Luft; danach sagte der Ägypter mit charakteristischem Ernst: „Ich freue mich deines teuer
erworbenen Sieges, Bruder. Und wollt ihr mir nun geneigtes
Gehör schenken, so will ich euch sagen, wer ich bin und auf welche Weise ich berufen wurde. Ich bitte nur noch um einen Augenblick Geduld."

Er ging hinaus und versorgte die Dromedare; dann kam er
zurück, nahm seinen alten Platz wieder ein und begann folgendermaßen: „Ich bin Balthasar, der Ägypter. Mein Volk unter-
scheidet sich in vielem von anderen Völkern; doch sei hier nur
dieser eine Vorzug hervorgehoben: Wir waren die ersten, welche die geschichtlichen Ereignisse aufzeichneten, so daß sie
nicht mehr der Gefahr ausgesetzt waren, dadurch, daß sie von
Mund zu Mund gingen, verstümmelt oder gar gefälscht zu werden. Wir vertrauten dem Papyrus die Weisheit unserer Philosophen und die Mysterien unserer Religion an – eben alle Geheimnisse bis auf eins, auf das ich erst später zurückkommen
werde. Älter als die Vedas der Brahmanen und die Gesänge
Homers, ja, älter als die Genesis des Hebräers Moses sind die
Schriften unseres ersten Königs Menes. Daraus ersahen wir,
daß die Väter die Geschichte der vorsintflutlichen Welt aus dem
fernen Osten mitbrachten, erfuhren Einzelheiten über die Sintflut selbst, welche die Söhne Noahs den Arianern erzählt hatten
und lernten daraus, Gott als den Schöpfer und Urquell alles Ge-
schaffenen sowie die Unsterblichkeit der Seele kennen. Die
Lehren von einem einzigen Gott und Schöpfer des Weltalls und
von der Unsterblichkeit der Seele waren durch Mizraim an die
Ufer des Nils getragen worden, und dieser wiederum hatte sie
von den Bewohnern jenseits der Wüste übernommen. Wie alles, was Gott uns zu unserem Besten gibt, waren diese Lehren
damals vollkommen rein und leicht faßlich, und ihnen entspre-

chend war der erste Gottesdienst der natürliche Ausfluß einer fröhlichen, hoffnungsvollen, Gott liebenden Seele."

Bei diesen Worten rief der Grieche freudig aus: „Oh, es wird lichter und immer lichter in meiner Seele!"

„Und auch in der meinigen", sagte der Hindu bewegt.

Der Ägypter betrachtete sie wohlwollend und fuhr dann fort: „Die Religion ist nur das Gesetz, das den Menschen mit seinem Schöpfer verbindet. Ist sie rein, so besteht sie aus folgenden Elementen: Gott, die Seele und deren gegenseitiges Erkennen, woraus dann ganz von selbst Anbetung, Liebe und Belohnung entspringen. Wie alle Gesetze göttlichen Ursprungs, war auch die Religion der ersten Stammeltern des Menschengeschlechts vollkommen und zugleich überaus einfach. Der Fluch der Flüche ist nur, daß die Menschen solche Wahrheiten nicht lassen wie sie sind, sondern immer meinen, sie müßten etwas hinzufügen. Die lieblichen Ufer des Nil haben allgemeines Wohlgefallen erregt, und fast alle Nationen der Erde mit Ausnahme der hebräischen sind zu der einen oder anderen Zeit ihre Herren gewesen. Durch diesen beständigen Völkerwechsel ist der alte Glaube verdorben worden. Das Palmental wurde zum Göttertal. Neben dem einen Gott gab es verschiedene andere Gottheiten und Untergötter, bis schließlich die Nachkommen der Arianer so tief sanken, daß sie sogar den niedrigsten Tierkult trieben."

Zum erstenmal verließ hier den Ägypter seine gewohnte Ruhe, und seine Stimme zitterte merklich, als er fortfuhr: „Dennoch dürft ihr meine Landsleute nicht allzusehr verachten, denn nicht alle vergaßen Gott. Ich sagte euch vorhin, daß wir alle Geheimnisse unserer Religion bis auf ein einziges dem Papyrus anvertrauten – auf dieses will ich nun zurückkommen. Wir hatten einmal einen Pharao zum König, der alle möglichen Veränderungen einführte und zugunsten der neuen Religion die alte nach Kräften aus dem Gedächtnis der Leute zu bannen suchte. Damals lebten die Hebräer als Sklaven unter uns. Diese hingen treu ihrem Gott an, und als die Verfolgungen ihren Höhepunkt erreicht hatten, wurden sie auf wunderbare Weise gerettet. Moses, auch ein Hebräer, ging in den königlichen Palast und forderte im Namen des Gottes Israels, daß Pharao die nach Millionen zählenden Sklaven ziehen lasse. Nach langem Widerstreben gab der König endlich nach; aber kaum war das Volk fort, so reute es ihn wieder, und er eilte ihm mit einem großen Heere nach, um es zurückzuholen. Schon glaubten die Flüchtlinge, es sei alles verloren, da teilte sich plötzlich das Meer, und sie gelangten trockenen Fußes ans andere Ufer, während ihre ihnen nacheilenden Verfolger in den rasch zurückkehrenden Fluten ertranken. Du hast von einer Offenbarung gesprochen, mein Bruder."

„Die gleiche Geschichte hörte ich von dem Juden, den ich in meiner Höhle aufnahm!" rief leuchtenden Auges der Grieche. „Deine Erzählung, Balthasar, ist die genaue Bestätigung dessen, was er mir sagte."

„Ich komme nun auf das Geheimnis zurück, das ich vorhin erwähnte", fügte der Ägypter hinzu. „Seit den Tagen jenes unglücklichen Pharao sind in meinem Vaterland beide Religionen vertreten gewesen; das Volk betete die Götter an, die Priesterschaft hingegen den einen Gott, Schöpfer des Himmels und der Erde. Freut euch mit mir, Brüder! Durch alle Wechsel der Zeiten hindurch ist die herrliche Wahrheit lebendig geblieben, und nun ist die Stunde gekommen, da sie ihr Haupt wieder emporhebt."

Die schmächtige Gestalt des Hindus erbebte vor Freude, und der Grieche rief voll heiliger Begeisterung: „Es ist mir, als jubiliere die ganze Wüste."

Der Ägypter stärkte sich mit einem Schluck Wasser; dann fuhr er fort: „Ich erblickte als Fürst und Priester in Alexandrien das Licht der Welt und erhielt eine meinem Range und Stande angemessene Erziehung; aber bald bemächtigte sich meiner eine große Unbefriedigtheit, bis ich mich durch die verworrenen Lehren von der Seelenwanderung und der schließlichen Aufnahme in die Gefilde der Seligen oder den Aufenthaltsort der Verdammten in dem Glauben an ein ewiges Leben in der Gegenwart Gottes durcharbeitete. Diese Entdeckung führte mich allmählich zu der Frage: Warum sollte die köstliche Wahrheit dem gemeinen Volke vorenthalten werden? Der Grund zu deren Unterdrückung existierte nicht mehr, seit die Römer im Lande herrschten. So machte ich mich eines Tages auf und predigte in dem schönsten und bevölkertsten Stadtteil Alexandriens vor einem auserlesenen Publikum über Gott, die Seele, Recht und Unrecht, den Himmel und die auf ein tugendhaftes Leben folgende Belohnung, rief aber nur den Spott meiner Zuhörer hervor – mit einem Wort, ich erlebte eine glänzende Niederlage."

„Ja, ja", sagte der Hindu seufzend. „Der Mensch ist des Menschen Feind, mein Bruder."

Balthasar schwieg eine Weile; endlich begann er aufs neue: „Nach langem Nachdenken wurde mir schließlich die Ursache meiner Niederlage klar. Etwa eine Tagesreise von Alexandrien entfernt liegt ein von Ackersleuten und Hirten bewohntes Dorf. Dahin begab ich mich und predigte dort vor einer versammelten Menschenmenge, die aus den Geringsten des Volkes bestand. Mein Thema war dasselbe, über das ich in Alexandrien gesprochen hatte; aber niemand lachte. Im Gegenteil, die Leute glaubten meinen Worten, freuten sich der von mir verkündigten Botschaft und verbreiteten sie weiter. Von Stund an faßte ich den Plan, mein Leben der Unterweisung der Armen und Elenden zu weihen, und nachdem ich meine Besitztümer verkauft hatte, um das nötige Geld zur Unterstützung der Bedrängten zur Hand zu haben, begann ich meine Wanderung in den umliegenden Dörfern und zu den weithin zerstreut wohnenden Stämmen. Wohin ich kam, verkündigte ich den einen, wahren Gott und forderte die Leute zu einem tugendhaften Leben auf, indem ich ihnen ewigen Lohn dafür verhieß. Auf diese Weise durfte ich viel Gutes tun, und ich bin gewiß, daß in jener Gegend viele reif sind zur Aufnahme dessen, den zu suchen wir uns aufgemacht haben."

Die aufsteigende Erregung niederkämpfend, fuhr der Ägypter fort: „Eins ist mir im Laufe der Zeit klar geworden: soll dem so tief gesunkenen, vom einfältigen Glauben so weit abgeirrten Menschengeschlecht erfolgreich und dauernd geholfen werden, so kann es nur dadurch geschehen, daß Gott selbst auf die Erde herniederkommt und sich seinen Geschöpfen persönlich offenbart."

Eine tiefe Bewegung bemächtigte sich der drei Männer bei diesen Worten. Als sich dieselbe einigermaßen gelegt hatte, sagte Balthasar: „Allmählich verstand ich, daß alle meine Pläne, es zu einer gründlichen Reformation meines Volkes zu bringen, an dem Umstand scheiterten, daß mein Werk nicht die göttliche Bestätigung hatte, deren es bedurft hätte, um von durchschlagender Wirkung zu sein. In meiner Entmutigung suchte ich gleich euch die Einsamkeit auf, um mit meinem Gott allein zu sein und unter Fasten und Beten Seinen Willen zu erforschen. Zu diesem Zweck begab ich mich in eine der entlegensten Gegenden Afrikas und hielt mich dort volle anderthalb Jahre auf. Da, während mich eines Nachts, als ich in einem Palmenhain auf und ab wanderte, die Frage bewegte: ‚Wann wirst Du kommen, o Gott! Wann werde ich endlich Dein Heil sehen?', wurde plötzlich einer der über der Wasserfläche funkelnden Sterne größer und immer größer, kam näher und näher und blieb schließlich dicht vor mir stehen, so daß es schien, als brauchte ich nur die Hand auszustrecken, um ihn fassen zu können. Ich fiel nieder und verhüllte mein Gesicht, während eine Stimme, die nicht von dieser Welt stammte, mir zurief: ‚Deine guten Werke haben gesiegt. Gesegnet seist du, o Sohn Mizraims! Die Erlösung naht. Du wirst neben zwei anderen, die von den äußersten Enden der Erde kommen werden, den Heiland sehen und Zeugnis für Ihn ablegen. Steh morgen früh auf und geh den Betreffenden entgegen. Sobald ihr in der Heiligen Stadt Jerusalem angelangt, fragt dort: ‚Wo ist der neugeborene König der Juden? Wir haben Seinen Stern gesehen und sind gekommen, Ihn anzubeten.'

Von Stund an ging in meiner Seele ein Licht auf, das nicht mehr untergegangen ist und mir heute als Leitstern dient. Es brachte mich stromabwärts nach Memphis, wo ich mir ein Dromedar anschaffte und unverzüglich die Reise in die Wüste antrat. Gott ist mit uns, o meine Brüder!"

Er hielt inne, und wie einem inneren Antriebe folgend, erhoben sich die drei Männer und sahen einander prüfend an.

„Es war nicht von ungefähr", sagte endlich der Ägypter, „daß jeder von uns so eingehend von seinem Volk und dessen Geschichte sprach. Der, den wir uns aufgemacht haben zu suchen, wird ‚König der Juden' genannt; unter diesem Namen sollen wir uns nach Ihm erkundigen. Seit wir aber zusammengekommen sind und voneinander gehört haben, auf welche Weise jeder von uns berufen worden ist, wissen wir, daß Er nicht nur der jüdischen Nation, sondern dem ganzen Erdkreis zum Heiland und Erretter gegeben ist. Der Patriarch, der die Sintflut überlebte, hatte drei Söhne sowie deren Familien bei sich, und diese bevölkerten dann die Erde wieder mit ihren Nachkommen. Aus dem Innern Asiens verteilten sie sich nach allen Richtungen hin, und ihrer etliche bauten sich am Nil an.

Kann es etwas göttlicher Vorbereitetes geben? Haben wir den Herrn gefunden, so werden die Nachkommen der drei Söhne Noahs Ihm mit uns vereint ihre Huldigung darbringen, und wenn wir wieder auseinandergehen, wird die Welt eine neue Lektion gelernt haben, nämlich, daß der Himmel weder durch das Schwert noch durch menschliche Weisheit erobert wird, sondern durch Glaube, Liebe und gute Werke."

Nach diesen Worten herrschte tiefes Schweigen; aber der Ausdruck seliger Freude lag auf den an den Ufern des Lebensstromes mit den Erlösten in der Gegenwart Gottes stehenden Männern. Nach einer Weile brachen die Freunde das Zelt ab, bestiegen ihre Dromedare und ritten unter Führung des Ägypters in die dunkle Nacht hinaus. Keiner sprach ein Wort, und die drei weißen Gestalten glichen Gespenstern, die irgendeinem verhaßten Schatten zu entfliehen suchten. Plötzlich loderte dicht vor ihnen eine helle Flamme auf, und während sie sich besannen, woher dieselbe kommen mochte, konzentrierte sie sich in einem Lichtkörper von blendendem Glanz. Bei dessen Anblick schlugen die Herzen der Männer beinahe hörbar, ein heiliger Schauer durchrieselte ihre Glieder, und sie riefen wie aus einem Munde: „Der Stern! Der Stern! Gott ist mit uns!"

Sechstes Kapitel

In der westlichen Stadtmauer von Jerusalem befand sich das sogenannte Bethlehem- oder Jaffator, und der freie Platz davor war schon zu Salomos Zeiten einer der Hauptmittelpunkte des ägyptischen und phönizischen Handels. Noch heute, nach dreitausend Jahren, wird dort so ziemlich alles feilgeboten, was zu den Bedürfnissen des täglichen Lebens gehört. Will ein Pilger eine Stecknadel oder eine Pistole, eine Gurke oder ein Kamel, ein Haus oder ein Pferd, Datteln oder einen Dragoman* haben, so braucht er nur am Jaffator danach zu fragen.

Mischen wir uns ein wenig unter die Leute, und sehen wir ihrem Treiben eine Zeitlang zu, so bekommen wir bald einen Einblick in die dortigen Verhältnisse.

Hier keucht ein Esel unter der Last von Körben voll frisch aus den galiläischen Gärten kommender Linsen, Bohnen, Zwiebeln und Gurken. Ist sein Herr nicht gerade mit der Bedienung von Kunden beschäftigt, so bietet er mit einer wahren Stentorstimme seine Waren feil. Eine einfachere Kleidung, als die dieses Mannes, läßt sich kaum denken; sie besteht buchstäblich nur aus Sandalen und einer an der Schulter übereinandergehefteten, mit einem Gürtel um die Taille festgehaltenen, ungebleichten Decke. In nächster Nähe des Esels kniet ein großknöcheriges graues Kamel, das über und über mit langem zottigem Haar bedeckt ist und auf einem ungeheuren Sattel einen geradezu kunstfertig errichteten Aufbau von Körben und Kästen trägt. Das Tier gehört einem Ägypter, einem kleinen, äußerst beweglichen Männlein von erdfahler Gesichtsfarbe, auf dessen Kopf ein verblichener Turban sitzt, dessen langes ärmelloses Gewand vom Hals bis zu den Knien herabfällt, aber die Beine frei läßt. Das Kamel, das seiner Last längst überdrüssig ist, stöhnt und zeigt von Zeit zu Zeit die Zähne, doch das kümmert den Mann

*arabisch Dolmetscher

wenig; er geht gleichgültig auf und ab und preist seine Trauben, Datteln, Feigen und Granatäpfel an.

In einem Winkel des Marktplatzes sitzen, an die grauen Mauersteine gelehnt, eine Anzahl Frauen in der einfachen Tracht der niederen Volksklassen – einem langen, mit einem Gürtel zusammengefaßten Gewand und einem breiten Schleier, der Kopf und Schultern umhüllt. Sie bieten süßen Most und Schnaps feil; doch werden ihre schüchternen Rufe in der Regel von dem Zetergeschrei ihrer Konkurrenten übertönt, so daß sie selten Gelegenheit haben, etwas an den Mann zu bringen. Mitten unter den Flaschen und Krügen tummeln sich, keiner Gefahr achtend und gewöhnlich auch unverletzt aus ihr hervorgehend, ein Dutzend halbnackter Kinder, deren brauner Körperfarbe, kohlschwarzen Augen und dicken schwarzen Haaren man auf den ersten Blick die jüdische Abstammung anmerkt.

Außer den zahlreichen Vogel- und Viehhändlern treiben sich noch eine Menge Verkäufer von Schmuckgegenständen umher.

Siebentes Kapitel

Stellen wir uns am Tor auf, ein wenig abseits vom Gedränge, wo die Leute herein- und herausströmen, und beachten wir ein Weilchen, was um uns her vorgeht.

Wir kamen gerade zur rechten Zeit. Hier sind zwei Männer, die zu betrachten die Mühe lohnt. „Alle Wetter, wie kalt ist es!" sagt einer von ihnen, eine kräftig gebaute, vom Kopf bis zu den Füßen geharnischte Gestalt mit schwerem, ehernem Helm. „Wie kalt ist es! Bei Pluto, ich würde mir jetzt nicht das Geringste daraus machen, wenn ich in jenem Gewölbe in unserer Heimat stünde, von dem es heißt, es sei am Eingang in die Unterwelt! Da könnte man sich wenigstens die erstarrten Glieder wärmen."

Der Mann, an den die Worte gerichtet sind, schlägt die Kapuze seines Soldatenmantels zurück und erwidert: „Die Helme der Besieger des Markus Antonius sind bedeckt mit gallischem Schnee; aber du, mein armer Freund, bist noch an die ägyptische Hitze gewöhnt."

Der nächste, der durch das Tor schreitet, ist ein hagerer, hochschultriger Jude in langem braunem Gewand. Das ungekämmte Haar hängt ihm in Strähnen über Augen, Gesicht und die halbe Schulter hinab. Wer ihm begegnet, lacht und spottet seiner, denn er gehört einer allgemein verachteten Sekte an, die die Bücher Mosis verwirft und deren Anhänger ungeschoren umhergehen.

Während wir ihm noch nachsehen, stiebt die Menge nach rechts und links auseinander. Im nächsten Augenblick wird uns die Ursache der plötzlichen Aufregung klar. Ein Mann, den Gesichtszügen und der Kleidung nach ein Hebräer, kommt vorüber. Um seine Schultern wallt der Mantel aus schneeweißem Linnen; das lange flatternde Gewand ist reich bestickt, eine rote, mit Goldfransen besetzte Schärpe mehrmals um die Taille geschlungen. Seine Haltung ist vollkommen ruhig, ja, er lächelt sogar auf die so eilig vor ihm Zurückweichenden nieder. Ist er ein Aussätziger? O nein, nur ein Samariter, ein Mischling von Deportierten, die die Assyrer in Samaria angesiedelt hatten, dessen bloße Berührung befleckt, und von dem kein Israelit die geringste Hilfeleistung annehmen dürfte, sollte es ihn auch das Leben kosten, würde die ihn ängstlich meidende Menge sagen. Die Spaltung ging auf die Zeit zurück, als David seinen Thron auf dem Berge Zion errichtete, und dauerte selbst nach der Wiedervereinigung der Stämme fort. Die Samariter hielten an ihrem Tempel in Garizim fest und behaupteten, die Stätte sei heiliger als jene, wo die Juden beteten. Die Feindschaft, anstatt sich zu legen, wurde mit den Jahren nur noch bitterer.

Während der Samariter im Torbogen verschwindet, kommen drei Männer des Weges, deren Äußeres die Blicke unwillkürlich auf sich zieht. Sie sind von ungewöhnlicher Größe und Muskelkraft; die Augen sind blau, und durch die feine, weiße Haut schimmern die Adern; das Haar ist blond und kurz, und die kleinen runden Köpfe passen wie gedrechselt auf den schöngeformten Nacken. Die bloßen Arme und Beine sind von dem vollkommensten Ebenmaß und deren Muskeln so ausgebildet, daß man bei ihrem Anblick sofort an die Arena erinnert wird. Es sind Gladiatoren – Wettkämpfer, Läufer, Boxer, Leute, die man vor Ankunft der Römer in Judäa kaum dem Namen nach kannte, und die wahrscheinlich aus Cäsarea, Sebaste oder Jericho zu Besuch herübergekommen sind, denn in diesen Städten hat Herodes Theater und Fechtschulen gebaut, wo die geeigneten Männer für die Arena ausgebildet werden.

Uns gegenüber steht eine Obstbude, in der ein kahlköpfiger Mann mit ungewöhnlich langem Gesicht und einer gekrümmten Nase Mandeln, Weintrauben, Feigen und Granaten feilbietet. Der Käufer, der sich seinem Stande soeben naht, erregt auch Aufsehen durch seine Schönheit, wenngleich in ganz anderer Weise als die Gladiatoren. Sowohl an der malerischen, kleidsamen Tracht, wie an den feinen, regelmäßigen Gesichtszügen erkennt man sofort den Griechen. Die ganze Erschei-

nung hat besonders in ihrer jetzigen Umgebung etwas so Anziehendes, daß man alles andere darüber vergäße, wenn der
Mann, der ihm folgt, nicht die Aufmerksamkeit in Anspruch
nähme. Er kommt langsam und gesenkten Blickes die Straße
herauf, bleibt von Zeit zu Zeit stehen, faltet die Hände über der
Brust, zieht das Gesicht in die Länge und hebt die Augen gen
Himmel empor, als bete er. Seinesgleichen ist nur in Jerusalem
zu finden. Die Säume seines Gewandes sind mit breiten Fransen
besetzt. An diesen sowie an den Denkzetteln*, die er an der
Stirn und auf der Brust trägt, und an dem ganzen salbungsvollen
Auftreten des Mannes merkt man auf den ersten Blick, daß er
der Sekte der Pharisäer angehört, und zwar einer der strengsten.

Am größten ist das Gedränge auf der Stelle, wo die Straße
nach Jaffa abbiegt. Kaum ist der Pharisäer unseren Blicken entschwunden, so zieht schon wieder ein anderer unsere Aufmerksamkeit auf sich – eine vornehme Erscheinung mit langem, wallendem Bart, glänzenden schwarzen Augen und klarer, gesun-
der Gesichtsfarbe. Das kostbare, vortrefflich passende Gewand
ist der Jahreszeit angemessen. Um den Hals des Mannes hängt
ein großes goldenes Petschaft, in der Hand trägt er einen Stab.
Die hinter ihm dreingehenden Diener haben kurze Schwerter
im Gürtel stecken, und wenn sie mit ihrem Herrn sprechen, geschieht es mit der größten Ehrerbietung. Der Rest des Gefolges
besteht aus zwei Arabern in Nationaltracht; diese führen Pferde
an den Zäumen und bieten diese mit viel Geschrei zum Kauf an.
Der vornehme Herr überläßt ihnen das Geschäft der Hauptsache nach; nur zuweilen wirft er mit großer Würde ein paar
Worte dazwischen; kaum aber sieht er den Obsthändler, so
bleibt er stehen, um Feigen zu kaufen. Von diesem erfahren wir

---

*Denkzettel (jüdisch): Pergamentröllchen, auf denen vier Abschnitte aus
dem Alten Testament stehen (2. und 5. Buch Mosis) und die, in Leder-
kapseln (Tefillinbeutel) gesteckt, am Gebetsriemen (Tefillin) befestigt
sind.

nachträglich, daß der Mann einer der vornehmsten und angesehensten Juden der Stadt, eine Persönlichkeit ist, die beinahe in der ganzen Welt herumgekommen war und den Unterschied zwischen einer syrischen und zyprischen Traube genau kennt.

So folgen sich auf dem Marktplatz rasch aufeinander die verschiedensten Gestalten, darunter Repräsentanten aller Stämme Israels, Anhänger aller möglichen Sekten der jüdischen und anderer Religionen, Leute aus allen Ständen bis herab zum niedersten Pöbel. Kurz, das heilige Jerusalem, dem die kostbarsten Verheißungen gegeben waren, ist ein zweites Rom geworden, ein Mittelpunkt unheiliger Vergnügungen und heidnischer Macht. Dereinst, als ein jüdischer König einmal Priesterkleider anzog und in das Allerheiligste ging, um zu opfern, kam er als Aussätziger zurück; aber zur Zeit, von der wir sprechen, konnte Pompejus ungestraft das Allerheiligste betreten, denn es war nur ein leerer Raum, aus dem sich Gott zurückgezogen hatte.

Achtes Kapitel

Der geneigte Leser folge mir nun in einen beim Marktplatz am Jaffator befindlichen Hof. Obwohl es bereits die dritte Stunde des Tages war, herrschte noch immer reges Leben und Treiben. Eine Gruppe unter den Neuangekommenen, bestehend aus einem Mann, einer Frau und einem Esel zog die Aufmerksamkeit besonders auf sich.

Der Mann stand, auf seinen Stab gelehnt, am Kopf des Tieres, es am Zaume haltend. Er war gekleidet wie die übrigen Juden damaliger Zeit, nur hatte er offenbar sein Feiertagsgewand an. Die Züge mochten etwa die eines angehenden Fünfzigers sein, und in dem schwarzen Bart zeigten sich schon einzelne graue Haare. Der halb neugierige, halb leere Blick, den der Mann auf seine Umgebung warf, kennzeichnete ihn als einen aus der Provinz kommenden Fremden.

Der Esel fraß gemächlich von dem Häuflein frischen Grases, das vor ihm lag. Der ringsum herrschende Lärm störte ihn nicht im geringsten, so wenig wie die auf seinem Rücken sitzende Frau. Diese trug ein langes wollenes Gewand von dunkler Farbe, und Kopf und Nacken waren von einem weißen Schleier umhüllt, den sie dann und wann neugierig ein wenig beiseiteschob, um zu sehen, was um sie herum vorging.

„Bist du nicht Joseph von Nazareth?" fragte endlich einer der Umstehenden den Fremden.

„Ja, der bin ich", antwortete Joseph, indem er sich nach dem Manne, der ihn angeredet hatte, umwandte. „Und du? Ach, Friede sei mit dir, mein Freund, Rabbi Samuel!"

„Mit dir ebenfalls und deinem ganzen Hause", entgegnete der Rabbiner, die Hände über der Brust kreuzend und sich gegen die Frau verneigend, die den Schleier so weit zurückgeschlagen hatte, daß ihre noch ungemein kindlichen Züge sichtbar wurden.

„Da deine Kleider so gar nicht bestaubt sind", fuhr der Mann, zu dem Freunde gewandt, fort, „vermute ich, daß du die Nacht in der Stadt deiner Väter verbracht hast."

„Nicht doch", erwiderte Joseph, „wir übernachteten in einer Herberge in Bethanien und kamen erst heute früh hierher."

„Ihr geht doch hoffentlich nicht nach Jaffa?"

„Nein, nur nach Bethlehem."

Des Rabbiners gewöhnlich so freundlichen Züge umwölkten sich, und er sagte, nachdem er sich mehrmals geräuspert hatte: „Aha, ich verstehe. Du bist aus Bethlehem gebürtig und gehst nun mit deiner Tochter dahin, um dich schätzen zu lassen, wie der Kaiser befohlen hat. Wahrlich, die Kinder Jakobs befinden sich heutzutage ungefähr in der gleichen Lage wie damals in Ägypten . . . nur daß sie weder einen Moses noch einen Josua haben, der sie aus der Knechtschaft erretten könnte. Wie sind doch die Mächtigen so tief gesunken!"

Joseph antwortete, ohne eine Miene zu verziehen: „Die Frau hier ist nicht meine Tochter."

In demselben Augenblick fiel der Fremden der Schleier vom Gesicht und gab dem Rabbiner Gelegenheit, die wunderbar lieblichen Züge genauer zu sehen, ehe sie wieder verhüllt wurden.

„Wer ist das schöne Mädchen?" fragte der Rabbiner den Freund leise.

„Eine der Töchter von Joachim und Anna von Bethlehem, die du jedenfalls dem Namen nach kennst", antwortete Joseph. „Ihre Eltern sind tot, und um den Kindern das väterliche Erbteil zu erhalten, war ich als nächster Verwandter durch das Gesetz verpflichtet, die Älteste zu heiraten. Sie ist also mein Weib."

„Wie warst du mit ihr verwandt?"

„Ich war ihr Onkel."

„Richtig, und da ihr beide aus Bethlehem gebürtig seid, müßt ich nach der neuesten römischen Verordnung zur Schätzung dorthin reisen."

Bei diesen Worten faltete der Rabbiner die Hände und

blickte mit finsterer Miene zum Himmel. Nach einer Weile rief er mit grollender Stimme: „Der Gott Israels lebt noch! Er wird vergelten", drehte sich auf dem Absatz um und ging seines Weges.

Eine Stunde später bog die kleine Gruppe in die Straße ein, die nach Bethlehem führt. Der Nazarener ging neben der Frau her und war aufs sorgfältigste und liebevollste bedacht, ihr etwaige Hindernisse aus dem Weg zu räumen. Die Sonne brannte auf die Reisenden nieder, so daß es Maria, der Tochter Joachims, zu heiß wurde und sie den Schleier abnahm. Um ihr die Zeit zu verkürzen, erzählte ihr Joseph von dem Überfall der Philister auf Davids Lager, der dort in der Gegend stattgefunden hatte. Seine Erzählung war ziemlich langweilig, so daß Marias Gedanken dann und wann abschweiften.

Sie war nicht über fünfzehn Jahre alt und hatte in ihrer äußeren Erscheinung sowohl wie in ihrer Stimme und ihrem ganzen Benehmen etwas durchaus Mädchenhaftes. Das lange, schmale Gesicht war beinahe durchsichtig weiß, die Nase von tadelloser Form und der Mund weich und biegsam. Lange seidene Wimpern umschatteten die großen blauen Augen, das blonde, wellige Haar fiel nach Sitte der jüdischen Bräute lose über ihre Schultern bis auf das Sattelkissen herab. Die äußeren Reize der jungen Frau wurden noch erhöht durch den Ausdruck innerer Seelenreinheit und geistiger Reife, der aus ihren Zügen sprach. Oft wanderten ihre Blicke zum Himmel, während ihre Lippen leise bebten; ihre Hände falteten sich wie zum Gebet, oder sie erhob lauschend den Kopf, als erwarte sie, aus der Ferne eine Stimme zu hören. Dann und wann, wenn Josephs Blicke auf sie fielen und er den verklärten Ausdruck sah, der über ihr liebliches Gesicht flog, hielt er in seiner Erzählung inne und ging staunend gesenkten Hauptes weiter.

Auf dem Hügel Mar Elias machten sie endlich Rast. Von dort aus konnte man bequem die Stadt Bethlehem übersehen, und während Maria ruhte, zeigte ihr Joseph die heiligen Stätten, an die sich so viele Erinnerungen für die Nachkommen Davids

knüpften. Dann ging's hinab ins Tal, bis sie an den Brunnen kamen, wo Davids Krieger einen so wunderbaren Sieg über ihre Gegner davongetragen hatten. Beim Anblick der vielen Menschen und Tiere, die hier auf dem kleinen Raum zusammengedrängt waren, ergriff Joseph die Angst, daß die Stadt am Ende so voll Fremder war, daß er darin kein Plätzchen mehr als Marias Unterkunft auftreiben könne. Ohne sich einen Augenblick umzusehen oder von irgend jemand aufhalten zu lassen, eilte er an dem Steinhaufen vorüber, der Rahels Grab bedeckte, und die Gartenabhänge hinan, bis sie die jenseits der Stadttore gelegene Herberge erreichten.

Neuntes Kapitel

Um sich einen richtigen Begriff von der Lage der Reisenden machen zu können, muß man sich vor allem des Umstandes erinnern, daß sich die Herbergen im Morgenlande wesentlich von den unseren unterschieden. Sie trugen die persische Benennung „Khan" und bestanden oft nur aus einem eingezäunten Raum, der weder Haus noch Schuppen, ja zuweilen nicht einmal ein regelrechtes Eingangstor hatte. Die Hauptsache war, daß sie an einem sicheren, schattigen und wasserreichen Ort lagen. Ihresgleichen finden sich heute noch in der Wüste. Wohl gab es auf den Straßen von einer großen Stadt zur anderen, wie etwa von Jerusalem nach Alexandrien, schon dazumal wahrhaft fürstliche Bauten zur Unterbringung der Reisenden; im allgemeinen aber dienten zu letzterem Zweck die Häuser der Scheichs, Fabriken, Marktplätze oder Wälle, die sich mehr zu Massenquartieren für Kaufleute und Handwerker als zum Obdach für verspätete Wanderer eigneten.

Am meisten mochte einem Europäer wohl die Art und Weise auffallen, wie es in derartigen Herbergen zuging. Es waren weder Wirt noch Wirtin, Koch, Kellner oder Küche dort zu finden; nur pflegte einer am Eingang zu sitzen, der die Aufsicht über das Ganze führte; doch konnten die Fremden bleiben so lange sie wollten, ohne irgend jemand Rechenschaft abzulegen. Wer kam, mußte seine Vorräte und Küchengeräte selbst mitbringen oder sie bei den gewöhnlich im Khan anwesenden Händlern kaufen. Die gleiche Regel galt für Betten und Bettzeug, sowie für das Futter für die Tiere. Wasser, Ruhe, Obdach und Schutz war alles, was man vom Eigentümer eines solchen Khans erwarten konnte, und dieses erhielt man gratis. In den Synagogen gab es zuweilen Händel und Streitigkeiten, in den Khans niemals.

Der Khan, vor dem Joseph mit seiner Frau Halt machte, war einer der besten in seiner Art, weder allzu großartig noch das Gegenteil; aber er war auch der einzige im Städtchen. Man begreift daher, daß es kein kleiner Schrecken für Joseph war, als er das Gedränge vor dem Khan sah, in dem er so sicher auf Unterkunft gerechnet hatte.

„Wir wollen fürs erste hierbleiben", sagte er in der ihm eigenen, bedächtigen Weise. „Es ist keine Möglichkeit durchzukommen, so viele Leute stehen vor dem Tor."

Ohne eine Bemerkung zu machen, schob die Frau den Schleier etwas beiseite und sah sich ihre Umgebung näher an; offenbar war sie jedoch zu müde, als daß das bunte Treiben imstande gewesen wäre, sie länger zu fesseln. Nach einer kleinen Weile wandte sie seufzend den Blick ab, setzte sich auf ihrem Kissen zurück und hob die Augen zu dem nahen Hügel empor.

Gleich darauf drängte sich ein Mann durch den Menschenknäuel und blieb mit finsterer Miene in der Nähe des Esels stehen. Diesen fragte Joseph, was der Auflauf von Fremden wohl bedeute. „Nach deinem Aussehen zu schließen", fügte er hinzu, „bist du gleich mir ein Sohn Judas und gibst mir gewiß gern Auskunft."

„Ja, das bin ich, Rabbi", erwiderte der Mann. „Ich bin aus Beth-Dagon gebürtig und wie die meisten der hier Anwesenden hierhergekommen, um mich schätzen zu lassen. Als anfangs mir der Befehl des Kaisers zu Ohren kam, war ich ärgerlich darüber, daß ich die weite Reise unternehmen sollte; aber beim Gedanken an die Freude, die mir blühte, bei dieser Gelegenheit meine geliebte Vaterstadt, das Tal Kidron, die landauf landab berühmten Weinberge und Obsthaine und die trauten Berge wiederzusehen, die mir von klein auf so unaussprechlich teuer waren, vergab ich dem Tyrannen und kam mit Frau und Kindern hierher." Nach einem Seitenblick auf Maria fügte der Mann hinzu: „Möchte deine Frau nicht etwa zu der meinen gehen, Rabbi? Sie sitzt mit den Kindern unter dem Olivenbaum dort am Wege. Ich versichere dich, ihr werdet keine Unterkunft mehr im Khan finden; er ist so überfüllt, daß es ganz nutzlos ist, sich mit der Bitte um Aufnahme an den Türhüter zu wenden."

Zögernd erwiderte Joseph: „Dank für dein freundliches Anerbieten. Abgesehen davon, ob Raum für uns in der Herberge ist oder nicht, wollen wir jedenfalls die Deinigen begrüßen. Ich komme sogleich wieder."

Mit diesen Worten gab er dem Fremden den Zügel in die Hand und bahnte sich einen Weg durch die Menge. Beim Türhüter angekommen, sagte er zu diesem: „Der Friede Jehovahs sei mit dir."

„Und komme in erhöhtem Maße auf dich und dein Haus zurück", entgegnete der Mann ernst, ohne sich jedoch von der Stelle zu regen.

„Ich bin aus Bethlehem gebürtig", sagte Joseph. „Ist kein Platz für . . ."

„Kein Fußbreit Raum mehr zu haben."

„Vielleicht erinnerst du dich meines Namens . . . Joseph von Nazareth. Ich stamme aus dem Geschlechte Davids. Und dies hier ist das Haus meiner Väter."

Josephs ganze Hoffnung auf Erfolg gründete sich auf diese kurzen Angaben. Erreichten sie ihren Zweck nicht, so war jedes weitere Wort verloren. Ein Sohn Judas zu sein, war schon etwas Großes, doch nicht zu vergleichen mit dem Ruhm, dem Hause Davids zu entstammen.

Auch verfehlten des Nazareners Worte ihre Wirkung nicht auf den Türhüter. Er stand von seinem Zedernstumpf auf, streichelte sich den Bart und sagte ehrerbietig: „Seit mehr als tausend Jahren werden hier in diesem Hause die Reisenden willkommen geheißen, und in dieser ganzen langen Zeit ist meines Wissens nie ein ordentlicher Mensch abgewiesen worden, wenn nur das kleinste Plätzchen für ihn vorhanden war. Hat man es schon dem Fremden gegenüber so gehalten, um wieviel mehr würde man für einen Nachkommen Davids ein übriges tun! Willst du mit mir durch die verschiedenen Räume gehen, Rabbi, und dich mit eigenen Augen überzeugen, daß sie alle gestopft voll sind? Darf ich fragen, wann du hier angekommen bist?"

„Etwa vor einer halben Stunde."

„Steht nicht im Gesetz geschrieben: Es soll einerlei Recht unter euch sein, dem Fremdling wie dem Einheimischen, denn ich bin der Herr, dein Gott", entgegnete der Türhüter lächelnd. „Kann ich daher zu einem, der schon länger hier ist, sagen: Mach jetzt, daß du weiterkommst, dein Platz ist vergeben?"

„Wer sind alle die Leute?" fragte Joseph, auf die Menge deutend. „Und weshalb sind sie hier?"

„Wahrscheinlich aus demselben Grunde wie du, Rabbi", antwortete der Mann. „Die meisten werden wohl aus Gehorsam gegenüber des Kaisers Befehl gekommen sein, um sich schätzen zu lassen."

„Ist denn auch kein Quartier in der Stadt zu haben?" forschte Joseph weiter. „Es ist mir nicht um meine eigene Person zu tun. Aber ich habe meine Frau bei mir und fürchte, es möchte ihr schaden, wenn sie die Nacht im Freien zubringt."

„Soviel ich höre, ist auch in der Stadt keine Aussicht, irgendwo unterzukommen", antwortete der Türhüter.

Plötzlich schien Joseph ein guter Gedanke zu kommen. „Hast du nicht etwa die Eltern meiner Frau, Joachim und Anna von Bethlehem, gekannt?" fragte er lebhaft. „Beide waren gleich mir aus dem Geschlechte Davids."

„Freilich habe ich sie gekannt", erwiderte der Mann. „Es waren fromme Leute."

Er blickte eine Weile nachdenklich zu Boden, dann sagte er: „Kann ich euch auch keinen ordentlichen Platz verschaffen, so bringe ich es andererseits nicht übers Herz, euch fortzuschicken. Rabbi, ich will wenigstens tun, was ich kann. Wie viele seid ihr?"

„Wir sind sechs", entgegnete Joseph nach kurzem Besinnen. „Meine Frau, ich und ein Freund mit seiner Familie."

„Gut", sagte der Türhüter. „So hole die Leute meinetwegen herbei. Aber eile dich, denn bald wird die Sonne untergehen."

„Empfange den Segen des obdachlosen Wanderers, bis ich dir einen besseren spenden kann", erwiderte der Nazarener, indem er davoneilte. Wenige Minuten später kam er mit seiner

Frau und den neuen Bekannten aus Beth-Dagon zurück.

„Genauso hat der junge König David ausgesehen, als er vor Saul spielte", sagte der Türhüter, sobald er Marias ansichtig wurde. Hierauf verneigte er sich vor der jungen Frau und begrüßte sie mit den Worten: „Friede sei mit dir, o Tochter Davids, und Friede sei mit deinen Gefährten!", nahm Joseph den Zügel aus der Hand und schritt seinen Gästen voran den steinernen Gang entlang, quer über den Hof auf eine jenseits desselben gelegene Höhle zu. An deren Eingang blieb er stehen und sagte, zu der jungen Frau gewandt: „In dieser Höhle soll dein Vorfahre David oft Zuflucht für sich und seine Schafe gesucht haben; später als König soll er oft hierhergekommen sein, um sich auszuruhen. Ein Lager auf dem Boden, auf dem er zu schlafen pflegte, ist immerhin besser, als wenn ihr auf freiem Feld übernachten müßtet."

Fröhlich folgte die kleine Gesellschaft dem Türhüter ins Innere der Höhle. Der Umstand, daß diese ein Stall gewesen war, empfanden die Leute durchaus nicht als anstößig, stammten sie doch von Hirten ab, die die Gewohnheit hatten, ihre Wohnung mit ihren Herden zu teilen, und die Höhle hatte überdies als früherer Zufluchtsort ihres Stammvaters David ein besonderes Interesse für sie.

Sie mochte etwa neun bis zehn Fuß hoch, vierzig Fuß lang und zwölf bis fünfzehn Fuß breit sein. Auf dem unebenen Boden lagen Vorräte für Menschen und Vieh sowie allerhand Haus- und Küchengeräte aufgespeichert. Die Wände entlang liefen steinerne Krippen für die Schafe. Außer den Spinnweben, die von der Decke hingen, und dem aufgehäuften Staub war der Raum ziemlich sauber und im ganzen auch nicht weniger behaglich, als die übrigen Räume des Khans.

„Was da herumliegt, steht zu eurer Verfügung", sagte der Türhüter. „Richtet euch ein, so gut ihr könnt, und Friede sei mit euch!"

Mit diesen Worten überließ er die Reisenden ihrem Schicksal.

Zehntes Kapitel

Etwa zwei Meilen südöstlich von Bethlehem erstreckt sich eine durch Hügelland von der Stadt getrennte Ebene, die ihrer geschützten Lage wegen besonders in der rauhen Jahreszeit einen vorzüglichen Weideplatz für Schafe, Ziegen und Rinder abgibt.

An dem am weitesten von der Stadt entfernten Ende der Ebene befand sich ein großer Schafpferch. Die damit verbundene Wohnung für die Hirten war im Laufe der Zeit ziemlich in Verfall geraten, aber die Einfriedung war ganz unbeschädigt geblieben. Obwohl mannshoch, war die steinerne Mauer doch zu niedrig, als daß nicht dann und wann ein Löwe oder Tiger hätte darüberspringen und sich ein Schaf holen können.

Einige Hirten waren mit ihren Herden in der soeben erwähnten Ebene eingetroffen, die den ganzen Tag der Schauplatz regen Treibens gewesen war. Mit einbrechender Nacht war nun alles in dem Pferch in Sicherheit gebracht worden, und die Hirten saßen plaudernd am Feuer beim einfachen Mahle.

Allmählich verstummte das Gespräch, während einer nach dem anderen der ums Feuer gelagerten Hirten einschlief. Es war eine klare, kalte Winternacht. Die Sterne funkelten am Himmel, die Luft war ungewöhnlich rein, und es herrschte eine tiefe, heilige Stille ringsumher.

Vor der Hürde schritt der Wächter auf und ab. Dann und wann blieb er stehen und lauschte, ob sich nirgends etwas Verdächtiges regte. Die Zeit wurde ihm lang; aber endlich war es Mitternacht geworden, und er durfte die müden Glieder zur Ruhe strecken. In dem Augenblick, in dem er sich jedoch dem Feuer näherte, brach ein weiches, sanftes Licht gleich dem des Mondes über ihn herein. Er hielt den Atem an und schaute. Das Licht wurde immer heller, bis die ganze Ebene von seinem Glanz übergossen war. Es überlief ihn kalt, und er mußte seine ganze Willenskraft zusammennehmen, um seinen Kameraden zurufen zu können: „Wacht auf! Wacht auf!"

Die Hunde sprangen auf und liefen winselnd davon.

Die Herden stoben erschrocken auseinander.

Die Männer griffen nach ihren Waffen und riefen: „Was gibt's?"

„Seht den Himmel an!" erwiderte mit bebenden Lippen der Wächter.

Mittlerweile wurde der Glanz des Lichtes so unerträglich, daß sich die Hirten die Augen mit der Hand bedeckten und auf die Knie fielen, ja schließlich, überwältigt von Furcht, aufs Angesicht sanken und gestorben wären, hätte ihnen nicht eine Stimme zugerufen: „Fürchtet euch nicht! Siehe, ich verkündige euch große Freude, die allem Volk widerfahren wird!"

Die Stimme hatte etwas so überaus Liebliches, Beruhigendes, daß die Männer allmählich wieder Mut faßten, sich von den Knien erhoben und aufsahen. Da stand, von goldenem Glanze umflutet, ein Mann in weißen Kleidern mit leuchtendem Angesicht vor ihnen, streckte segnend die Hände über sie und fuhr fort: „Denn euch ist heute der Heiland geboren, welcher ist Christus, der Herr, in der Stadt Davids."

Nach einer kleinen Weile sprach der himmlische Bote weiter: „Und das habt zum Zeichen: Ihr werdet finden das Kind in Windeln gewickelt und in einer Krippe liegen."

Nach diesen Worten schwieg der Engel, denn er hatte seinen Auftrag erfüllt, doch blieb er noch eine Weile. Plötzlich nahm das Licht, das seine hehre Gestalt umfloß, einen purpurnen Schimmer an und bewegte sich unruhig hin und her; dann hörten die Männer hoch über ihren Häuptern ein eigentümliches Geräusch wie Flügelschlag. Auf und nieder stiegen leuchtende Gestalten rings um sie her, und in wunderbarer Harmonie ertönte es wie aus vielen tausend Kehlen wieder und immer wieder: „Ehre sei Gott in der Höhe und Friede auf Erden und den Menschen ein Wohlgefallen!"

Danach erhob der Engel seine Schwingen und schwebte zum Himmel empor, während es noch lange wie aus weiter Ferne her tönte: „Ehre sei Gott in der Höhe und Friede auf Erden und den Menschen ein Wohlgefallen!"

Nachdem die Hirten sich einigermaßen von ihrem Staunen erholt hatten, sagte einer von ihnen: „Das war Gabriel, der Vermittler der Botschaften Gottes an die Menschen."

Als die anderen schwiegen, fügte er hinzu: „Hat er nicht gesagt, daß der Heiland geboren ist, und zwar in der Stadt Davids . . . also in unserem Bethlehem? Und daß wir Ihn dort als kleines Kind finden werden?"

„Und in einer Krippe liegen", setzte ein anderer hinzu.

Derjenige, der zuerst gesprochen hatte, blickte nachdenklich ins Feuer, dann, nach einer Weile, rief er, als sei ihm plötzlich ein guter Gedanke gekommen: „Es ist nur ein Ort in ganz Bethlehem, wo Krippen sind, und das ist die zu dem alten Khan gehörige Höhle. Brüder, laßt uns hingehen und sehen, was sich dort zugetragen hat. Die Priester und Schriftgelehrten haben längst nach dem Messias ausgeschaut. Nun ist Er geboren und Gott der Herr hat uns ein Zeichen nennen lassen, an dem wir Ihn erkennen können. Laßt uns hingehen und Ihn anbeten!"

„Aber die Herden?"

„Ihrer wird sich der Herr annehmen. Laßt uns keine Zeit versäumen!"

Hierauf standen die Männer auf und machten sich auf den Weg nach Bethlehem.

Als sie an das Eingangstor des Khans kamen, fragte sie der Wächter nach ihrem Begehr.

„Wir haben heute nacht große und herrliche Dinge gesehen und gehört", antworteten sie.

„Auch wir haben Wunderbares gesehen, aber nichts gehört", erwiderte der Mann. „Was habt ihr gehört?"

„Begleite uns in die Höhle jenseits des Khans und höre selbst, was sich dort zugetragen hat."

„Ach was!" sagte der Wächter geringschätzig.

„Der Heiland ist geboren!"

„Wie wollt ihr das wissen – und woran wollt ihr Ihn erkennen?"

„Er wurde heute nacht geboren und liegt nun in einer Krippe, wurde uns gesagt. In ganz Bethlehem gibt es aber nur einen einzigen Ort, in dem Krippen sind."

„In der Höhle, meint ihr?"

„Ja, komm mit uns."

Unbemerkt kamen die Männer über den Hof und traten ohne weiteres in die mit einer Laterne spärlich erleuchtete Grotte.

„Friede sei mit euch!" sagte der Wächter zu Joseph und dem Manne aus Beth-Dagon. „Diese Leute hier suchen nach einem heute nacht zur Welt gekommenen Kinde, von dem ihnen gesagt wurde, es sei in Windeln gewickelt und liege in einer Krippe. Daran könnten sie es erkennen."

Auf dem Gesicht des Nazareners malte sich einen Augenblick tiefe Bewegung; dann sagte er, zur Krippe gewandt: „Hier ist das Kind."

Die Hirten betrachteten das neugeborene Kind genau, konnten aber nichts finden, was es von anderen Kindern unterschieden hätte.

„Wo ist die Mutter?" fragte der Wächter.

Eine der Frauen nahm das Kind, trat an Marias Lager und legte es ihr in die Arme, während die Männer schweigend zusahen.

„Es ist der Messias", sagte endlich einer der Hirten.

Hierauf fielen alle Umstehenden auf die Knie und riefen mehrmals nacheinander: „Es ist der Messias! Seine Herrlichkeit ist aufgegangen über uns!"

Ohne nur einen Augenblick zu zweifeln, küßten die einfachen Männer mit Tränen der Freude den Saum von Marias Gewand und gingen lobpreisend von dannen. Wer ihnen im Khan oder auf dem Rückweg zur Herde begegnete, dem erzählten sie die wunderbare Begebenheit.

Bald ging die Kunde von Mund zu Mund. Am nächsten Tag strömten die Leute in die Grotte, um das neugeborene Kind zu sehen. Einige von ihnen glaubten; die meisten aber lachten und spotteten.

Elftes Kapitel

Am elften Tag nach der Geburt des Kindes nahten sich die drei Weisen gegen drei Uhr nachmittags auf der Sichemer Straße her Jerusalem. Obwohl vielleicht in keiner Stadt der Welt, ausgenommen in Rom, so viele Leute zusammenströmten wie in Jerusalem, erregten die Fremden doch allgemeines Aufsehen.

Ein Kind, das an der an den Königsgräbern vorüberführenden Straße saß, klatschte bei ihrem Anblick in die Händchen und rief: „Sieh nur, Mutter, sieh, die schönen Glöckchen und die großen Dromedare!"

Die Glöckchen waren aus Silber, die Dromedare außergewöhnlich groß und schneeweiß, und Behänge, Satteldecken und Zaumzeug bekundeten die große Wohlhabenheit der Besitzer; aber weder deren Kostbarkeiten noch die vornehme Erscheinung der Reiter erregten soviel Verwunderung wie die Frage, die der Anführer der kleinen Gesellschaft an die Vorübergehenden richtete.

„Ihr guten Leute", sagte Balthasar, indem er sich bedächtig den Bart strich und sich freundlich verneigte, „ist es noch weit nach Jerusalem? Ich glaube, es müßte in nächster Nähe sein."

„Ja", antwortete die Frau, in deren Arme sich das Kind geflüchtet hatte. „Wenn die Bäume dort am Abhang etwas niedriger wären, könntet ihr die Türme auf dem Marktplatz sehen."

Balthasar warf seinen Begleitern einen vielsagenden Blick zu und forschte dann weiter: „Wo ist der neugeborene König der Juden?"

Die Leute sahen einander an, ohne Antwort zu geben. Die Frage war ihnen offenbar unverständlich.

„Habt ihr nicht von ihm gehört?" fuhr der Fremde fort.

„Nein."

„Gut, so sagt euren Nachbarn und Freunden, daß wir im Morgenlande seinen Stern gesehen haben und gekommen sind, um ihm zu huldigen.

Nach diesen Worten ritten die Männer weiter, oftmals ihre Frage wiederholend, aber immer mit dem gleichen Resultat. Eine Gruppe Leute, die sich auf dem Weg nach der sogenannten Jeremiasgrotte befanden, waren so überrascht von der Frage und dem Aussehen der Reisenden, daß sie umkehrten und ihnen in die Stadt folgten.

So sehr waren die drei Fremden mit ihren Gedanken beschäftigt, daß sie nicht einmal ein Auge hatten für den herrlichen Anblick, der sich ihnen beim Eintritt in die Stadt bot. Sie sahen nicht Mizpa, noch den Ölberg zu ihrer Linken, nicht die vierzig Fuß hohe Mauer mit ihren kunstvollen Krümmungen und befestigten Toren, nicht den Berg Zion mit seinen prachtvollen marmornen Palästen, nicht die hohen Berge, die schützend rings um Jerusalem lagern, ja nicht einmal die goldenen Zinnen des Tempels.

Endlich waren sie an dem hohen Turm angelangt, der das heutige Damaskustor überragt, und wo die drei von Sichem, Jericho und Gibeon kommenden Straßen zusammenlaufen. Ein römischer Soldat hielt dort Wache. Die fremdländischen Gestalten hatten mittlerweile immer mehr Leute angezogen, und als sie ihre Dromedare am Tor anhielten, bildete sich sofort ein großer Kreis Menschen um sie.

„Friede sei mit euch!" sagte der Ägypter mit lauter, weithin vernehmlicher Stimme, und als der Wächter nichts erwiderte, fuhr er fort: „Wir kommen aus weiter Ferne, um ein neugeborenes Kind zu suchen, das König der Juden sein soll. Kannst du mir sagen, wo es zu finden ist?"

Der Soldat hob das Visier seines Helms in die Höhe und rief einen Offizier herbei.

„Was willst du?" fragte dieser den Ägypter in dem in Jerusalem gebräuchlichen Dialekt.

„Wo ist der neugeborene König der Juden?" entgegnete Balthasar im gleichen Dialekt.

„Herodes?" fragte der Offizier erstaunt.

„Herodes hat das Königtum vom Kaiser bekommen, ist aber

nicht als König der Juden geboren", erwiderte der Fremde. „Ich meine nicht den Herodes."

„Einen anderen König der Juden gibt es nicht."

„Aber wir haben Seinen Stern gesehen und sind gekommen, um Ihm zu huldigen."

Der Römer war so überrascht von des Mannes Worten, daß er zuerst keiner Silbe fähig war. Endlich sagte er: „Geht in die Stadt und legt eure Frage den Schriftgelehrten oder dem Hohenpriester Hannas oder, noch besser, Herodes selbst vor. Gibt es einen König der Juden außer ihm, so wird er ihn ausfindig machen. Darauf könnt ihr euch verlassen."

Hierauf gab er den Fremden den Weg frei, und diese ritten durchs Tor. Ehe sie aber in die enge Straße einbogen, sagte Balthasar zu seinen Gefährten: „Unsere Ankunft und der Zweck unseres Kommens werden vor Mitternacht Stadtgespräch sein. Gehen wir nun direkt in die Herberge."

Am Abend, etwa um die erste Nachtwache, fand in dem auf dem Berg Zion gelegenen Palast eine Versammlung von etwa fünfzig Personen statt, die nie anders als auf ausdrücklichen Befehl von Herodes zusammenkamen, und zwar nur, wenn der König mehr über die tieferen Geheimnisse der jüdischen Religion und der jüdischen Geschichte wissen wollte. Mit einem Wort, es war eine Zusammenkunft des aus den vornehmsten Hohenpriestern und Schriftgelehrten bestehenden Hohen Rates, des sogenannten jüdischen Sanhedrins.

Die an der Sitzung Teilnehmenden saßen auf dem großen Diwan in der Mitte des Saals.

Obenan, vor dem mächtigen dreiarmigen Kandelaber, saß der Präsident der Versammlung, rechts und links um ihn scharten sich die verschiedenen Mitglieder des Hohen Rates. Die früher gewiß stattliche Gestalt des Vorsitzenden war jetzt zusammengeschrumpft und skelettartig, und das lange weiße Gewand hing schlotternd um die kraftlose Figur. Die unter den weiß und rot gestreiften seidenen Ärmeln nahezu verschwindend mageren Hände waren über den Knien gefaltet. Von dem eingesunkenen erdfahlen Gesicht wallte ein Bart bis an den Gürtel herab; der obere Teil des Kopfes war beinahe kahl, und die wenigen Haare, welche die große Glatze umrahmten, waren silberweiß. Der Mann war Hillel, der Babylonier. Der in Israel längst erloschenen Rasse der Propheten war eine Rasse von Schriftgelehrten gefolgt, unter denen Hillel einer der berühmtesten war. Leider fehlte ihm nur die Hauptsache, die göttliche Eingebung! Im Alter von einhundertsechs Jahren war er noch Rektor des großen Kollegs.

Auf dem Tisch vor ihm lag eine mit hebräischer Schrift beschriebene Pergamentrolle, und hinter ihm stand ein reichgekleideter Page.

Nach einer Weile traten zwei Offiziere in den Saal und nahmen zu beiden Seiten der Türe Platz. Ihnen folgte langsamen Schrittes eine höchst merkwürdige Persönlichkeit – ein alter Mann in langem purpurnem Gewande mit scharlachrotem Saume und goldenem Gürtel. An seinen Schuhriemen funkelten Edelsteine, und um den Turban von feinem, in Falten gelegtem rotem Plüsch wand sich ein glänzendes Diadem. Anstatt des Petschafts hing ein Schwert am Gürtel. Der Mann hatte offenbar Mühe zu gehen, denn er stützte sich schwer auf seinen Stock und kam nur langsam vorwärts. Erst als er vor dem Diwan angelangt war, schien er sich seiner Umgebung bewußt zu werden. Wie aus einem Traum aufgeschreckt, richtete er sich auf und blickte mit finsterer Miene hochmütig und mißtrauisch um sich. Es war Herodes der Große, ein Mensch, dessen Körper von Krankheit zerrüttet und dessen Gewissen mit Verbrechen aller Art belastet, der jedoch von Natur aus reich begabt war und fähig gewesen wäre, einem Kaiserthron zur Zierde zu gereichen, aber nun mit siebenundsechzig Jahren zum grausamen Tyrannen geworden war.

Bei seinem Eintritt ging eine allgemeine Bewegung durch die Versammlung; die älteren Mitglieder des Rates verneigten sich ehrfurchtsvoll zum Gruß, die jüngeren standen auf, beugten die Knie vor dem Monarchen und kreuzten die Hände über der Brust.

Nachdem der König mißtrauisch Umschau gehalten hatte, trat er auf Hillel zu, blieb, auf seinen Stock gelehnt, vor ihm stehen und sagte mit gebieterischer Stimme: „Die Antwort! Die Antwort!"

Der ehrwürdige Alte blickte dem Fürsten voll ins Gesicht und erwiderte feierlich: „Der Friede des Gottes Abrahams, Isaaks und Jakobs sei mit dir, o König!" Danach fuhr er in verändertem Tone fort: „Du hast von uns zu wissen begehrt, wo der Messias geboren werden soll. Wohlan, ich antworte darauf im Namen meiner Kollegen und nach meinem eigenen Dafürhalten: In Bethlehem, im jüdischen Land. Denn also steht geschrieben: Und du, Bethlehem im jüdischen Lande, bist mitnichten die kleinste unter den Städten Judas, denn aus dir soll mir kommen der Fürst, der über mein Volk Israel Herr sein wird."

Schrecken und Entsetzen malten sich in des Königs Zügen, als er diese Worte hörte, und nachdenklich hafteten seine Augen auf der Pergamentrolle. Seine Umgebung wagte kaum zu atmen. Totenstille herrschte im Saal. Plötzlich drehte Herodes der Versammlung den Rücken und ging hinaus.

„Brüder, wir sind entlassen", sagte Hillel.

Die Mitglieder des Hohen Rates erhoben sich schweigend und verließen gruppenweise den Saal.

„Simeon", ließ sich wiederum Hillels Stimme vernehmen.

Ein Mann, der wohl fünfzig Jahre zählen mochte, aber noch in der Vollkraft des Lebens stand, trat auf den Greis zu, nahm ihm die Pergamentrolle aus der Hand und führte ihn behutsam zur Sänfte.

Es war Simeon, sein Sohn und voraussichtlicher Nachfolger im Amt.

Die weisen Männer aus dem Morgenlande hatten sich im Khan zur Ruhe gelegt, aber keiner schloß die Augen. Die Steine, die ihnen als Kopfpolster dienten, ermöglichten ihnen den Ausblick ins Freie, und während sie von ihrem Lager aus den Lauf der glitzernden Sterne beobachteten, fragten sie sich, wie sich ihnen Gott wohl weiter offenbaren werde. Sie waren endlich in Jerusalem angelangt, hatten am Tor die nötige Auskunft zu bekommen gesucht und hatten die Geburt des Messias verkündigt, und alles, was ihnen nun zu tun übrigblieb, war, das Kind zu finden. Zur Erreichung dieses Zieles vertrauten sie unbedingt der Leitung des Geistes. Leute, die der Stimme Gottes lauschen oder auf ein Zeichen vom Himmel warten, können nicht schlafen.

Während sie so dalagen und der göttlichen Offenbarung harrten, trat plötzlich der Türhüter in den Raum und brachte ihnen die Botschaft, daß ein Abgesandter des Königs sie zu sprechen wünsche.

Rasch standen sie auf, zogen die Sandalen an, hüllten sich in ihre Mäntel und folgten dem Mann ins Freie.

„Gegrüßet seid ihr", sagte dieser ehrerbietig. „Es tut mir leid, daß ich euch mitten in der Nacht stören muß, aber mein Herr, der König, begehrt euch ohne Verzug im Palast zu sehen."

Die Weisen sahen sich an und erkannten beim Schein der über dem Eingang hängenden Lampe sofort einer an des andern Mienen, daß der Geist auf ihnen war. Da trat der Ägypter auf den Türhüter zu und flüsterte ihm ins Ohr: „Du weißt, wo unsere Habe liegt und wo unsere Kamele untergebracht sind. Mache während unserer Abwesenheit alles für einen raschen Aufbruch bereit, falls ein solcher nötig sein sollte."

„Ihr könnt euch auf mich verlassen und getrost eure Straße ziehen", erwiderte der Mann.

„Der König hat über uns zu verfügen", sagte Balthasar zu dem Boten. „Wir werden dir folgen."

Nach einer langen Wanderung durch die Straßen Jerusalems und die verschiedenen Hallen, Höfe, Gewölbe und Prunksäle der Hofburg standen die Gefährten endlich vor dem Monarchen. Dieser saß, angetan mit seinem Purpurmantel und allen sonstigen Abzeichen seiner Königswürde, auf dem Thron und lud die Fremden mit einer gnädigen Handbewegung ein, Platz zu nehmen.

„Seid ihr die Männer, die heute, offenbar aus weiter Ferne kommend, durch das nördliche Tor in die Stadt eingezogen sind?"

„Ja, diese sind wir, o mächtiger König, dessen Ruhm die ganze Welt verkündet", antwortete Balthasar auf einen zustimmenden Blick seiner Freunde.

„Wer seid ihr und woher kommt ihr?" forschte Herodes weiter. „Jeder von euch rede für sich selbst."

Einer nach dem anderen gab nun in gedrängter Kürze die gewünschte Auskunft, indem er einfach berichtete, aus welcher Stadt und welchem Lande er gebürtig und auf welchem Wege er nach Jerusalem gekommen war.

Mühsam seine Enttäuschung verbergend, fuhr Herodes folgendermaßen in seinem Verhöre fort: „Wie lautete doch die Frage, die ihr dem Offizier stelltet, der am Tore Wache hielt?"

„Wir fragten ihn, wo der neugeborene König der Juden zu finden sei."

„Kein Wunder, daß das Volk neugierig wurde!" entgegnete Herodes. „Geht es mir doch ebenso! Gibt es denn außer mir noch einen König der Juden?"

„Er ist vor wenigen Tagen zur Welt gekommen", antwortete der Ägypter frei heraus.

Einen Augenblick malte sich tiefe Bewegung in den düsteren Zügen des Monarchen, und er rief mit dem Ausdruck des Schmerzes, wahrscheinlich im Andenken an seine dahingemordeten Kinder: „Mir ist kein Sohn geboren worden, mir nicht!"

Rasch seine Fassung wieder gewinnend, fuhr er dann fort: „Wo soll dieser neugeborene König sein?"

„Das fragen wir dich, o König", antworteten die Männer.

„Ihr sprecht in Rätseln, meine Freunde", erwiderte Herodes.

„Spannt mich nicht länger auf die Folter – das wäre grausam gehandelt. Sagt mir genau, was ihr von diesem Kinde wißt, so will ich euch suchen helfen. Und wenn wir es gefunden haben, will ich es am Hofe erziehen lassen und meinen Einfluß beim Kaiser dahin verwenden, daß er es zu meinem Nachfolger bestimmt. Ich schwöre euch, daß ich keiner kleinlichen Eifersucht ihm gegenüber Raum geben werde. Übrigens, erzählt mir doch, auf welche Weise ihr bei der weiten Entfernung, in der ihr voneinander lebtet, gleichzeitig von dem Kind gehört habt."

Bei dieser Frage des Königs richtete sich Balthasar hoch auf und sagte feierlich: „Es gibt einen allmächtigen Gott."

Herodes fuhr sichtlich zusammen.

„Dieser", fügte der Ägypter hinzu, „hat uns geboten, hierherzukommen und verheißen, daß wir den Erlöser der Welt hier finden, Ihm unsere Huldigung darbringen und Seine Geburt verkündigen sollten. Zur Bestätigung dieser Verheißung erschien jedem von uns ein Stern, und es wurde uns der Geist Gottes gegeben. Dieser Geist ist auch jetzt auf uns, o König!"

Balthasar hatte Mühe, seiner Bewegung Herr zu werden, und auch seine Gefährten waren tief ergriffen. Herodes hingegen wurde mißtrauischer und unruhiger denn je und sagte in herrischem Ton: „Ihr erlaubt euch, mich zum Narren zu halten; wenn nicht, so teilt mir mit, was für einen Zweck das Erscheinen dieses sogenannten Königs der Juden haben soll."

„Die Erlösung der Menschheit."

„Wovon?"

„Von ihrer Gottlosigkeit."

„Auf welche Weise?"

„Durch Glaube, Liebe und gute Werke."

„Demnach", fuhr Herodes nach einer kurzen Pause fort, „demnach seid ihr die Herolde des Messias, weiter nichts? Ist es so?"

„Zu Diensten, o König", sagte Balthasar, sich dabei tief verneigend.

Hierauf klingelte der Monarch und ließ den Fremden nach

Sitte des Landes einen kostbaren Mantel und einen goldenen Gürtel überreichen. Ehe er sie aber entließ, fragte er sie noch einmal genau über den Zeitpunkt aus, wann ihnen der Stern erschienen war und fügte hinzu: „Da ihr mir wirklich die Herolde des Messias zu sein scheint, will ich euch mitteilen, daß ich heute nacht die jüdischen Schriftgelehrten zu Rate gezogen und von ihnen erfahren habe, daß Er in Bethlehem im jüdischen Lande geboren werden soll. Geht also dorthin und forscht nach dem Kinde, und wenn ihr es gefunden habt, so sagt es mir an, daß ich auch hingehe und es anbete. Friede sei mit euch!"

Nach diesen Worten stand der König auf und verließ das Zimmer.

Als die Freunde wieder im Khan angelangt waren, rief der Grieche lebhaft: „Laßt uns ohne Säumen nach Bethlehem aufbrechen, Brüder, wie uns der König geraten hat."

„Ja, tun wir das!" stimmte der Hindu ein. „Der Geist drängt mich innerlich dazu."

„Gut", sagte Balthasar, „ich bin mit Freuden bereit. Die Dromedare sind gesattelt und gezäumt."

Wenige Minuten später befanden sie sich auf dem Weg nach Bethlehem. Kaum waren sie in der Ebene von Rephaim angekommen, so erschien am fernen Horizont ein eigentümlicher Lichtschein, der heller und heller wurde, so daß sie die Augen schließen mußten, weil sein Glanz blendete. Als sie wieder aufsahen, da leuchtete ein Stern von wunderbarer Schönheit in ihrer nächsten Nähe und bewegte sich langsam vor ihnen her.

„Gott ist mit uns! Gott ist mit uns!" riefen sie erfreut, bis der Stern jenseits des Berges Mar Elias über einem auf einer Anhöhe außerhalb der Stadt gelegenen Hause verharrte.

Zwölftes Kapitel

Es war um die dritte Wache, im Osten von Bethlehem dämmerte es bereits, während im Tal noch alles in Dunkel gehüllt war. Der Wächter auf dem Dach des alten Khans lauschte gerade auf den ersten Hahnenschrei, als sich vom Hügel her ein Licht langsam dem Hause näherte. Er glaubte zuerst, es komme jemand mit einer Fackel in der Hand auf den Khan zu; im nächsten Augenblick hielt er es für einen Meteor, bis er schließlich erkannte, daß es ein Stern war, ein Stern von geradezu blendendem Glanz. Ein Schrei des Entsetzens entfuhr ihm beim Anblick der seltsamen Erscheinung und veranlaßte die Bewohner des Khans, aufs Dach zu eilen. Die Zaghafteren unter ihnen fielen auf die Knie, verhüllten ihre Angesichter und beteten; die Mutigeren sahen einander fragend an und wußten nicht, was sie denken sollten. Nach einer Weile war der Khan und dessen ganze Umgebung von einer Lichtflut übergossen, und wer die Augen aufzuheben wagte, sah den Stern gerade über dem der Grotte gegenüberliegenden Hause stehen.

Mitten im allgemeinen Staunen und Entsetzen hörte man Dromedargetrampel, dann klopfte es am Tor, als begehre jemand Einlaß. Sobald sich der Türhüter einigermaßen von seinem Schrecken erholt hatte, eilte er hinab, schob die Riegel beiseite und öffnete. Die Tiere sahen bei der unnatürlichen Beleuchtung wahrhaft gespensterhaft aus, und in den Mienen der Fremden malte sich eine so augenscheinliche Erregung, daß sie dem Türhüter sofort auffiel und ihn dermaßen übermannte, daß er nicht imstande war, die Frage der Männer zu beantworten: „Ist das nicht Bethlehem, die Hauptstadt von Judäa?"

Erst als mehr Leute hinzukamen, faßte er sich ein Herz zu sagen: „Nein, das ist nur der Khan, die Stadt liegt noch in einiger Entfernung."

„Ist hier nicht ein neugeborenes Kind?" forschten die Fremden weiter.

„Jawohl", antworteten die Umstehenden, indem sie einander verwundert ansahen.

„Führt uns zu Ihm!" riefen der Grieche und der Ägypter wie aus einem Munde, und letzterer fügte lebhaft hinzu: „Wir haben nämlich Seinen Stern gesehen, denselben, der dort über dem Hause steht, und sind gekommen, um Ihm zu huldigen."

Der Hindu faltete anbetend die Hände und rief aus: „Gott lebt! Beeilt euch, Brüder! Der Messias ist gefunden, und uns ist es in Gnaden durch den Geist geoffenbart worden."

Die Leute kamen vom Dach herunter und folgten den Fremden quer über den Hof bis an den Eingang der Grotte. Als sie den Stern darüber sahen, wenn auch nicht mehr im gleichen blendenden Glanz wie vorher, kehrten etliche von ihnen um, die meisten aber gingen weiter. Je länger sie die wunderbare Erscheinung beobachteten, um so klarer wurde ihnen, daß sie irgendwie im Zusammenhang sowohl mit den Fremden als auch mit den Bewohnern der Grotte stand. Sobald die Tür aufgemacht wurde, drängten sie sich hinein.

Der Raum war hinlänglich erleuchtet, daß man die Mutter mit dem Kind im Schoße unterscheiden konnte.

„Ist das dein Kind?" fragte Balthasar die junge Frau.

„Ja, es ist mein Sohn", antwortete Maria bewegt, indem sie den Kleinen ans Licht hielt.

Da fielen die Männer nieder und beteten das Kind an, obwohl es nicht das geringste an sich hatte, was es von anderen Staubgeborenen unterschieden hätte – weder einen Heiligenschein noch eine Königskrone hatte es.

Nach einer Weile standen sie auf, holten die mitgebrachten Geschenke – Gold, Weihrauch und Myrrhen – und boten sie dem Kinde dar, keinen Augenblick zweifelnd, daß es der Messias war, den sie sich aufgemacht hatten zu suchen.

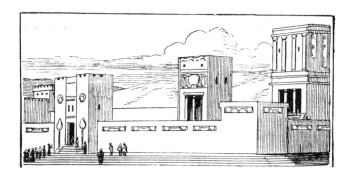

ZWEITES BUCH

Erstes Kapitel

Der Leser versetze sich nun in Gedanken um volle einundzwanzig Jahre vorwärts in die ersten Verwaltungsjahre des römischen Statthalters von Judäa, Valerius Gratus, eine Zeit großer politischer Wirren in Jerusalem.

Neun Jahre nach dem Tode Herodes des Großen, der bald nach der Geburt des Messias elendiglich umgekommen war, hatte der Kaiser dessen Sohn Archelaus seiner Unfähigkeit wegen abgesetzt und Judäa zu einer unter syrischer Oberhoheit stehenden, römischen Provinz gemacht, ja, ihm sogar das verachtete Samaria einverleibt. Man denke sich, welche Demütigung besonders für die hochmütigen Pharisäer in dieser Maßnahme lag.

Es war um die Mittagsstunde im Monat Juli, also zur Zeit, wo die Sonne am heißesten brennt; trotzdem saßen zwei Jünglinge, von denen der eine neunzehn, der andere siebzehn Jahre zählen mochte, in traulichem Gespräch beieinander unter einer Oleandergruppe am Teich in einem der Gärten, die den Palast auf dem Berge Zion umgeben.

Auf den ersten Blick hätte man sie für Brüder halten können, denn beide hatten schwarze Haare und schwarze Augen, und ihre Gesichter waren von der Sonne gebräunt. Ein mit den Rassenunterschieden Vertrauter aber konnte ohne Mühe in der schmalen, hohen Stirn, der spitzen Adlernase, den dünnen Lippen und kalten, dicht unter den Brauen liegenden Augen den Römer erkennen, auch wenn er dessen Kleidung gar nicht näher beachtete. Diese bezeichnete ihn als einen der vornehmsten seines Volkes, und in der Tat war er der Sohn des ersten Steuerbeamten in Jerusalem, ein Nachkomme jenes berühmten Messala, der dem Kaiser Augustus einst zur Kaiserwürde verholfen hatte und dafür mit Ehren überhäuft worden war.

Messalas Gefährte war kleiner, und seine zierliche Gestalt war in feine weiße Leinwand gekleidet, wie es damals unter den Juden vornehmeren Geschlechts Sitte war. Seine Stirn war breit und niedrig, die Nase lang, die Oberlippe fein geschwungen, und die ausdrucksvollen Züge bekundeten eine mit Weichheit gepaarte Willenskraft, die man bei den Israeliten nicht selten findet.

„Sagtest du nicht, daß morgen der neue Statthalter kommen solle?" fragte der jüngere Gefährte den älteren in griechischer Sprache, denn diese war merkwürdigerweise zur Zeit die unter den vornehmeren Klassen der Bevölkerung übliche Umgangssprache.

„Ja, morgen", antwortete Messala.

„Woher weißt du es?"

„Ich hörte, wie Ismael, euer sogenannter Hoherpriester, der an Hannas Stelle kam, gestern abend mit Vater darüber sprach. Und um mich zu vergewissern, ob es sich wirklich so verhält, habe ich mich heute früh beim Hauptmann der Festungsbesatzung nach dem Näheren erkundigt. Dieser hat mir mitgeteilt, daß die bisher unbenützten Festungsräume zur Aufnahme weiterer Mannschaften – also vermutlich zur Unterbringung der

Leibwache des Statthalters – hergerichtet werden."

Die Antwort war in einer Weise gegeben, die dem israelitischen Jüngling das Blut in die Wangen trieb. Er schwieg jedoch und blickte, anscheinend in Gedanken versunken, ins Wasser.

„Erinnerst du dich noch", fuhr Messala fort, „wie wir vor Jahren hier voneinander Abschied nahmen? Wie lange mag es her sein?"

„Fünf Jahre", antwortete Juda, denn so hieß der Israelit, indem er des Freundes Hand ergriff und ihm ernst, beinahe traurig, ins Gesicht sah. „Ja freilich, erinnere ich mich jenes Abschieds. Du gingst damals nach Rom, und die Trennung tat mir weh, denn ich mochte dich sehr gern. Nun bist du, ausgebildet wie ein Fürst, zu mir zurückgekommen, und doch . . . und doch wünschte ich, du wärest der alte Messala geblieben. Du hast die dir gebotenen Vorteile ausgenützt und dir viel Wissenwertes angeeignet, vor allem eine große Sprachgewandtheit, aber deine Worte haben immer einen Stachel. Das war früher nicht der Fall; ehe du fortgingst, Messala, hättest du eines Freundes Gefühle um keinen Preis verletzen mögen."

Der Römer lächelte, als sei ihm eine Schmeichelei zuteil geworden, und sagte mit dem Ausdruck unverkennbaren Selbstbewußtseins: „Sprich dich deutlicher aus, mein Juda. Womit habe ich deine Gefühle verletzt?"

Der andere schöpfte tief Atem und erwiderte erregt: „Auch ich habe mancherlei gelernt in diesen fünf Jahren, wenn sich auch meine Lehrmeister, Hillel, Simeon und Schammai, vielleicht nicht mit den deinigen messen können, was die Redekunst betrifft. Ihre Gelehrsamkeit bewegt sich nicht auf verbotenen Pfaden, ihre Schüler werden durch ihre Unterweisungen nur in der Kenntnis Gottes, des Gesetzes und der Geschichte ihres Volkes gefördert und dadurch wird Liebe und Ehrerbietung für den Gott ihrer Väter, dessen Gebote und für ihre Brüder in ihnen geweckt. Aus ihren Vorträgen ist mir klar geworden, daß Judäa nicht mehr ist, was es früher war, daß es von einem unabhängigen Königreich zu einer unter fremder Botmäßigkeit stehenden Provinz geworden ist. Wahrlich, ich wäre verächtlicher als ein Samariter, wenn mir diese Erniedrigung meines Landes nicht zu Herzen ginge. Ismael ist nicht rechtmäßiger Hoherpriester und kann es nicht sein, solange der edle Hannas lebt, doch er gehört zu den Leviten, jenen frommen Knechten Jehovahs, die Ihm seit Jahrtausenden treulich gedient haben. Sein . . ."

„Aha, jetzt verstehe ich dich!" unterbrach hier Messala den Gefährten mit beißendem Spott. „Himmel und Erde mögen sich wandeln, ein Jude bleibt sich immer gleich. Für ihn gibt es weder Rückschritt noch Fortschritt, er bewegt sich immer in den gleichen Linien wie seine Vorahnen. Sein Leben ist ein beständiger Kreislauf. Der Mittelpunkt, um den sich alles bei ihm dreht, ist Gott, und die immer wiederkehrenden Punkte der Peripherie sind Abraham, Isaak und Jakob. Außer dem Tempel und dem kleinen Ländchen Judäa hat nichts Interesse für euch. Was ihr im Kriege etwa in den sechs Wochentagen erobert, verliert ihr am Sabbat wieder. Ist ein so beschränktes Dasein nicht geradezu lächerlich? Was ist euer Gott, wenn ihm die Anbetung eines so kleinlich angelegten Volkes genügt, im Vergleich zu unserem Jupiter, der uns die Eroberung des Weltalls zum Ziele steckt, und wie weit stehen Hillel, Simeon, Schammai und Abtalion hinter unseren Meistern zurück, die uns lehren, daß alles, was erforscht werden kann, des Erforschens wert ist? O Juda, mir steht die Welt offen, aber, mein armer Freund, was kann Großes aus dir werden, nachdem dir die Grenzen so eng gezogen sind? Höchstens einmal ein Mitglied des Hohen Rates. Ich aber . . . das Weltall ist noch nicht erobert! Es gibt noch viele unentdeckte Inseln im Meer, noch viele Völker im Norden, denen wir keinen Besuch abgestattet haben. Der Ruhm, Alexanders Marsch bis an die äußersten Grenzen des fernen Ostens auszudehnen, bleibt noch jemandem vorbehalten. Was hat ein Römer also nicht alles für Aussichten?"

Messala hielt einen Augenblick inne, dann fuhr er in erkünstelt gleichgültigem Ton fort: „Den meisten genügt es, wenn sie es zur Erlangung eines Feldherrnpostens bringen; mir nicht! Ich erstrebe eine Präfektur, und zwar in Rom oder noch besser in Judäa. Ich will des Cyrenius Nachfolger werden, und du, mein Juda, sollst mein Glück teilen."

Die römischen Lehrmeister des jungen Patriziers mochten dessen Reden Beifall zollen, denn sie entsprachen ganz ihrer Geistesrichtung. Dem jungen Israeliten hingegen waren sie neu und ungewohnt. Er hatte daher mit gemischten Gefühlen den Worten des Freundes gelauscht, bald mit sichtlicher Entrü-stung, bald mit einem merklichen Unbehagen, nicht wissend, wie er diese aufnehmen sollte. Der sarkastische Ton, mit dem Messala von seinem Volke sprach, verletzte den seinem Vater-land mit glühender Liebe zugetanem israelitischen Jüngling, und er entgegnete mit erzwungenem Lächeln: „Es gibt wenige, die in der Lage sind, scherzend von ihrer Zukunft zu reden, und während ich dir zuhörte, mein Messala, ist mir klar geworden, daß ich nicht zu diesen gehöre. Ich habe mich getäuscht in dir und bereue, daß ich dich aufgesucht habe. Ich dachte, einen Freund wiederzufinden; statt dessen finde ich . . ."

„Einen Römer", ergänzte Messala, dem davoneilenden Freunde die Hand auf die Schulter legend, um ihn zurückzuhal-ten. „Warum bist du so böse geworden, als ich den Wunsch aus-sprach, Nachfolger des alten Cyrenius zu werden? Dachtest du, ich wolle mich auf Kosten deines Vaterlandes bereichern? An-genommen, es wäre so. Tun das nicht gar viele Römer? Wes-halb sollte ich eine Ausnahme machen?"

Juda mäßigte seinen Schritt und entgegnete hochaufgerichte-ten Hauptes: „Es haben schon andere fremde Herren als die Römer über Judäa geherrscht. Wo sind sie heute, Messala? Es hat sie alle überlebt. Was einmal gewesen ist, kann sich wieder-holen. Jehovah wird den mit meinen Vätern gemachten Bund nicht brechen."

„Wer wird sich so von seiner Leidenschaft hinreißen lassen, mein Juda!" erwiderte Messala, indem er einen möglichst gleichgültigen Ton anschlug. „Was hätte mein Lehrer gesagt, wenn ich in seiner Gegenwart so hitzig geworden wäre! Ich hätte gern noch etwas mit dir besprochen, aber jetzt wage ich es kaum."

Nach einer kurzen Pause fuhr er fort: „Ich würde dir mit Freuden dienen, mein Juda, soweit es in meinen Kräften steht. Weshalb solltest du nicht auch Soldat werden wie ich? Weshalb nicht aus dem engen Kreis deiner jetzigen Lebensanschauungen heraustreten? Laß dir raten, mein Freund! Laß die Torheiten des mosaischen Gesetzes, die Überlieferungen aus alter Zeit, fahren, und sieh den Dingen offen ins Gesicht, so wirst du dir sagen müssen, daß Rom die Macht in Händen hat und Judäas Schicksal einzig und allein von seinem Belieben abhängt."

Die Freunde waren mittlerweile am Tor angelangt. Da blieb Juda stehen, schüttelte sacht des Gefährten Hand ab und sagte mit tränenfeuchten Augen: „Ich verstehe dich, weil du ein Römer bist. Du aber kannst mich nicht verstehen, denn ich bin ein Israelit. Während unseres heutigen Gesprächs bin ich zu der schmerzlichen Überzeugung gekommen, daß wir nicht die Freunde sein können, die wir früher gewesen sind. Unsere Wege gehen ein für allemal auseinander. Der Friede des Gottes meiner Väter sei mit dir!"

Messala bot ihm schweigend die Hand. Danach verließ Juda den Garten.

Der junge Römer sah dem früheren Spielgenossen eine Weile sinnend nach; plötzlich ermannte er sich jedoch und sagte achselzuckend: „Meinetwegen! Eros ist tot, es lebe Mars!"

Zweites Kapitel

Vom Eingang der Heiligen Stadt, dem Stephanstore aus, führte eine Straße parallel mit der nördlichen Seite der Antoniaburg dem Westen zu bis an das sogenannte Richttor; danach bog sie plötzlich nach Süden ab. Diejenigen meiner Leser, welche die heiligen Stätten persönlich in Augenschein genommen haben, werden aus obiger Beschreibung ohne Mühe einen Teil der *Via Dolorosa* erkennen, die für uns Christen ein so wehmütiges Interesse hat.

Gerade an der Stelle, wo die Straße nach Süden abbiegt, stand ein zweistöckiges, viereckig gebautes Haus, das mit seinen Mauern aus unbehauenen Steinen mehr den Eindruck eines Rohbaus als einer Wohnstätte vornehmerer Leute machte. Und doch gehörte es einem der wohlhabensten Männer der Stadt, einem Sadduzäer.

Kurz nachdem die beiden Jünglinge sich am Gartentor des Palastes getrennt hatten, klopfte Juda an die westliche Pforte des genannten Hauses und begehrte Einlaß. Der Türhüter öffnete, doch sein ehrerbietiger Gruß blieb unerwidert, so eilig hatte es der junge Israelit, einzutreten.

Hastig durchschritt er den geräumigen zweiten Hof und das in voller Blüte stehende Gewächshaus, stieg die Treppe zur Terrasse hinauf und betrat ein an deren Ende gelegenes Gemach. Trotz des dort herrschenden Dunkels durchmaß er es mit schnellen Schritten, warf sich auf den Diwan und barg das Gesicht in den Kissen.

Nach einer Weile rief eine Frau seinen Namen an der Tür, und als er geantwortet hatte, trat sie ein und sagte freundlich: „Das Abendessen ist schon vorüber. Ist mein Sohn nicht hungrig?"

„Nein", entgegnete er.

„Bist du krank?"

„Nicht doch, aber schläfrig."

„Deine Mutter hat nach dir gefragt."

„Wo ist sie?"

„Im Sommerhaus auf dem Dach."

Juda richtete sich auf und sagte: „Gut, so bring mir etwas zu essen."

„Was willst du?"

„Was du gerade hast, Amrah. Ich bin nicht krank, aber es ist mir im Augenblick gleichgültig. Das Leben sieht sich mir heute abend nicht mehr so rosig an wie heute früh. Etwas Ungewöhnliches bei mir, nicht wahr, Amrah, aber du, die du mich so genau kennst, wirst wie immer das Richtige für mich finden. Bring mir, was du für gut hältst."

Amrah stellte dem Jüngling einige Fragen, und diese wie die Besorgnis, die aus der sanften Stimme sprach, ließen auf das liebevolle, vertrauliche Verhältnis schließen, das zwischen beiden herrschte. Sie legte einen Augenblick die Hand auf seine Stirn und ging dann sichtlich beruhigt hinaus, um gleich darauf mit einem einladenden kleinen Imbiß, einem Becher Wein und einem ehernen Handlämpchen zurückzukommen.

Beim Schein des letzteren erkannte man an der Einrichtung des kleinen Gemaches, daß es ein hebräisches Schlafzimmer war. Auch die Züge der Frau wurden nun sichtbar. Sie war allem Anschein nach eine Fünfzigerin, und die großen dunklen Augen hatten einen Ausdruck mütterlicher Zärtlichkeit, wenn sie auf Juda ruhten. Die aus einem weißen Turban bestehende Kopfbedeckung ließ die Ohrläppchen frei, so daß man sehen konnte, daß diese mit einem dicken Pfriemen durchbohrt waren – ein Zeichen, daß die Frau der dienenden Klasse angehörte. Sie war eine Sklavin ägyptischer Herkunft und hatte als solche nicht wie andere ihres Standes nach zurückgelegtem fünfzigsten Jahre ihre Freiheit zu beanspruchen, hätte dies aber auch keinesfalls getan, denn sie hätte sich nie und nimmer von Juda trennen mögen. Sie hatte den Jungen von klein auf gepflegt, und ihre Liebe zu ihm war mit den Jahren noch gewachsen.

„Amrah", sagte dieser, während sie neben ihm kniete und ihn

bediente, „du erinnerst dich doch gewiß Messalas, der mich früher zuweilen besuchte."

„Ja, ich erinnere mich seiner", antwortete die Sklavin.

„Er ging vor einigen Jahren nach Rom und ist nun von dort zurückgekehrt. Ich war heute bei ihm", fuhr Juda mit ernster Miene fort.

„Dachte ich mir doch, daß du irgend etwas Unangenehmes erlebt hast", entgegnete Amrah mit augenscheinlichem Interesse. „Ich mochte den jungen Römer von Anfang an nicht. Erzähle weiter."

Judas Gedanken aber waren mittlerweile abgeschweift, und er antwortete auf ihr wiederholtes Fragen nur mit einem kurzen: „Er ist sehr verändert, und ich werde nichts mehr mit ihm zu tun haben."

Nachdem Amrah die Speisen abgetragen hatte, verließ Juda ebenfalls das Gemach, stieg die Treppe hinauf, lenkte seine Schritte dem am anderen Ende des flachen Daches gelegenen Pavillon zu, schob den Vorhang beiseite und trat ein. Es brannte keine Lampe in dem niederen Raum, doch war dieser an vier Seiten offen, so daß man die im Orient einen seltenen Lichtglanz verbreitenden Sterne hereinschimmern sah. Auf dem in einem der portalähnlichen Öffnungen stehenden Diwan lag eine weibliche Gestalt, die sich beim Geräusch der nahenden Fußtritte aus den Kissen aufrichtete und dem Eintretenden entgegenrief: „Juda, mein Sohn, bist du es?"

„Ja, Mutter", antwortete der Jüngling, rasch auf sie zueilend, und kniete an ihrem Lager nieder.

Der Fächer entfiel ihren Händen, sie schlang die Arme um seinen Hals und drückte ihn an ihr Herz.

Drittes Kapitel

Die Mutter lehnte sich in die Kissen zurück, während sich Juda neben ihr auf den Diwan setzte. Beide konnten von ihren Plätzen aus die Dächer der benachbarten Häuser, die sich im Westen hinziehende Bergkette und den funkelnden Sternenhimmel sehen.

„Amrah hat mir erzählt, es sei dir etwas Unangenehmes passiert", sagte die Frau, indem sie sanft des Jünglings heiße Wange streichelte. „Solange mein Juda ein Kind war, wunderte ich mich nicht, wenn er sich durch allerhand kleine Dinge beunruhigen ließ, aber nun ist er erwachsen und darf nicht vergessen" – bei diesen Worten wurde ihre Stimme noch weicher als bisher – „daß ich einmal mit Stolz zu ihm aufblicken will."

Viertes Kapitel

Einen Augenblick schwieg der Jüngling in Gedanken versunken, dann erzählte er von seinem Gespräch mit Messala und hob insbesondere dessen verächtliche Bemerkungen über die Gebräuche und die einförmige Lebensweise der Juden hervor.

Die Mutter hörte schweigend zu. Je klarer ihr die Dinge wurden, umso vorsichtiger wurde sie mit Reden. Juda hatte den früheren Lieblingsgespielen so wiederzufinden gedacht, wie er ihn verlassen hatte. Statt dessen war ihm ein Mann entgegengetreten, bei dem alle möglichen ehrgeizigen Zukunftspläne die Bilder der gemeinsam verlebten Kindheit in den Hintergrund gedrängt hatten. Verletzt in seinem Nationalgefühl, aber sich selbst unbewußt, von Ehrgeiz angesteckt, kam Juda nach Hause zurück. Dies konnte dem wachsamen Auge der Mutter nicht entgehen, und sofort regte sich die Angst in ihr: Wie, wenn der Ehrgeiz den geliebten Sohn vom Glauben seiner Väter weglockte? Nach jüdischer Auffassung wäre das das Allerschrecklichste gewesen, und sie machte sich sofort ans Werk, dies zu verhüten.

„Nie ist noch ein Volk dagewesen, das sich nicht wenigstens jedem anderen Volke für ebenbürtig hielt, nie eine große Nation, mein Sohn, die sich nicht über jede andere erhaben dünkte", sagte sie, und es sprach eine beinahe männliche Kraft und zugleich eine poetische Innigkeit aus ihren Worten. „Wenn der Römer geringschätzig auf Israel herabsieht, macht er es nicht besser, als es die Ägypter, die Assyrer und die Mazedonier gemacht haben, und da diese Geringschätzung in erster Linie Gott zum Gegenstand hat, wird sie das gleiche Resultat haben.

Es gibt kein Gesetz, nach dem sich bestimmen ließe, welche Nation den Vorrang hat. Daher ist es töricht, darüber zu streiten. Ein Volk erhebt sich, beschreibt seine Bahn und verschwindet dann wieder vom Schauplatz, das heißt, macht einem anderen Raum, das seine Denkmäler mit neuen Namen bedeckt – das ist der Lauf der Geschichte. Hätte ich Gott und den Menschen in der einfachsten Form darzustellen, so würde ich eine gerade Linie und einen Kreis zeichnen und würde von der Linie sagen: ‚Das ist Gott, denn er allein bewegt sich in gerader Linie weiter‘, und vom Kreise: ‚Das ist der Mensch – er dreht sich fortwährend im Kreise.‘ Nicht, als ob ich behaupten wollte, eine Nation beschreibe dieselbe Bahn wie die andere, doch liegt der Unterschied nicht in der Größe des Kreises, sondern in der Achse, um die sie sich drehen. Die erhabenste Nation ist diejenige, die Gott am nächsten ist.

Du, mein Sohn", fügte sie mit zitternder Stimme hinzu, „diene dem Herrn, dem Gott Israels. Für ein Kind Abrahams gibt es keinen höheren Ruhm als den, auf den Wegen Jehovahs zu wandeln."

„Dann darf ich Soldat werden?" fragte Juda.

„Warum nicht, mein Sohn? Hat doch Moses selbst Gott einen Kriegsmann genannt! Wenn du dem Herrn, dem Gott unserer Väter, dienen willst anstatt dem Cäsar, hast du meine volle Einwilligung."

Mit diesen Worten drückte sie einen Kuß auf die heiße Stirn des Jünglings und verließ dann schweigend das Gemach.

Fünftes Kapitel

Ermüdet von den vielen Gemütsbewegungen, die auf ihn einge-
stürmt waren, war Juda eingeschlafen; als er erwachte, stand die
Sonne hoch über den Bergen; dicht neben ihm auf dem Diwan
saß ein junges, kaum fünfzehnjähriges Mädchen, das zu der
Laute fröhlich sang. Sobald sie sah, daß sein Blick auf ihr ruhte,
hörte sie auf zu spielen, ließ die Hände in den Schoß sinken und
wartete, daß er sie anrede. Da wir unseren Lesern Auskunft
über ihre Persönlichkeit schuldig sind, wollen wir die Gelegenheit benützen, sie einigermaßen in die Familienverhältnisse des
Helden unserer Erzählung einzuführen.

Es waren unter den Juden jener Zeit nicht wenige, die aus besonderer Gunst des Königs Herodes ihre Besitztümer behalten
hatten. Hatten diese das Glück, zugleich von irgendeinem berühmten Manne des Stammes Juda zu kommen, so nahmen sie
eine geradezu fürstliche Stellung in Jerusalem ein und erfreuten
sich nicht nur des Ansehens ihrer Volksgenossen, sondern auch
der Heiden, mit denen sie irgendwie in Berührung kamen. Keiner von ihnen hatte sich einer höheren Achtung zu erfreuen gehabt als der Vater des Jünglings, von dem in den letzten Kapi-
teln die Rede gewesen ist. Bei aller Anhänglichkeit an sein Volk
und die Traditionen seiner Väter hatte er dem König die schuldige Treue erwiesen und ihm mit peinlicher Gewissenhaftigkeit
gedient. Bei Gelegenheit einer Amtsreise nach Rom war Kaiser
Augustus auf ihn aufmerksam geworden, hatte ihn öffentlich
seiner Freundschaft gewürdigt und ihn mit Beweisen seiner kaiserlichen Huld überschüttet. Kein Wunder, daß der Mann reich
und immer reicher wurde, zumal er es verstand, mit den ihm anvertrauten Pfunden zu handeln! In allen großen Städten und
Seehäfen hatte er blühende Geschäftshäuser, seine Schiffe
kehrten beladen mit Silber aus Spanien – seine Karawanen mit
Seidenstoffen und Gewürzen aus dem Osten zurück. Als Hebräer wandelte er treulich in allen Satzungen des Glaubens sei-

ner Väter; sein Platz in der Synagoge und im Tempel blieb selten unbesetzt. Er war gründlich in der Heiligen Schrift bewandert und hing mit beinahe abgöttischer Verehrung an Hillel. Dennoch war er keineswegs Separatist. Sein Haus stand jedem Ausländer offen, ja, die engherzigen Pharisäer warfen ihm vor, daß sogar Samariter bei ihm zu Tisch geladen waren. Wäre er ein Heide gewesen und am Leben geblieben, so hätte Herodes Attikus leicht einen gefährlichen Nebenbuhler an ihm haben können. So aber war er in der Blüte der Jahre zum Bedauern von ganz Judäa auf dem Meere umgekommen. Wir haben bereits die Bekanntschaft von zwei Gliedern seiner Familie gemacht – seiner Witwe und seinem Sohn –, ein drittes war seine einzige Tochter, das junge Mädchen, von dem wir zu Eingang des Kapitels gelesen haben.

Tirzah sah ihrem Bruder außerordentlich ähnlich. Sie hatte die gleichen regelmäßigen Züge, den gleichen jüdischen Typus und den gleichen, beinahe kindlichen Ausdruck im Gesicht. Ein Gürtel umschloß das lange, wallende Gewand, das auf der Schulter geknöpft war und Hals und Arme frei ließ. Die Kopfbedeckung war äußerst einfach und kleidsam – ein seidenes Käppchen von tyrischem Rot und eine reichgestickte Escharpe, die leicht um den zierlichen Kopf geschlungen war. Das Käppchen war mit einer bunten Quaste verziert. Das schöne rabenschwarze Haar hing in zwei langen dicken Zöpfen über den Rücken. Über der weißen Kinderstirn kräuselte sich rechts und links ein anmutiges Löckchen. Die Armspangen, Ohrringe und Halsketten waren aus gediegenem Gold und mit Perlen besetzt.

Juda betrachtete nachdenklich das liebliche Gesicht; dann sagte er plötzlich: „Denke nur, Tirzah, ich gehe fort."

„Du gehst fort!" entgegnete sie erstaunt. „Wann? Wohin? Warum?"

Er lachte.

„Drei Fragen in einem Atemzug!" rief er scherzend. „Was für ein komisches Geschöpfchen du bist!" Im nächsten Augenblick fügte er jedoch ernst hinzu: „Unser guter Vater soll mir nicht umsonst ein so treffliches Beispiel gegeben haben. Selbst du würdest mich verachten, wenn ich das, was er mit so viel Fleiß erworben hat, im Nichtstun vergeuden wollte. Ich gehe nach Rom."

„Ich begleite dich."

„Du mußt bei der Mutter bleiben. Wir dürfen sie nicht beide verlassen, sie käme sonst um vor Sehnsucht."

Eine Wolke flog über das anmutige Gesicht, und sie sagte ernst: „Ach ja, das ist wahr! Aber mußt du wirklich fort von hier? In Jerusalem gibt es doch Kaufleute genug, bei denen du alles Nötige lernen kannst – wenn du die Absicht hast, Kaufmann zu werden."

„Das ist eben nicht meine Absicht. Das Gesetz fordert nicht, daß der Sohn werde, was der Vater war."

„Was könntest du sonst werden?"

„Soldat", erwiderte Juda mit einem gewissen Stolz.

Dem Mädchen traten die Tränen in die Augen.

„Dann bringen sie dich um", sagte sie.

„Meinetwegen, wenn das Gottes Wille ist – doch werden nicht alle Soldaten getötet, Tirzah."

Sie schlang die Arme um seinen Hals, als wollte sie ihn zurückhalten, und sagte schluchzend: „Bleibe bei uns, Bruder. Wir sind so glücklich miteinander."

„Das Kriegführen will gelernt sein wie jedes andere Handwerk", entgegnete er, „und nirgends bietet sich dazu bessere Gelegenheit als in Rom."

„Du willst doch nicht etwa für Rom kämpfen?"

„Ja, das will ich, Schwesterchen. Aber nur, um von Rom zu lernen und einmal gegen Rom zu kämpfen. Hörst du die Musik?" fügte er erregt hinzu, indem er vom Diwan aufsprang und auf die Veranda eilte. „Da kommen die Soldaten vom Prätorium!"

Im nächsten Augenblick lehnte er am ziegelgedeckten Mauervorsprung der Veranda und blickte, alles andere vergessend, die Straße hinab, die sich unter den Klängen der Militärmusik im Nu mit einer bunten Menschenmenge füllte.

Allmählich näherte sich die von der Antoniaburg kommende Truppe dem Hause der Familie Hur, von dessen Zinne Bruder und Schwester dem großartigen Schauspiel zusahen. Zwei Dinge fesselten ganz besonders des Jünglings Aufmerksamkeit – erstens, der vor der Legion hergetragene goldene Adler, das römische Banner, und dann der inmitten der Kolonne reitende Offizier. Dieser war in voller Waffenrüstung, aber ohne Helm. An der linken Seite trug er ein kurzes Schwert, in der Rechten hielt er eine Pergamentrolle.

Es fiel Juda auf, daß die Zuschauer ringsum bei seinem Anblick in zornige Erregung gerieten. Sie drohten ihm mit den Fäusten, riefen ihm alle möglichen Schimpfwörter nach, spuckten vor ihm aus und schleuderten sogar ihre Sandalen auf ihn. Je näher er kam, um so deutlicher wurden Rufe wie diese vernehmbar: „Räuber, Tyrann, Römerhund! Fort mit dir, Ismael! Gib uns unseren Hannas wieder!"

Juda sah, daß das Gesicht des Reiters einen immer finstereren Ausdruck annahm und daß sein Auge rachsüchtig auf der tobenden Menge haftete.

Im Grunde konnte sich der Jüngling des Mitgefühls für den Römer, der den unvorhergesehenen Sturm heraufbeschworen hatte, nicht erwehren, und als dieser sich dem Hause näherte, bog er sich vor, um ihn genauer zu betrachten. Dabei berührte er mit der Hand unversehens einen losen Ziegel und brachte ihn ins Rollen. Er wollte ihn im Falle aufhalten, aber die Gebärde, die er dabei machte, sah unglücklicherweise von unten gesehen aus, als werfe er etwas von sich. Als er bemerkte, daß der Ziegel nun erst recht herabstürzen werde, schrie er mit aller Macht: „Aufgepaßt! Aufgepaßt!" Die Soldaten von der Leibgarde und der Reiter blickten in die Höhe – und im nächsten Augenblick sank dieser vom Stein getroffen zu Boden!

Die Kohorte stand still, die Wachen sprangen vom Pferd und deckten ihren Vorgesetzten schleunigst mit ihren Schilden. Andererseits riefen die Leute, die die Sache mit angesehen hatten und keinen Augenblick zweifelten, daß es sich um einen absichtlichen Wurf handelte, dem sich seiner gefahrvollen Lage durchaus bewußten Jüngling lauten Beifall zu.

Eine unwiderstehliche Kampfeslust bemächtigte sich der auf den Dächern der Nachbarhäuser stehenden Zuschauer. Sie rissen Ziegel und Lehmstücke herab und warfen sie in blinder Wut auf die Soldaten. Natürlich ließen es sich diese nicht ruhig gefallen, und es entbrannte ein heftiger Straßenkampf, in dem die Menge den kürzeren ziehen mußte.

Auf der Veranda des Hauses Hur stand totenbleichen Angesichts der unfreiwillige Urheber der wüsten Szene.

„Was ist geschehen?" fragte Tirzah, die den Vorfall nicht gesehen hatte, aber wohl merkte, daß Gefahr drohte. „Was bedeutet der schreckliche Tumult?"

„Ich habe den römischen Statthalter ermordet", erwiderte Juda mit tonloser Stimme. „Der Ziegel ist auf ihn gefallen."

Ihr Angesicht verfärbte sich, sie schlang den Arm um ihn und blickte ihm mit dem Ausdruck unaussprechlicher Angst in die Augen. Bei ihrem Anblick ermannte er sich und sagte ruhig: „Ich habe es nicht absichtlich getan, Tirzah – es war ein unglücklicher Zufall."

„Was werden sie dir tun?" fragte das Mädchen.

Er blickte auf den immer heftiger werdenden Kampf auf der Straße und auf den Dächern und gedachte des finsteren Gesichts des neuen Statthalters. Wie weit würde dieser seiner Rache die Zügel schießen lassen, wenn er nicht tot war? Und war letzteres der Fall, wer konnte ermessen, was die aufs äußerste gereizten Soldaten dann tun würden? Um keine Antwort geben zu müssen, beugte er sich über das Geländer und sah gerade, wie die Wache dem Römer auf sein Pferd zurückhalf.

„Er lebt, er lebt, Tirzah!" rief er. „Gelobt sei der Gott unserer Väter! Ich glaube, nun haben wir nichts zu fürchten, Schwesterchen. Ich werde erklären, wie sich die Sache zugetragen hat, dann werden sie um der Verdienste unseres Vaters willen Barmherzigkeit walten lassen."

Soeben war er im Begriff, Tirzah ins Sommerhaus zurückzuführen, als mit einem furchtbaren Krach und großem Lärm die Tür eingeschlagen wurde und die Soldaten ins Haus drangen. War es Einbildung oder Wirklichkeit? Im nächsten Augenblick glaubte Juda, den Angstruf seiner Mutter zu vernehmen. Alles andere vergessend, sprang er mit ein paar Sätzen die Treppe hinab und eilte auf die sich den Armen eines Mannes entwindende geliebte Gestalt zu. Sie streckte ihm die Hände entgegen, aber ehe er ihr beistehen konnte, wurde er ergriffen und mit Gewalt von ihr weggerissen. Zugleich hörte er eine ihm wohlbekannte Stimme sagen: „Das ist er!"

Juda blickte auf und erkannte – Messala!

„Und die Frau hier ist seine Mutter, das Mädchen dort seine Schwester!" fügte der ehemalige Spielgenosse hinzu.

Aus Liebe zu den beiden vergaß Juda den Vorfall im Garten und rief: „Hilf ihnen, Messala! Gedenke unserer früheren freundschaftlichen Beziehungen und hilf ihnen! Ich bitte dich."

Messala tat, als höre er nicht, sondern wandte sich zum Offizier und sagte: „Ich habe hier weiter nichts zu suchen, während es drunten offenbar Arbeit genug gibt. Eros ist tot, Mars lebe!" Mit diesen Worten verschwand er. Juda verstand ihn nur zu gut und flehte in der Bitterkeit des Herzens: „Laß meine Hand an ihm Rache üben, o Gott, wenn deine Stunde dazu gekommen ist."

Sich ermannend, näherte er sich hierauf dem Offizier mit den Worten: „O Herr, die Frau dort ist meine Mutter. Schone sie und meine Schwester. Gott ist gerecht. Er wird's dir vergelten."

Der Mann schien ergriffen und rief den Soldaten zu: „In die Burg mit den Frauen, aber daß ihnen kein Haar gekrümmt werde! Ihr seid verantwortlich für sie. Und ihr", fügte er zu den Kriegern, die Juda hielten, hinzu, „bindet ihm die Hände und nehmt ihn mit! Seine Strafe wird nicht ausbleiben."

Die Mutter wurde fortgeschleppt, Tirzah aber ging wie betäubt vom Schrecken widerstandslos mit ihren Häschern. Juda warf einen letzten Blick auf die beiden, dann barg er das Gesicht in den Händen, damit niemand seine Tränen sah.

Es ging in diesem Augenblick eine Wandlung in dem Jüngling vor, die jeder früher oder später im Leben durchzumachen hat. Der junge Hebräer war eine überaus weich angelegte, liebevolle und liebebedürftige Natur, und in dem geschützten Familienkreise, in dem er aufgewachsen war, waren die stärkeren Seiten seines Charakters bisher nie zutage getreten. Man kann sich denken, welche Wirkung das plötzlich über ihn hereingebrochene Unglück auf ihn haben mußte. Für den Augenblick war jedoch nichts anderes von der mit ihm vorgegangenen Wandlung zu bemerken, als daß der weiche Zug um den Mund verschwunden war. Der Knabe war innerhalb weniger Minuten zum Mann herangereift.

Im Hofe ertönte eine Trompete; daraufhin räumten die Soldaten das Haus. Als Juda die Straße erreichte, standen sie schon alle in Reih und Glied, während der Offizier nur noch der Ausführung seiner letzten Befehle harrte.

Mutter, Tochter und Dienstboten wurden durch das nördliche Tor herausgeführt, dessen Trümmer ringsum zerstreut lagen. Das Jammergeschrei der letzteren, die der Mehrzahl nach im Hause geboren waren, war entsetzlich anzuhören. Als schließlich noch die Pferde und das Vieh an Juda vorbeigetrieben wurden, war diesem klar, wie weit die Rache des Prokurators ging. Offenbar sollte sein Vaterhaus dem Untergang geweiht werden, damit es sich keiner seiner Landsleute je wieder in den Sinn kommen ließe, sich an einem römischen Statthalter zu vergreifen.

Die Sorge, was aus ihm persönlich werden würde, trat für Juda für den Augenblick in den Hintergrund. Sein Blick haftete an den Gefangenen, in deren Mitte er weder seine Mutter noch Tirzah entdeckte.

Plötzlich erhob sich eine Frauengestalt vom Boden, eilte auf den Jüngling zu und umklammerte mit beiden Händen seine Knie.

„O Amrah, gute Amrah, Gott helfe dir, ich kann es nicht", sagte er mit vor Bewegung zitternder Stimme. Dann beugte er sich zu ihr nieder und flüsterte: „Lebe für meine Mutter und Tirzah, Amrah. Sie werden über kurz oder lang zurückkommen und . . ."

Ehe er ausreden konnte, zog ein Soldat sie hinweg. Sie riß sich los und stürzte durchs offene Tor ins Haus zurück.

„Laßt sie!" rief der Offizier. „Wir wollen das Haus versiegeln, und so wird sie elendiglich verhungern."

Die Männer taten, wie ihnen befohlen war, und nachdem die Tore versperrt worden waren, kehrte die Kohorte in die Antoniaburg zurück, wo der Statthalter die nötigen Anordnungen im Hinblick auf die Gefangenen gab.

Sechstes Kapitel

Am nächsten Tage nagelte eine Abteilung Soldaten eine in lateinischer Sprache verfaßte Inschrift folgenden Inhalts an den Toren fest:

„Eigentum des Kaisers."

Nach römischen Begriffen erfüllte diese hochtrabende Bekanntmachung vollständig ihren Zweck – und in der Tat war es so.

Wieder einen Tag später nahte sich eine kleine Reiterschar mit ihrem Anführer an der Spitze von Jerusalem her der heutigen Stadt Nazareth, die zur damaligen Zeit ein ziemlich unbedeutender Ort und hauptsächlich von Leuten der niederen Klasse bewohnt war.

Ein Trompetenstoß kündigte die Ankunft der Reiter an und übte eine fast magische Wirkung auf die Bewohner aus, die aus allen Toren und Türen zusammenliefen, um zu sehen, was los war.

Wir dürfen nicht vergessen, daß Nazareth nicht nur nicht an der großen Heerstraße, sondern im Bezirk des Judas von Gamala lag, so daß man sich wohl vorstellen kann, mit welchen Gefühlen die römischen Soldaten empfangen wurden. Je näher sie jedoch kamen, umso mehr machten Furcht und Haß der Neugierde Platz, denn inmitten der Reiterschar ging barhäuptig und halb nackt, die Hände auf dem Rücken zusammengebunden, ein Gefangener. Ein an den Handgelenken befestigter Lederriemen hing über dem Nacken eines der Pferde. Trotz der Staubwolke, die den Jüngling umhüllte, sahen die Einwohner von Nazareth, daß dieser kaum dem Knabenalter entwachsen war.

Am Brunnen hielt die Reiterschar, wo die Soldaten abstiegen. Der Gefangene sank wie betäubt wortlos auf den Boden nieder, offenbar war er aufs äußerste erschöpft. Hätten die Leute es gewagt, so wären sie ihm gern zu Hilfe gekommen, denn sein Anblick mußte dem Hartherzigsten unter ihnen in die Seele schneiden.

Während die Wasserkrüge unter den Soldaten die Runde machten, deutete eine Frau mit dem Finger auf eine die Straße von Sepphoris herabkommende Gestalt und rief: „Seht, dort kommt der Zimmermann. Nun werden wir etwas erfahren!"

Der Mann, von dem sie sprach, hatte ein wirklich ehrwürdiges Aussehen. Unter dem faltenreichen Turban sahen ein paar spärliche Locken hervor, und über das grobe graue Gewand wallte ein langer weißer Bart. Offenbar kam der Alte von der Arbeit heim, denn er hatte sein Handwerksgerät bei sich – eine Axt, eine Säge und ein Zeichenmaß.

In der Nähe des Brunnens blieb er stehen, um sich die darum Versammelten näher zu betrachten.

„O Rabbi, guter Rabbi Joseph!" rief die Frau, ihm entgegeneilend. „Frage doch die Soldaten, wer der Gefangene dort ist, was er getan hat, und was mit ihm geschieht."

Der Rabbi verzog keine Miene, betrachtete sich jedoch den Gefangenen einen Augenblick und sagte dann mit feierlichem Ernst zum Anführer der Reiterschar: „Der Friede des Herrn Zebaoth sei mit dir!"

„Und mit dir sei der Friede der Götter", entgegnete jener.

„Bist du aus Jerusalem?"

„Ja."

„Dein Gefangener ist jung."

„An Jahren allerdings."

„Darf ich fragen, was er getan hat?"

„Er ist ein Mörder."

„Ein Mörder?" wiederholten die Leute erstaunt, Rabbi Joseph aber fuhr ruhig in seinem Verhör fort:

„Ist er ein Sohn Israels?"

„Er ist ein Jude", erwiderte der Römer trocken.

Der Umstehenden bemächtigte sich aufs neue das etwas wankend gewordene Mitleid.

„Er ist der Sohn eines Mannes namens Hur, der zu Herodes

Zeiten lebte und ein Fürst in Jerusalem war", fuhr der Offizier fort.

Von allen Seiten wurden Ausrufe der Verwunderung laut; dann fuhr der Offizier fort: „Um ein Haar hätte der Bösewicht gestern den edlen Gratus getötet, indem er vom Dach des Palastes seines Vaters einen Ziegelstein gegen sein Kopf schleuderte."

Es entstand eine Pause im Gespräch, während der die Nazarener den jungen Ben Hur wie ein wildes Tier angafften.

„Hat er ihn getötet?" forschte der Rabbi weiter.

„Nein."

„Ist er verurteilt?"

„Ja – zu lebenslänglicher Galeerenstrafe."

„Der Herr stehe ihm bei!" sagte Joseph, und zum erstenmal bemerkte man eine Regung von Mitleid an ihm.

Daraufhin legte sein Begleiter, ein Knabe, der bisher unbeachtet hinter ihm gestanden hatte, die Axt, die er in der Hand hielt, auf den Boden, nahm einen Wasserkrug von dem großen Stein neben dem Brunnen, und ehe die Wachen es verhindern konnten, beugte er sich zu dem Gefangenen nieder und gab ihm zu trinken.

Die Berührung der sanften Hand, die sich ihm liebevoll auf die Schulter legte, weckte den unglücklichen Juda aus seiner Betäubung, und als er aufblickte, sah er in ein Gesicht, das er nie wieder vergaß. Es war das eines Knaben, der etwa gleichen Alters mit ihm sein mochte. Kastanienbraunes, lockiges Haar umrahmte die milden Züge, und aus den dunkelblauen Augen sprach eine Fülle von Liebe und heiliger Entschlossenheit, wie man sie selten gepaart findet. Unter des Fremden Blick schmolzen die bitteren, durch das erlittene Unrecht hervorgerufenen, rachsüchtigen Gefühle bei Juda und machten weicheren Empfindungen Platz. Er trank mit vollen Zügen aus dem dargebotenen Krug, aber kein Wort wurde zwischen den beiden Jünglingen gewechselt.

Als er fertig war, legte der Fremde die Hand auf die staubigen

Locken des Gefangenen und ließ sie segnend darauf ruhen. Dann stellte er den Krug wieder auf seinen Platz, hob die Axt vom Boden auf und kehrte zu Rabbi Joseph zurück, gefolgt von den Blicken nicht nur der umstehenden Juden, sondern auch von denen des römischen Offiziers.

Wenige Minuten später bestiegen die Soldaten wieder ihre Pferde und ritten weiter, aber der Anführer schien von einem anderen Geist beseelt als vorher. Er hob den Gefangenen mit eigener Hand vom Boden auf und half ihm auf ein Pferd hinter einem der Soldaten. Die Nazarener gingen heim – mit ihnen Rabbi Joseph und sein Lehrling. Das war die erste Begegnung, die Juda mit dem Sohne Marias hatte.

DRITTES BUCH

Erstes Kapitel

Von der Stadt Misenum, die dem einige Meilen südwestlich von Neapel gelegenen Vorgebirge ihren Namen gegeben hat, stehen heute nur noch die Ruinen. Im Jahre vierundzwanzig hingegen war sie eine der wichtigsten Hafenplätze an der Westküste Italiens.

An einem kühlen Septembermorgen kam eine lärmende Gesellschaft die Straße entlang, die aus der Stadt zum Hafen führte. Der Torwächter warf den Männern einen prüfenden Blick zu; sobald er aber sah, daß es vornehme Leute waren, die einen Freund nach einem Abschiedsgelage mit ihren Sklaven ans Schiff geleiteten, legte er sich wieder beruhigt aufs Ohr. Ein angehender Fünfziger, der einen Lorbeerkranz auf den spärlichen Locken trug, bildete den Mittelpunkt der fröhlichen Gruppe und war offenbar die Hauptperson. Wie aus den teils scherzhaften, teils ernster gehaltenen Gesprächen hervorging, war es der römische Tribun Quintus Arrius, dem der Kaiser die Bestrafung der das Ägäische Meer unsicher machenden Piraten übertragen hatte.

Sobald das längst in Sicht gewesene Schiff sich dem Landungsplatz näherte, umarmten sich die Freunde, und wenige Minuten später war alles zur Abfahrt bereit.

Zweites Kapitel

Ehe die Galeere gegen Mittag die hohe See erreichte, hatte sich Arrius bis ins einzelne mit deren Einrichtungen bekannt gemacht, die üblichen Opfer dargebracht und seine Anordnungen erteilt. Nun saß er gemächlich auf dem für den Befehlshaber bestimmten bequemen Sessel in der großen Kajüte und musterte Offiziere und Bemannung des Schiffes. Nichts entging seinem prüfenden Blick. Am längsten haftete dieser jedoch auf den Ruderern. Es waren deren nicht weniger als sechzig zu beiden Seiten des Fahrzeuges verteilt, und wenn die Lage der Männer auch noch schlimmer hätte sein können, so war sie doch dazu angetan, einem unparteiischen Beschauer das tiefste Mitleid einzuflößen. Sie durften nicht miteinander verkehren. Tagaus tagein wechselten sie kein Wort, während der Arbeit sah keiner des anderen Züge, und in den kurzen Ruhepausen schliefen sie entweder, oder sie nahmen rasch die kärgliche Mahlzeit ein. Nie hörte man einen von ihnen lachen oder singen – kurz ihre Existenz glich einem Strom, der langsam und mühevoll unter der Erde der Mündung zufließt.

In den Tagen, in die meine Erzählung fällt, war es Brauch, die Kriegsgefangenen als Arbeiter an den Festungswällen, bei Straßenbauten und in Bergwerken zu verwenden oder auch als Ruderer auf den Kriegs- und Handelsgaleeren. Als Duilius die erste Seeschlacht für sein Volk gewann, führten Römer die Ruder, und die Ruderer hatten ihren Anteil an dem Siegesruhm so gut wie die Soldaten. Zur Zeit, von der wir sprechen, taten Söhne aller von Rom überwundenen Nationen den Dienst.

Die Arbeit des Ruderers erforderte nicht genug Kunstfertigkeit, um den Geist in Spannung zu halten. Es war eine rein mechanische Beschäftigung, so daß die armen Geschöpfe, die sie verrichteten, allmählich nicht nur verdummten, sondern sogar alle Empfindsamkeit verloren, das heißt, allmählich zu gefühllosen Maschinen herabsanken.

Mit der Zeit wurde es dem Tribun zu langweilig, den einförmigen Bewegungen der Ruderer zuzusehen, und er lenkte seine Aufmerksamkeit auf die einzelnen Sträflinge. Diese hatten keine Namen sondern Nummern, und während Arrius sie, einen nach dem anderen, musterte, fiel ihm die Nummer 60 auf. Der junge Mann trug wie alle seine Kameraden als einziges Kleidungsstück einen Gurt um die Lenden. Er war sehr jung, nicht über zwanzig Jahre alt, und seine ganze Gestalt war von seltenem Ebenmaß – höchstens waren die Arme ein wenig zu lang. Aber dieser Fehler war der starken Muskeln wegen nicht so auffallend, wie er unter Umständen hätte sein können. Jede Rippe war sichtbar an dem schlanken Körper, der jedoch durchaus nicht abgezehrt genannt werden konnte, wohl aber von beneidenswerter Geschmeidigkeit war. Der wohlgeformte Kopf saß auf einem breiten, aber ungewöhnlich biegsamen Nacken. Die ausdrucksvollen Züge verrieten, besonders im Profil, die orientalische Abstammung des Jünglings. Je länger der Tribun diesen beobachtete, desto mehr Interesse gewann er an ihm.

„Bei den Göttern", sagte er sich, „der Junge gefällt mir! Von dem will ich mehr wissen."

Der Sklave mochte den unverwandt auf ihn gerichteten Blick fühlen, denn er sah auf – das Blut schoß ihm ins Gesicht –, und das Ruder entglitt beinahe seiner leise bebenden Hand. Erschrocken fuhr er zurück, bemerkte jedoch zu seinem nicht geringen Erstaunen, daß das Auge des Tribunen mit wohlgefälligem Lächeln auf ihm ruhte.

Mittlerweile bog die Galeere in die Meerenge von Messina ein, fuhr an der Stadt gleichen Namens vorüber und wandte den Bug dem Osten zu.

So oft Arrius auf seinen Platz in der Kajüte zurückkehrte, nahm er das Studium des Ruderers Nummer 60 wieder auf und sagte sich immer aufs neue: „Der Bursche hat Charakter. Ein Jude ist kein Barbar. Von ihm will ich Näheres wissen."

Drittes Kapitel

Am vierten Tage nach der Ausfahrt durchschiffte die „Asträa", so hieß die Galeere, das Ionische Meer. Der Himmel war klar, der Wind günstig.

Da es möglich schien, die Flotte zu erreichen, ehe das Schiff an der zum Sammelplatz bestimmten Insel Kythera anlangte, verbrachte Arrius die meiste Zeit auf dem Verdeck, um sich persönlich Rechenschaft von dem Stand der Dinge zu geben. Dabei behielt er beinahe unausgesetzt die Nummer 60 im Auge.

„Kennst du den Mann, der soeben abgelöst wird?" fragte er schließlich den Aufseher.

„Die Leute sind mir noch neu", antwortete dieser, „ich weiß nur, daß er einer meiner besten Ruderer ist."

„Was hat er für eine Gemütsart?"

„Er ist gehorsam; mehr weiß ich nicht zu sagen. Gleich zu Anfang bat er mich, einen Tag zur Rechten, den anderen zur Linken des Schiffes rudern zu dürfen, um der Gefahr zu entgehen, schief zu werden und dadurch unbrauchbar zu sein, wenn man ihn bei Anlaß eines Sturmes oder einer Schlacht zu einem anderen Dienst verwenden wollte."

„Das ist ein neuer Gedanke! Was hast du sonst bemerkt?"

„Er ist reinlicher als seine Kameraden."

„Das hat er offenbar von den Römern", sagte Arrius. „Kennst du seine Geschichte?"

„Ganz und gar nicht."

Der Tribun sann einen Augenblick nach, dann sagte er: „Wenn er das nächste Mal abgelöst wird und ich dann gerade auf Deck bin, so schicke ihn zu mir herauf, aber allein."

Etwa zwei Stunden später stellte sich ihm der Ruderer mit den Worten vor: „Der Aufseher hat mir gesagt, daß du mich zu sprechen wünschest, edler Arrius. Hier bin ich."

Die klaren, offenen Augen des jungen Sklaven hatten mehr

einen neugierigen als einen trotzigen Ausdruck, und die jugendlichen Züge trugen wohl das Gepräge eines schweren Kummers, aber weder der Verdrießlichkeit noch des verhaltenen Ingrimms. Das machte dem Römer offenbar Eindruck, denn er sprach nicht wie ein Herr mit seinem Sklaven, sondern wie etwa ein älterer Mann mit einem jüngeren spricht.

„Dienst du schon lange?" fragte er.

„Seit drei Jahren sitze ich unausgesetzt am Ruder."

„Das ist eine schwere Arbeit, die der stärkste Mann nicht ein Jahr lang aushält. Und du bist kaum dem Knabenalter entwachsen."

„Der edle Arrius vergißt, daß es der Geist ist, der dem Menschen die Kraft zum Ausharren gibt. Mit seiner Hilfe hält der Schwache manchmal Dinge aus, die den Starken überwältigen."

„Nach deiner Sprache zu schließen, bist du ein Jude."

„Meine hebräischen Vorfahren stammen aus einer Zeit, da es noch lange keine Römer gab."

„Es fehlt dir nicht am Stolze, der deine Landsleute kennzeichnet", sagte Arrius, als er sah, wie dem Jüngling bei diesen letzten Worten das Blut in die Wangen stieg.

„Nie macht sich der Stolz mehr geltend als bei Leuten, die in Fesseln geschlagen sind."

„Worauf bist du stolz?"

„Darauf, daß ich ein Jude bin."

„Ich bin nie in Jerusalem gewesen", erwiderte Arrius lächelnd, „aber ich habe einen seiner Handelsfürsten gekannt, einen Mann, der das Zeug gehabt hätte, König zu werden. Welcher Klasse der Gesellschaft gehörst du an?"

„Zur Zeit der Klasse der Sklaven. Mein Vater jedoch war einer der Fürsten Jerusalems und ein gern gesehener, geehrter Gast im Palaste des großen Augustus."

„Wie hieß er?"

„Ithamar aus dem Hause Hur."

Der Tribun blickte erstaunt auf.

„Du, ein Sohn Hurs?" sagte er.

„Wie kommst du hierher?" fügte er nach einer Pause hinzu.

Juda senkte den Kopf und rang mühsam nach Atem. Endlich war er wieder soweit Herr seiner Gefühle, daß er antworten konnte: „Ich wurde eines Mordversuchs angeklagt, und zwar gegen den Prokurator Valerius Gratus."

„Du!" rief Arrius, indem er unwillkürlich einen Schritt zurückwich. „Du solltest jener Mordbube sein, von dem seinerzeit so viel gesprochen wurde!"

Nach diesem Ausruf betrachtete er den Jüngling eine Weile schweigend, als wolle er in dem Innersten seiner Seele lesen, dann sagte er nachdenklich: „Ich dachte, die Familie Hur sei vom Erdboden vertilgt."

Diese Worte beschworen eine Flut von Erinnerungen im Herzen des jungen Mannes herauf, denen sein Stolz nicht gewachsen war. Dicke Tränen rollten ihm über die Wangen, und er rief schmerzbewegt: „Mutter – Mutter, und meine süße, kleine Tirzah! Wo mögen sie sein? O edler Tribun, weißt du etwas von ihnen, so flehe ich dich an, sage es mir! Drei Jahre sind es her, seit wir voneinander gerissen wurden, und in dieser langen Zeit ist keine Silbe über ihr Geschick zu mir gedrungen. Oh, könnte ich wenigstens vergessen! Aber Tag und Nacht steht jener schreckliche Auftritt vor mir – Tag und Nacht verfolgt mich der letzte Blick meiner Mutter, ich mag tun, was ich will. Der Gedanke, daß ich es sein mußte, der sie ins Unglück stürzte, bringt mich zur Verzweiflung. Ich kann nicht darüber hinwegkommen."

„Gibst du deine Schuld zu?" fragte Arrius streng.

Bei diesen Worten flammte es in des Jünglings Augen auf, und er antwortete mit bebenden Lippen, indem er die geballten Hände erhob: „Du hast vom Gott meiner Väter gehört, von Jehovah, dem Ewigen, Unveränderlichen. Bei seiner Wahrhaftigkeit und Allmacht, bei der Liebe, mit der Er Israel von alters her nachgegangen ist, schwöre ich, ich bin unschuldig!"

Der Tribun war sichtlich ergriffen und ging unruhig auf Deck auf und ab. Plötzlich blieb er vor dem jungen Mann stehen und fragte: „Bist du verhört worden?"

„Nein", lautete die Antwort.

Der Römer blickte verwundert auf.

„Wer hat dich verurteilt?" forschte er weiter.

„Ich wurde gebunden und in den Kerker geschleppt. Ohne daß mir jemand nahe gekommen wäre oder ein Wort an mich gerichtet hätte, brachten mich Soldaten am nächsten Tage an die Meeresküste. Seither bin ich Galeerensträfling."

„Womit hättest du deine Unschuld beweisen können?"

„Erstens war ich kaum den Kinderschuhen entwachsen – also viel zu jung, um eine Verschwörung anzuzetteln –, und dann war mir Gratus vollständig fremd. Selbst wenn ich ihn hätte umbringen wollen, so wäre das weder der Ort noch der Augenblick gewesen, eine solche Tat zu wagen. Er ritt inmitten einer Legion, und es war hellichter Tag, so daß an ein Entrinnen nicht zu denken gewesen wäre. Überdies war meine Familie Rom freundlich gesinnt. Mein Vater hatte dem Kaiser namhafte Dienste geleistet. Ich hatte nicht den geringsten Grund zur Auflehnung, im Gegenteil – auch war ich nicht etwa meiner Sinne nicht mächtig. Unter allen Umständen hätte ich tausendmal lieber den Tod gewählt als Schmach und Schande, das darfst du mir glauben."

„Wer war bei dir, als der Stein fiel?"

„Ich stand auf der Zinne meines väterlichen Hauses, und es war niemand bei mir als meine Schwester, das sanfteste Wesen, das man sich denken kann. Während wir über dem Geländer lehnten, um die Legion vorüberziehen zu sehen, gab ein Ziegel nach, an den ich zufällig mit der Hand stieß, und fiel auf Gratus. Ich dachte im ersten Augenblick, der Statthalter sei tot, und war vom Schrecken wie betäubt."

„Wo war deine Mutter zur Zeit?"

„Drunten in ihrem Zimmer."

„Was ist aus ihr geworden?"

Ben Hur ballte die Fäuste und rang nach Fassung.

„Ich weiß es nicht", stieß er mühsam hervor. „Ich sah nur, wie sie fortgeschleppt wurde. Gesinde und Vieh wurden aus dem Hause getrieben, dann die Tore versiegelt. Jedenfalls war beschlossen, daß meine Mutter nicht zurückkehren sollte – und doch war sie wenigstens unschuldig an dem traurigen Vorkommnis. Wüßte ich sie in Sicherheit, wie gern wollte ich das mir persönlich widerfahrene Unrecht vergeben! Doch, was sage ich da? Verzeih, edler Tribun! Meinesgleichen sollte nicht von Vergebung oder Rache sprechen."

Arrius hörte aufmerksam zu. Entweder war der Jüngling ein vollendeter Schauspieler, oder er war mit empörender Grausamkeit behandelt worden! Wie konnte man um eines Mißgeschicks willen eine ganze Familie vom Erdboden vertilgen! Der Gedanke lag ihm schwer auf der Seele, denn so unerbittlich er sein konnte, wo es sein Beruf erforderte, so gerecht war er andererseits, und wo er sah, daß jemand Unrecht geschah, ließ es ihm keine Ruhe, bis er alles aufgeboten hatte, die Sache wieder gutzumachen.

Jedenfalls sprach vieles zu des Jünglings Gunsten, doch durfte in der Angelegenheit nichts überstürzt werden. Wer bürgte ihm dafür, daß der Galeerensklave wirklich Prinz Ben Hur war, für den er sich ausgab?

„Gut", sagte er endlich, „du kannst gehen."

Keine Miene verriet dem jungen Mann, welchen Eindruck seine Worte gemacht hatten. Er wandte sich langsam zum Gehen, blickte aber noch einmal zurück und sagte mit flehender Stimme: „Vergiß nicht, wenn du meiner überhaupt wieder gedenkst, daß ich dich nur um Nachricht von den Meinigen gebeten habe." Nach diesen Worten ging er weiter.

Arrius sah ihm mit bewundernden Blicken nach.

Der Tausend! dachte er bei sich. Was für eine Figur würde dieser Mensch in der Arena machen! Welch ein Läufer! Wie würde dieser Arm das Schwert führen! Laut sagte er nur: „Warte noch einen Augenblick!"

Ben Hur gehorchte.

„Was tätest du, wenn du frei wärest?" fragte der Tribun.

„Der edle Arrius spottet meiner", entgegnete Juda mit bebenden Lippen.

„Nein! Ich schwöre dir bei den Göttern, daß dem nicht so ist."

„Dann will ich gern antworten. Ich würde mir Tag und Nacht keine Ruhe gönnen, bis ich meine Mutter und Tirzah in das Haus unserer Väter zurückgebracht hätte. Es sollte meine Lebensaufgabe sein, sie für das erlittene Unrecht zu entschädigen."

Die Antwort kam dem Römer unerwartet. Einen Augenblick war er aus dem Konzept gebracht, doch faßte er sich rasch wieder und sagte: „Angenommen, deine Mutter oder Schwester wären nicht mehr aufzufinden, was tätest du dann?"

Ben Hur wurde leichenblaß und hatte offenbar Mühe, seiner Gefühle Herr zu werden. Als er sie einigermaßen niedergekämpft hatte, antwortete er: „Ich will es dir offen sagen, Tribun. Am Vorabend des schrecklichen Tages, von dem ich dir erzählt habe, hatte ich Erlaubnis erhalten, Soldat zu werden. Danach steht mein Sinn heute noch, und nirgends böte sich mir bessere Gelegenheit, das Kriegführen zu erlernen, als in einem römischen Lager."

„Zuerst müßtest du dich dann im Gebrauch der Waffen üben", sagte Arrius, sah aber sofort ein, daß es nicht ratsam für den Herrn ist, seinem Sklaven einen derartigen Rat zu erteilen. Daher fügte er rasch hinzu: „So, jetzt geh und baue keine Luftschlösser auf unser Zwiegespräch."

Einige Minuten später saß Ben Hur wieder auf seiner Ruderbank. Aber die Arbeit war weder so mühselig noch so langweilig wie bisher, denn in des Jünglings Herz hatte die Hoffnung wieder Eingang gefunden. Daß der Tribun ihn hatte rufen und sich seine Geschichte hatte erzählen lassen, konnte seiner Ansicht nach nur Gutes für ihn bedeuten. Seine ganze Umgebung erschien ihm plötzlich in einem anderen Licht, und er betete mit neuem Vertrauen zu dem Gott seiner Väter: „O Gott, ich bin ein echter Sohn des Volkes, das du so sehr geliebt hast. Ich flehe dich an: hilf mir!"

Viertes Kapitel

In dem Hafen von Antemona, östlich der Insel Kythera, versammelten sich die hundert Galeeren, zu deren Befehlshaber Arrius ernannt war. Der Tribun hielt eine genaue Besichtigung der ihm anvertrauten Flotte und segelte dann mit ihr nach Naxos, der größten der Zykladen, die ihm nicht nur als trefflicher Beobachtungsposten diente, sondern ihm durch ihre Lage die Möglichkeit bot, sofort die Seeräuber zu verfolgen, mochten sie sich im Ägäischen oder Mittelländischen Meer zeigen.

Während die Flotte der Inselküste zusteuerte, tauchte am nördlichen Horizont eine Galeere auf. Arrius segelte ihr entgegen und erfuhr von dem Kapitän die nötigen Einzelheiten über die Seeräuber, deren Bekämpfung ihm übertragen war. Nach den ihm von verschiedenen Seiten zugegangenen Berichten war der Feind in den Buchten von Euböa und Hellas verschwunden.

Arrius war außerordentlich befriedigt von diesen Mitteilungen. Nach diesen zu schließen, durfte er hoffen, irgendwo in der Nähe auf die Piraten zu stoßen. Diese einzigartige Gelegenheit, sie im Norden und Süden einzuschließen, konnte er sich nicht entgehen lassen. Aber es war keine Stunde zu verlieren, wollte er seinen Zweck erreichen. Ohne Aufenthalt segelte er daher weiter, bis kurz vor Anbruch der Nacht der Berg Ocha am Horizont auftauchte und die Küste von Euböa in Sicht kam.

Auf einen Wink des Befehlshabers senkten sich die Ruder, und Arrius teilte seine Absicht mit, an der Spitze von fünfzig Galeeren golfaufwärts zu fahren, während die andere Hälfte der Flotte so schnell wie möglich die Inselküste entlangsegeln und von der entgegengesetzten Seite auf die Feinde eindringen sollte.

Allerdings war die Bemannung keiner der beiden Abteilungen den Piraten der Zahl nach ebenbürtig, aber es herrschte eine viel strammere Disziplin an Bord der römischen Schiffe, als bei den zuchtlosen Seeräubern, so tapfer diese auch sein mochten. Überdies sagte sich der Tribun, wenn eine Abteilung unterliegen sollte, hätte die andere wahrscheinlich leichtes Spiel mit den im Siegestaumel voraussichtlich außer Rand und Band kommenden Feinden.

Mittlerweile hatte Ben Hur mit kurzen Unterbrechungen Tag und Nacht seines mühevollen Amtes gewaltet, ohne eine Ahnung zu haben, was um ihn her vorging, noch welches die Aufgabe war, an deren Erfüllung er so eifrig mitarbeitete; ja, er wußte nicht einmal, daß dem Schiff, auf dem er sich befand, eine mächtige Flotte folgte. Das einzige, wovon er sich Rechenschaft gab, war, daß sie in nördlicher Richtung segelten. Da drang eines Abends von Deck her Weihrauchgeruch zu ihm herunter und weckte den Gedanken in ihm: Sollten wir einer Schlacht entgegengehen? Der Tribun bringt offenbar ein Opfer.

Er war schon in vielen Schlachten gewesen, ohne je selbst eine gesehen zu haben. Von seiner Ruderbank aus hatte er um und über sich nur das Kampfesgetümmel gehört, so daß er jeden Ton genau kannte. Ebensowohl wußte er, daß es bei Grie-

chen und Römern Brauch war, vor Beginn eines Kampfes den Göttern ein Opfer zu bringen.

Für einen Galeerensträfling hatte eine Schlacht noch ein ganz anderes Interesse als für einen Soldaten oder Matrosen – das dürfen wir nicht vergessen. Es ergab sich das aus dem Umstand, daß eine etwaige Niederlage, falls er sie erlebte, ihm entweder die Freiheit oder die Übernahme durch einen anderen, möglicherweise besseren Herrn bringen konnte.

Mit der Zeit wurden die Laternen angezündet und der Tribun kam vom Deck herunter. Auf einen Befehl von ihm zogen die Matrosen ihre Rüstung an, auf ein weiteres Wort wurden große Mengen von Speeren, Lanzen und Pfeilen hinaufgetragen und auf den Schiffsboden gelegt. Als Ben Hur schließlich den Tribun die Estrade besteigen und ihn ebenfalls die Waffenrüstung anlegen sah, konnte er nicht länger im Zweifel sein, was alle diese Vorbereitungen bedeuteten, und er wußte, welche Schmach nun noch ihm und seinen Leidensgefährten bevorstand.

An jede Ruderbank war eine Kette mit schweren Fußeisen befestigt, mit der jeder einzelne Galeerensträfling an seinen Platz angeschmiedet wurde, so daß ihm keine Wahl blieb, als zu gehorchen, und ihm die Möglichkeit zu entfliehen genommen war.

Keiner empfand diese Schmach wohl tiefer und schmerzlicher als Ben Hur. Was hätte er nicht darum gegeben, ihrer enthoben zu sein! Ob der Tribun nicht etwa für ihn einträte?

Ben Hur konnte den Gedanken nicht wieder loswerden. Jedenfalls war die Sache dazu angetan, des Römers Gefühle ihm gegenüber an den Tag zu bringen. Wenn Arrius in einem so kritischen Augenblick an ihn dachte, so war das der sicherste Beweis, daß er ihn für etwas Besseres hielt als seine Leidensgenossen – dann waren seine Hoffnungen gerechtfertigt.

Ben Hur wartete beklommenen Herzens. Schon rüstete sich der Galeerenvogt, ihm das Fußeisen anzulegen, da setzte sich der Tribun auf und winkte dem Untergebenen. Der Jüngling hörte nicht, was der große Mann sagte, aber er sah, daß er auf ihn deutete, und das genügte ihm. Nie hatte er die Ruderschläge mit größerer Geschicklichkeit ausgeführt.

„Welche Kraft der junge Mann hat!" sagte der Vogt zum Tribun.

„Und welchen Eifer!" entgegnete dieser. „Fürwahr, es wäre schade, ihm die Eisen anzulegen. Tu es nicht!"

Mit diesen Worten streckte sich Arrius wieder auf sein Lager. Unter den Ruderschlägen der Galeerensträflinge segelte das Schiff Stunde um Stunde weiter, trotzdem kaum ein Lüftchen die Wellen kräuselte.

Zweimal wurde Ben Hur abgelöst, aber er konnte nicht schlafen. In die stockfinstere Nacht, in der er die letzten drei Jahre verbracht hatte, war endlich ein Lichtstrahl gedrungen. Es war ihm zumute, als wäre er ein vom Tode Erstandener. Die Hoffnung, welche die Gunst des Tribunen in ihm geweckt hatte, hob ihn weit über die Gegenwart hinaus. Er sah sich im Geiste zurück im geliebten Vaterhaus und hielt seine teuren Angehörigen wieder in den Armen. Nie in seinem Leben war er so glücklich gewesen wie in diesem Augenblick. An den bevorstehenden Kampf dachte er zur Zeit nicht. Kein Rachegefühl fand Raum in seiner Seele, so völlig gab sie sich der Freude hin. Es war ihm, als lägen die schmerzlichen Erfahrungen der Vergangenheit tief unter seinen Füßen, als berührten sie ihn gar nicht mehr.

Noch graute kaum der Morgen, da schritt eilends ein Mann über Deck, näherte sich dem Lager des Tribunen und weckte ihn. Arrius erhob sich unverzüglich, setzte den Helm auf, gürtete das Schwert um, nahm den Schild zur Hand und teilte dann mit größter Seelenruhe mit, daß die Piraten in nächster Nähe seien. Seinem Verhalten nach zu urteilen, hätte man denken können, daß ihm der Sieg verbürgt sei.

Fünftes Kapitel

In wenigen Minuten war es auf dem Schiff lebendig. Die Offiziere gingen jeder auf seinen Posten. Die Matrosen wurden bewaffnet und auf Deck geführt. An der Haupttreppe waren Ölfässer aufgestellt, daneben lagen die Feuerbälle zum Gebrauch bereit. Noch mehr Laternen wurden angezündet und Eimer mit Wasser gefüllt. Die nicht gerade diensttuenden Ruderer standen vor dem Vogt versammelt und wagten sich kaum zu rühren. Unter diesen befand sich auch Ben Hur, und seinem lauschenden Ohr entging kein Laut von den Vorbereitungen, die über seinem Haupte getroffen wurden.

Auf einen Befehl des Tribunen, den ein an der Treppe stationierter Unteroffizier dem Vogt übermittelte, standen plötzlich sämtliche Ruder still.

Was sollte das bedeuten?

Von den einhundertzwanzig an die Bänke angeschmiedeten Sklaven war wohl kein einziger, dem nicht unwillkürlich diese Frage gekommen wäre. Waren auch Vaterlandsliebe, Ehrgeiz und Pflichtgefühl längst in ihnen erstorben, so ging doch sicherlich ein Schaudern durch ihre Seele, wenn sie bedachten, wie hilflos sie ungekannten Gefahren entgegentrieben. Selbst der Gleichgültigste konnte nicht umhin, sich auszudenken, was sich alles zutragen mochte, ohne ihm irgendwelchen Gewinn zu bringen, denn ob die Römer siegten oder unterlagen, das änderte wenig an seinem Geschick. Das war unauflöslich an das Schiff gekettet, in dessen Dienst sich seine Kräfte verzehrten.

Bezüglich dessen, was um sie her vorging, war ihnen keinerlei Frage gestattet. Sie wußten nicht einmal, gegen wen man sich zum Kampf rüstete und hatten auch gar nicht viel Zeit, darüber nachzudenken. Ein Geräusch wie von nahenden Ruderschlägen erregte Ben Hurs Aufmerksamkeit, dann schwankte die „Asträa", als wären ihr die Wellen zuwider. Plötzlich stieg ein Gedanke in dem Jüngling auf, der sein ganzes Blut in Wallung brachte. Rührten die Ruderschläge, die immer deutlicher an sein Ohr drangen, nicht etwa von einer feindlichen Flotte her, die sich zum Angriff rüstete?

Auf einen weiteren Befehl von Deck her senkten sich die Ruder und die Galeere bewegte sich kaum merklich weiter. Außer- und innerhalb des Schiffes herrschte lautlose Stille, dennoch machte sich jedermann auf einen Stoß gefaßt. Sogar das Schiff schien dieses Gefühl zu teilen und glich einem Tiger, der zum Sprung ansetzt.

In solchen Verhältnissen verliert man alles Zeitmaß; so erging es auch Ben Hur. Plötzlich ertönte lauter Trompetenschall auf Deck; der Vogt gab das bekannte Signal, die Sklaven senkten die Ruder tief ins Wasser und ließen sie mit vereinter Kraft plötzlich in die Höhe schnellen, so daß die Galeere, in allen Fugen krachend, dem Druck nachgab. Wiederum ertönte von rückwärts lauter Trompetenschall, während von vorne nur Stimmengewirr zu hören war. Gleich darauf erbebte das Schiff wie von einem wuchtigen Schlag, senkte den Kiel tief in die Fluten, erlangte aber bald das Gleichgewicht wieder und eilte unaufhaltsam vorwärts. Lautes Angstgeschrei übertönte den Trompetenschall und das durch den Zusammenstoß verursachte entsetzliche Getöse. Es unterlag keinem Zweifel – die „Asträa" war über ein anderes Schiff hinweggesegelt, das nun mit Mann und Maus in die Tiefe sank. Die Römer hatten den Sieg davongetragen, aber wer waren die in den Wellen Untergegangenen? Welcher Nation hatten sie angehört?

Die „Asträa" durfte sich indes keine Ruhe gönnen. Rastlos eilte sie vorwärts, und es dauerte nicht lange, so neigte sie sich so sehr nach vorn, daß die oben sitzenden Ruderer nur mühsam ihre Plätze behaupten konnten. Wieder vermischte sich das Angstgeschrei der Besiegten mit den Hurrarufen der siegreichen Römer. Ein weiteres feindliches Schiff war gekentert und versenkt worden. Das Geschrei nahm immer mehr überhand, und der Tumult, der ringsum herrschte, war unbeschreiblich.

Da stellte die „Asträa" plötzlich ihren Lauf ein. Den vorde-

103

ren Sklaven wurden die Ruder aus den Händen geschlagen und sie selbst von den Bänken gefegt. Auf Deck hörte man wütendes Fußgetrampel; es hörte sich an, als stießen zwei Schiffe mit den Seiten aneinander. Da und dort sanken Männer erschrocken zu Boden oder spähten nach einem Versteck aus. Mitten in der allgemeinen Panik fiel ein Körper neben Ben Hur nieder. Als dieser den halbnackten Leichnam näher betrachtete, erkannte er ihn als einen der nordischen Barbaren, den der Tod überrascht hatte, ehe er seine Raublust und seinen Rachedurst befriedigen konnte. „Wie kam er dahin?" Eine eiserne Hand hatte ihn von Deck des neben der „Asträa" haltenden Schiffs gerissen – offenbar waren die Feinde an Bord der „Asträa" gekommen, und die Römer hatten den Kampf auf ihrem eigenen Deck auszufechten. Den jungen Israeliten überlief es kalt. Arrius war hart bedrängt und in Todesgefahr. Wenn er erschlagen werden sollte! Der Gott Abrahams verhüte dieses entsetzliche Unglück, das seine Hoffnungsträume wie mit einem Schlag vernichten würde! Sollte er etwa doch auf das Wiedersehen mit Mutter und Schwester verzichten müssen, das Heilige Land nicht mehr betreten dürfen?

Er suchte seine Gefühle zu beherrschen und zu überlegen, was er etwa tun könnte. Ehre und Pflicht banden den Römer an seinen Posten, aber für ihn gab es diese Beweggründe nicht. Wem brachte es Nutzen, wenn er als Sklave starb? Im Gegenteil, für ihn war es Pflicht und Ehrensache, sein Leben zu erhalten, denn es gehörte den Seinen. Aber ach, stand er nicht unter römischen Urteilsspruch? Was würde es ihm nützen, zu entfliehen, solange dieser nicht aufgehoben war? Auf der ganzen weiten Welt war kein Ort, wo er in Sicherheit gewesen wäre. Nur wenn er in aller Form von der über ihn verhängten Strafe losgesprochen war, konnte er nach Judäa zurückkehren und dort seine Kindespflicht erfüllen. Anderswo als im Lande seiner Väter hatte das Leben keinen Wert für ihn. Lieber wollte er mit Arrius sterben, denn als Galeerensträfling weiterleben.

Ben Hur warf einen letzten Blick auf seine Umgebung, dann

stürzte er davon, aber nicht um zu entfliehen, sondern um den Tribun zu suchen. Schon hatte er die ersten Stufen erreicht, die nach oben führten, als plötzlich der Boden unter seinen Füßen wich. Das Rückteil des Rumpfes barst mit lautem Krachen entzwei, es wurde plötzlich stockfinstere Nacht um den Jüngling, und die Meeresfluten schlugen über ihm zusammen. Obwohl nahezu betäubt, hielt er unwillkürlich den Atem an, und es dauerte nicht lange, so kam er mit den Schiffstrümmern wieder an die Oberfläche, klammerte sich daran fest, schüttelte sich das Wasser aus Haar und Augen und suchte sich Rechenschaft zu geben, was eigentlich vorgefallen war. Ein Blick auf seine Umgebung zeigte ihm, daß ihm Gefahren aller Art drohten. Die Schlacht war keineswegs zu Ende, und er konnte nicht sehen, wer die Sieger waren, ob die Römer oder deren Feinde. Man wird sich erinnern, daß auf der „Asträa" der Kampf wütete, als sie plötzlich in die Meerestiefe versank, und zwar nicht nur mit der eigenen Besatzung, sondern auch mit der des fremden Schiffes. Viele der Untergegangenen kamen wieder an die Oberfläche und setzten dort, sich an ein und dieselbe Planke festklammernd, in ungemilderter Erbitterung den Streit fort, wobei sie das Wasser ringsum in steter Bewegung hielten. Ben Hur, den der Kampf nichts anging, suchte so rasch wie möglich aus ihrem Bereich zu kommen.

In demselben Augenblick hörte er hastige Ruderschläge und sah eilenden Laufes eine Galeere auf sich zukommen. Die nächste Minute konnte ihm den Tod bringen, es galt also keine Zeit zu verlieren! Da sah er plötzlich auf Armeslänge einen Kopf aus den Fluten emportauchen, dann zwei Arme, die mit verzweifelter Hast das Wasser teilten. Der weitgeöffnete Mund, die starren Augen sowie die Leichenblässe der verzerrten Züge des Ertrinkenden, waren wohl dazu angetan, das Herz des stärksten Mannes mit Schaudern zu erfüllen. Dennoch stieß Ben Hur bei seinem Anblick einen Freudenschrei aus und zog den bereits wieder im Sinken Begriffenen auf seine Planke.

Der Mann war kein anderer als Arrius, der Tribun!

Mittlerweile war die Galeere an den beiden vorübergesegelt, und sie waren mit knapper Not der Gefahr entgangen, die ihnen von dieser Seite gedroht hatte.

Der Kampf dauerte fort, bis sich der Widerstand schließlich in wilde Flucht verkehrte. Aber wer war Sieger geblieben? Ben Hur war sich wohl bewußt, wieviel für ihn und den Tribunen davon abhing. Bangen Herzens erwartete er den Anbruch des Tages. Wen würde der Morgen bringen, die Römer oder die Seeräuber? In letzterem Fall war es um den Tribunen geschehen.

Endlich wurde es hell; zur Linken erstreckte sich die Küste, aber sie war zu fern, als daß es möglich gewesen wäre, sie zu erreichen. Da und dort bewegte sich etwas auf dem Meer, was auf Ben Hur den Eindruck machte, als seien es Schiffe, die vor ihren Verfolgern flohen. Es konnten aber auch Seemöwen sein.

So verging eine Stunde. Wenn nicht bald Hilfe kam, mußte Arrius sterben. Ben Hur nahm ihm Helm und Panzer ab; dann suchte er seine Seele in Geduld zu fassen und betete zu dem Gott seiner Väter.

Sechstes Kapitel

Zu des jungen Israeliten unaussprechlicher Freude fing Arrius endlich an, sich zu erholen und gewann allmählich nicht nur die Sprache wieder, sondern auch das Vermögen, sich Rechenschaft zu geben, wo er sich befand, wie er auf die Planke gekommen war und wer ihn gerettet hatte.

„Es hängt nun alles von dem Ausgang des Kampfes ab", sagte er zu Ben Hur. „Ich weiß, daß ich dir mein Leben verdanke, und sollte mir das Glück günstig sein und wir unserer gegenwärtigen gefährlichen Lage entrinnen, so werde ich für dich tun, was in meinen Kräften steht. Ob du mir wirklich einen Gefallen erwiesen hast, muß sich allerdings erst herausstellen", fügte er hinzu, „ich möchte daher, daß du mir versprichst, mir in einem gewissen Fall den größten Dienst zu erweisen, den ein Mensch dem anderen zuteil werden lassen kann. Willst du das?"

„Ist es nicht etwas, was mir das Gesetz verbietet, so will ich es dir versprechen."

„Bist du wirklich ein Sohn des jüdischen Fürsten Hur?" fragte Arrius nach einer Weile.

„Es ist so, wie ich gesagt habe."

„Ich kannte deinen Vater und mochte ihn", fuhr der Tribun mit matter Stimme fort. „Als sein Sohn hast du sicherlich von Cato und Brutus gehört, zwei großen Männern, die sterbend das Gesetz hinterließen, kein Römer dürfe eine erlittene Niederlage überleben. Hörst du zu, Ben Hur?"

„Ja, ich höre."

„Es ist Brauch bei den vornehmen Römern, einen Ring zu tragen. Auch ich habe einen solchen. Zieh ihn mir vom Finger und stecke ihn an den deinigen."

Ben Hur gehorchte.

„Er kann dir von Wert sein", fuhr Arrius fort. „Ich gelte als reicher Mann in Rom und habe viele Besitztümer, dazu niemanden, dem ich sie hinterlassen könnte. In einem Landhaus in der Nähe von Misenum wohnt der Verwalter meiner Güter. Diesen suche auf, zeige ihm den Ring, erzähle ihm, wie du dazu gekommen bist und fordere, was du willst. Er wird dir nichts verweigern. Bleibe ich am Leben, so werde ich dir die Freiheit erwirken, dich den Deinen zurückgeben und dafür sorgen, daß dir deines Vaters Besitztümer wieder erstattet werden. Nur schwöre mir bei den Göttern . . ."

„Das kann ich nicht, edler Tribun. Ich bin ein Jude."

„So schwöre mir bei deinem Gott, daß du tun willst, was ich jetzt von dir fordern werde."

„Ehe ich mich zu irgend etwas verpflichte, laß mich hören, worum es sich handelt. Nach deinem Benehmen zu schließen ist es eine überaus ernste Sache. Gelobt sei der Gott meiner Väter, da kommt ein Schiff!"

„Aus welcher Richtung?"

„Von Norden her."

„Hat es eine Flagge oder irgendein anderes Erkennungszeichen?"

„Nein", antwortete Ben Hur. „Alles, was ich sagen kann, ist, daß es mit rasender Schnelle auf uns zusteuert."

„Wäre es ein siegreiches römisches Schiff, so hätte es viele Flaggen gehißt", erwiderte Arrius nachdenklich. „Offenbar ist es ein feindliches Fahrzeug. Höre mich an, solange ich noch mit dir sprechen kann. Ist es eine Seeräubergaleere, so hast du nichts für dein Leben zu fürchten, wenn du vielleicht auch nicht in Freiheit gesetzt wirst. Ich aber bin zu alt, um mich in die Lage eines Galeerensträflings zu finden; tu mir daher den Gefallen und stoße mich ins Wasser, wenn du siehst, daß ich in Gefahr bin, den Piraten in die Hände zu fallen. Schwöre mir, daß du dies tun willst."

„Ich schwöre weder, noch verpflichte ich mich sonst irgendwie zu einer solchen Tat", sagte Ben Hur fest. „Das Gesetz, dem ich unverbrüchlichen Gehorsam schuldig bin, würde mich für dein Leben verantwortlich machen. Ich bin ein Sohn Israels und wenigstens für den Augenblick mein eigener Herr. Willst du den Ring nicht zurücknehmen, so werfe ich ihn ins Meer, um die verhaßte Verpflichtung, die du mir aufladen wolltest, los zu sein. Sieh, edler Tribun, da fliegt er."

Mit diesen Worten schleuderte Ben Hur den Ring ins Wasser.

„Das war eine törichte Handlung für einen Mann in deiner Lage", sagte Arrius, als er das Plätschern hörte. „Zum Glück bin ich nicht auf deine Hilfe angewiesen, sondern kann meinem Leben selbst ein Ende machen. Was wird dann aber aus dir werden? Soviel steht fest: ist das Schiff, das auf uns zusteuert, eine Seeräubergaleere, so entrinne ich der Welt. Ich bin Römer. Als solcher kenne ich nichts Höheres als Erfolg und Ehre. Ich hätte dir gern gedient, aber du wolltest nicht. Nun sind wir beide verloren. Ich gehe freiwillig in den Tod, du aber wirst vielleicht noch eine Zeitlang als Sklave ein mühseliges Dasein fristen und die Torheit beklagen, die dich um die Freude gebracht hat, deine Kindespflicht zu erfüllen."

Ben Hur war sich wohl der Folgen seiner Handlung bewußt, bereute sie jedoch durchaus nicht.

„In den drei Jahren meiner Knechtschaft, o Tribun, warst du der einzige, der mich freundlich ansah", sagte er, fügte aber rasch hinzu: „Nein, nicht doch; einer hatte es vor dir getan . . ." Vor seinem Geiste tauchte plötzlich wieder das Bild des Knaben auf, der ihm am alten Brunnen in Nazareth zu trinken gegeben hatte, als er dem Verschmachten nahe gewesen war. „Wenigstens", fuhr er nach einer kurzen Pause fort, „wenigstens bist du der erste gewesen, der mich nach meinem Namen fragte, und obwohl ich mir sagte, als ich die Hand ausstreckte, um dich zu retten, daß du mir auf mancherlei Weise nützlich sein könntest, entsprang die Handlung doch nicht einzig und allein der Selbstsucht – das darfst du mir glauben. Übrigens möchte ich die Verwirklichung meiner Hoffnungen nicht unrechtmäßigen Mitteln verdanken. Lieber sterbe ich mit dir, als daß ich mich an deinem Leben vergriffe. Mein Entschluß steht ebenso fest wie der deinige. Läge es auch in deiner Macht, mir alle Schätze der Welt zu Füßen zu legen, so würde ich dich dennoch nicht töten."

Arrius antwortete nicht. Er lag mit geschlossenen Augen da und ruhte, während Ben Hur die Blicke forschend auf das immer näher kommende Schiff richtete. „Bist du gewiß, daß es ein feindliches Fahrzeug ist?" fragte er endlich. „Ich glaube es bestimmt", lautete die Antwort.

„Wäre es eine römische Galeere, so wäre an der Spitze des Hauptmastes ein Helm angebracht."

„Dann können wir beruhigt sein. Ich sehe den Helm ganz deutlich. Und jetzt macht das Schiff eine Wendung. Es steuert einer offenbar verlassenen Galeere zu. Nun legt es an und schickt Leute an Bord."

Bei dieser Nachricht schlug Arrius die Augen auf und sagte nach einem prüfenden Blick auf die beiden Fahrzeuge: „Danke deinem Gott, Jüngling, wie ich meinen Göttern danke. Seeräuber würden das Schiff nicht retten, sondern in den Meeresgrund bohren. An der Handlung und an dem Helm an der Spitze des Hauptmastes erkenne ich, daß wir es mit einer römischen Galeere zu tun haben. Der Sieg ist mein. Das Glück ist mir nicht untreu geworden. Wir sind gerettet. Winke mit der Hand – rufe, damit man uns so schnell wir möglich an Bord nehme. Nun werde ich Duumvir werden, und du sollst mein Sohn sein. Schnell, rufe noch einmal! Die Verfolgung muß sofort wieder in Angriff genommen werden. Kein einziger Seeräuber darf entrinnen."

Endlich gelang es Juda, die Aufmerksamkeit der Schiffsmannschaft auf die Planke zu lenken, und in wenigen Minuten waren er und der Tribun in Sicherheit.

Arrius wurde auf der Galeere mit allen ihm gebührenden Ehren empfangen und nahm nun von seinem Lager aus den Bericht über den Ausgang des Kampfes entgegen. Nachdem die noch mit den Fluten Ringenden gerettet waren, ließ er aufs neue die Befehlshaberflagge hissen und den Sieg vervollständigen. Kurz darauf stießen die im Kanal segelnden fünfzig Galeeren auf die flüchtigen Seeräuber und vernichteten sie so gründlich, daß auch nicht einer entrann. Zur Erhöhung des Ruhms,

110

den der Tribun davongetragen hatte, waren noch zwanzig feindliche Schiffe erbeutet worden.

Bei seiner Rückkehr nach Misenum harrte des Siegers ein herzliches Willkommen. Sein junger Begleiter erregte kein geringes Aufsehen, besonders als ihn Arrius, ohne mit einer Silbe seine frühere Geschichte zu erwähnen, als seinen Lebensretter und Adoptivsohn vorstellte.

Im darauffolgenden Monat wurde mit äußerster Pracht die Siegesfeier abgehalten und zugleich die Ernennung des Tribunen zum Duumvir festlich begangen.

VIERTES BUCH

Erstes Kapitel

An einem ungewöhnlich heißen Vormittag des Monats Juli Anno dreiundzwanzig fuhr eine Galeere in die Mündung des Flusses Orontes ein. Unter den auf Deck befindlichen Passagieren war auch Ben Hur.

Die letzten fünf Jahre hatten den Jüngling zum Mann gemacht.

Obwohl das lange weiße Gewand, das er trug, seine Gestalt nahezu verhüllte, hatte er etwas ungewöhnlich Anziehendes im Äußeren, dabei aber etwas so Zurückhaltendes im Benehmen, daß es den Mitreisenden bisher trotz aller Bemühungen nicht gelungen war, ihn in ein Gespräch einzubeziehen. Er hatte die an ihn gestellten Fragen, wenn auch höflich, so doch kurz beantwortet, und zwar in lateinischer Sprache. Denen, die ihn genau beobachteten, fiel ein Mangel an Übereinstimmung zwischen der vornehmen Haltung ihres jungen Reisegefährten und gewissen Punkten seiner äußeren Persönlichkeit auf. Zum Beispiel waren seine Arme unverhältnismäßig lang und von ungewöhnlicher Muskelstärke – kurz, man hätte zu gern herausgebracht, wer der Mann war.

Die Galeere hatte in einem zyprischen Hafen einen ehrwürdigen Hebräer von echt patriarchalischem Aussehen an Bord genommen. Dieser war der einzige, mit dem Ben Hur ein längeres Gespräch angeknüpft, nachdem ihm die Antworten, die er ihm auf etliche Fragen gegeben, offenbar Vertrauen eingeflößt hatten.

Zugleich waren mit der Galeere zwei andere Schiffe in die Mündungsbucht des Orontes eingelaufen und hatten bei ihrer Einfahrt kleine goldgelbe Flaggen gehißt. Dies gab Anlaß zu allerlei Vermutungen bezüglich der Bedeutung der betreffenden Signale. Schließlich wandte sich einer der Passagiere an den Hebräer mit der Frage, ob er wohl eine Aufklärung über die Sache geben könne.

„O ja", antwortete dieser, „die Flaggen haben keinen weiteren Zweck als den, die Schiffe als Privateigentum eines reichen Handelsherrn in Antiochien zu kennzeichnen. Dieser steht seines großen Vermögens wegen in gewissem Ansehen in der Stadt, aber er hat keinen sehr guten Ruf. Es lebte nämlich in Jerusalem ein aus sehr altem Geschlecht stammender Fürst namens Hur . . ."

Judas Herz klopfte bei diesen Worten beinahe hörbar, doch suchte er krampfhaft, seine Fassung zu behaupten.

„Der Fürst hatte ein ausgesprochenes kaufmännisches Talent", fuhr der Hebräer fort. „Seine Handelsunternehmungen erstreckten sich nach Osten und Westen, und er hatte Filialen in allen großen Städten, unter anderem auch in Antiochien. Letztere vertraute er einem langjährigen Diener seines Hauses, namens Simonides, an, einem Israeliten. Nach dem Tode des Kaufherrn, der auf einer Seefahrt ertrank, wurde der Handel

114

weiterbetrieben, und zwar mit dem früheren Erfolg. Nach einiger Zeit geriet die Familie ins Unglück. Des Fürsten einziger, nahezu erwachsener Sohn machte in einer der Straßen Jerusalems einen Mordversuch auf den Statthalter Gratus und ist seither verschollen, ja die ganze Familie fiel der Rache des Prokurators zum Opfer. Ihre sämtlichen Besitzungen wurden eingezogen, und der herrliche Palast ist zur Wohnstätte der Eulen geworden. Simonides, der bis dahin des Fürsten Agent in Antiochien gewesen war, führte nun das Geschäft auf eigene Rechnung weiter und wurde in unglaublich kurzer Zeit der erste Kaufherr der Stadt. Wie sein Prinzipal sandte er Karawanen bis nach Indien, und die Zahl seiner Handelsgaleeren ist so groß, daß sie eine königliche Flotte ausmachen könnten. Es heißt, daß ihm nie etwas mißlingt, sondern daß sich alles in seinen Händen in Gold verwandelt, und doch sind es kaum zehn Jahre her, seit er das Geschäft übernommen hat."

„Er muß ein großes Kapital zur Verfügung gehabt haben", sagte einer der Umstehenden. „Allerdings", erwiderte der Hebräer. „Wie es heißt, hat der Prokurator nur die Ländereien und sonstigen Besitztümer einziehen können; das Geld war nirgends zu finden, obgleich große Summen davon vorhanden sein mußten. Offenbar ist Gratus der Ansicht, daß Simonides um dessen Verbleib weiß, denn er hat den Kaufmann in den letzten fünf Jahren nicht weniger als zweimal verhaften und foltern lassen, um ihn zum Geständnis zu bringen. Es soll kein ganzer Knochen mehr in des armen Menschen Leib sein; der Prokurator erreichte jedoch seinen Zweck nicht. Simonides blieb bei der Aussage, alles, was er habe, sei sein rechtmäßiges Eigentum. Und nun kann ihm niemand mehr etwas zuleide tun, denn er hat einen von Tiberius eigenhändig unterschriebenen Handelsfreibrief. Diese Schiffe gehören ihm. Seine Matrosen haben die Gewohnheit, goldgelbe Flaggen zu hissen, wenn sie einander unterwegs begegnen, zum Zeichen, daß die Reise günstig verlaufen ist."

Hiermit schloß der Hebräer seine Erzählung.

Später kam Juda darauf zurück und fragte den Greis: „Wie hieß der Prinzipal des Kaufmanns, von dem du sprachst?"

„Ben Hur, Fürst von Jerusalem", lautete die Antwort.

„Was ist aus des Fürsten Familie geworden?"

„Der Jüngling wurde zu den Galeeren verurteilt und ist wahrscheinlich tot, denn länger als ein Jahr hält selten einer das traurige Dasein aus. Mutter und Tochter sind wohl auch in irgendeiner Kerkerzelle gestorben; jedenfalls hat man nie wieder von ihnen gehört."

Juda ging unruhig auf Deck auf und ab. Er war so sehr in Gedanken versunken, daß er weder hörte noch sah, was um ihn herum vorging. Land und Meer waren von hellem Sonnenglanz umflutet, nur von seinem Leben schien der Schatten nicht weichen zu wollen.

Ehe das Schiff landete, suchte er wieder den Hebräer auf.

„Darf ich dich noch einmal belästigen, ehe wir Abschied voneinander nehmen?" fragte er.

Der Mann nickte.

„Was du von dem Kaufmann erzähltest, hat in mir die Lust geweckt, seine Bekanntschaft zu machen. Nanntest du ihn nicht Simonides?" sagte Ben Hur.

„Ja. Er ist Jude, hat aber einen griechischen Namen."

„Wo ist er zu finden?"

„Man sollte denken, daß er ein seinem Reichtum angemessenes Haus bewohnt", entgegnete der Hebräer. „Statt dessen hat er ein ganz kleines Quartier in einem gewölbeartigen Gebäude. Der freie Platz vor der Haustür ist immer mit Warenballen belegt. Die dort vor Anker liegende Flotte ist sein Eigentum. Nach diesen Angaben kannst du gar nicht fehl gehen."

„Danke", sagte Ben Hur.

„Der Friede des Gottes unserer Väter begleite dich!" entgegnete der Hebräer.

„Möge er auch mit dir sein", lautete die herzliche Erwiderung. Danach ging jeder seines Weges.

Ben Hur hatte die Absicht gehabt, direkt in die Zitadelle zu

116

gehen, doch änderte er seinen Plan und ließ sich statt dessen von den Männern, die sein Gepäck trugen, in einen Khan bringen, der an der zu der Straße von Seleucia führenden Brücke stand, unter der der alte Simonides wohnte. Er verbrachte die ganze Nacht auf dem Dach der Herberge und konnte kaum einen anderen Gedanken fassen als diesen: „Nun werde ich Nachricht von der Mutter und meiner süßen kleinen Tirzah bekommen. Sind sie noch am Leben, so ruhe ich nicht, bis ich sie gefunden habe."

Zweites Kapitel

Am nächsten Tage in aller Frühe suchte Ben Hur die Wohnung des Simonides auf, und dank der genauen Beschreibung seines Reisegefährten, des Hebräers, fand er sie ohne Mühe.

Als er sich der Haustür näherte, trat ein Mann auf ihn zu und fragte ihn höflich nach seinem Begehr.

„Ich möchte den Kaufmann Simonides sprechen", antwortete er.

Der Mann führte ihn über das Warenlager an den Eingang eines steinernen Gebäudes, das von dem freien Platz und von dem Tor aus nicht gesehen werden konnte. Das terrassenförmige Dach war zu seinem nicht geringen Erstaunen mit Blumen übersät. Zu der Haustür führte ein auf beiden Seiten von blühenden Rosensträuchern eingesäumter Pfad. In tiefen Zügen den köstlichen Duft einatmend, folgte Ben Hur seinem Führer.

Am Ende eines dunklen Ganges innerhalb des Hauses blieb der Mann vor einem halb zurückgeschlagenen Vorhang stehen und rief: „Ich bringe einen Fremden, der den Herrn zu sprechen wünscht."

Eine klare Stimme erwiderte: „Führe ihn herein, in Gottes Namen!"

Ein Römer hätte den Raum, den Ben Hur hierauf betrat, sein *„atrium"* genannt. Die Wände waren getäfelt und enthielten verschiedene Abteilungen, die von oben bis unten mit uralten Folianten angefüllt waren, von denen jeder einzelne eine besondere Aufschrift trug. In der domartig gewölbten Decke waren eine Menge Scheiben von violettem Glimmer angebracht, die ein überaus wohltuendes Licht verbreiteten.

In dem Gemach befanden sich zwei Personen – ein Mann, der in einem hohen breitarmigen Lehnstuhl ganz in Kissen vergraben lag, und neben ihm ein junges Mädchen. Beide betrachteten den fremden Eindringling mit prüfendem Blick, und ein leises Beben ging dabei durch des Kaufherrn Gestalt.

„Bist du der jüdische Kaufmann Simonides", begann der junge Mann stockend, „so ruhe der Friede des Gottes unseres Vaters Abraham auf dir und den Deinen!"

„Ich bin der, von dem du redest – ein geborener Jude, und erwidere als solcher deinen Gruß, indem ich dich zugleich bitte, mir zu sagen, was du von mir wünschest", antwortete der Mann mit einer merkwürdig klaren Stimme.

Während er sprach, betrachtete Ben Hur den beinahe in den Kissen verschwindenden formlosen Körper und den eines Staatsmanns oder Heerführers würdigen Kopf, dessen hohe, gewölbte Stirn eine ungewöhnliche Begabung verriet. Das Gesicht war farblos und faltig, besonders unterhalb des Kinns, und die schwarzen Augen hatten ein wunderbares Feuer – kurz: Kopf und Gesicht trugen das Gepräge des Mannes, der eher die ganze Welt in Bewegung gebracht hätte, als sich von ihr irgendwie von einem einmal gefaßten Entschlusse abbringen zu lassen, den man zwanzigmal foltern könnte, ohne ihm ein einziges Wort zu entreißen, das er nicht freiwillig sagen wollte, der durch keine andere Waffe als durch Liebe zu bezwingen ist. Diesem Mann streckte nun Ben Hur die Hand entgegen und sagte: „Ich bin Juda, der Sohn Ithamars, des verstorbenen Hauptes des Hauses Hur und ein Fürst von Jerusalem."

Die lange schmale Hand des Kaufherrn krampfte sich zusammen; sonst gab er seinen Gefühlen in keiner Weise Ausdruck. Seine Antwort klang vollkommen ruhig: „Die echten Fürsten Jerusalems sind jederzeit willkommene Gäste in meinem Hause, so auch du. Biete dem jungen Mann einen Sitz an, Esther."

Das Mädchen rückte Ben Hur eine Ottomane hin und sagte bescheiden: „Der Friede des Herrn sei mit dir! Setze dich und ruhe dich aus."

Ben Hur ließ sich jedoch nicht nieder, sondern dankte nur und wandte sich wieder an den Hausherrn, indem er ehrerbietig sagte: „Halte mich nicht für zudringlich, guter Meister Simonides. Ich hörte gestern auf der Reise zufällig, daß du meinen Vater gekannt haben sollst. Das hat mich hierher getrieben."

„Ja, ich kannte den Fürsten Hur und bin in Geschäftsverbindung mit ihm gestanden. Bitte, setze dich, junger Mann, und du Esther, bring Wein herbei!"

Das Mädchen gehorchte und bot dem Gast den silbernen Becher, den sie mit eigener Hand für ihn gefüllt hatte. Er aber schob ihn sanft hinweg und sagte: „Dein Vater wird mir gewiß nicht zürnen, wenn ich nicht sogleich von dem edlen Getränk koste, und auch du wirst mir darum hoffentlich nicht deine Gunst entziehen. Höre mich zuerst an, ich bitte dich. Als mein Vater starb, hatte er einen vertrauten Diener deines Namens, und es hieß, dieser Mann seiest du."

Ein Zucken ging durch die verrenkten Glieder, und die mageren Hände krampften sich wiederum zusammen.

„Komm an meine Seite, Esther!" rief der Greis dem Mädchen zu. Dieses stellte rasch den Becher ab und eilte bestürzt zum Vater. Simonides legte die linke Hand in die ihre und sagte gelassen: „Ich bin vor der Zeit alt geworden durch den aufreibenden Verkehr mit den Menschen, und der Mann, der dir meine Geschichte erzählt hat, wird nicht unerwähnt gelassen haben, daß ich mich des in mich gesetzten Vertrauens nicht immer würdig erwiesen habe. Ich liebe nur wenige, aber diese mit aller Inbrunst des Herzens. Zu den wenigen gehört vor allem eine Seele, die ich bisher ungeteilt für mich hatte, und die mir ein solcher Trost ist, daß ich ihren Verlust nicht überleben würde." Bei diesen Worten führte Simonides die Hand, in der die seine ruhte, liebevoll an seine Lippen.

Esther beugte sich über ihn und drückte ihm einen Kuß auf die bleiche Wange.

Dann fuhr der Greis mit zitternder Stimme fort: „Außer diesem meinem einzigen Kind gehört meine Liebe dem Andenken eines Mannes, der längst von mir genommen ist, und sie ist groß genug, um eine ganze Familie zu umfassen – wüßte ich nur", fuhr er leise fort, „wo deren einzelne Glieder zu finden sind!"

Über Ben Hurs Gesicht flog eine jähe Röte. Er trat einen

Schritt näher und rief bewegt: „Es sind meine Mutter und Schwester, von denen du sprichst!"

Esther blickte auf, Simonides aber hatte schon wieder die augenblickliche Bewegung überwunden und entgegnete kalt: „Höre mich zu Ende. Weil ich der bin, der ich bin, und um der Liebe willen, die ich erwähnt habe, muß ich verlangen, daß du dich ausweist als der, der du zu sein vorgibst, ehe ich auf Näheres eingehe. Hast du schriftliche Beweise, oder hast du Leute zur Hand, die dir bestätigen können, daß du wirklich der Sohn des Fürsten Hur bist?"

Die Frage war klar und bestimmt, und sie war gerechtfertigt – das hätte niemand bestreiten können. Ben Hur errötete, preßte die Hände ineinander, stammelte einige unverständliche Worte und schwieg dann verlegen.

„Beweise, Beweise, sage ich!" fuhr Simonides fort. „Lege mir Beweise vor, dann will ich dir glauben."

Ben Hur aber hatte keine Antwort. Die Forderung kam ihm unerwartet und brachte ihm erst zum Bewußtsein, daß in den drei Jahren, die er auf den Galeeren verbracht hatte, sämtliche Beweise seiner Identität verlorengegangen waren. Außer seiner Mutter und Schwester konnte ihm diese niemand bestätigen. Selbst Quintus Arrius hätte nur sagen können, wo er ihn gefunden hatte und daß er ihn für den Sohn Hurs hielt. Der tapfere Römer war übrigens tot, wie wir später ausführlich hören werden. Nie hatte Juda sein Alleinstehen bitterer empfunden als in diesem Augenblick. Endlich faßte er sich und sagte: „Meister Simonides, ich kann nichts weiter tun, als dir meine Geschichte zu erzählen, und ich bitte dich, bilde dir kein Urteil über mich, bis du diese gehört hast."

„Das will ich", entgegnete Simonides, „und zwar um so lieber, als ich dir durchaus nicht abgesprochen habe, daß du der bist, der du zu sein behauptest. Also sprich."

Mit tiefer Bewegung stattete nun Ben Hur Bericht von den gemachten Erlebnissen ab. Nachdem wir diese jedoch bis zu dem Augenblick kennen, da er mit Arrius in Misenum landete, wollen wir den Faden der Erzählung erst von jenem Zeitpunkt an aufnehmen.

„Mein Wohltäter", sagte Ben Hur, „nahm mich in aller Form an Kindes Statt an, und ich tat, was in meinen Kräften stand, um ihm seine Liebe zu vergelten. Er wollte mich zum Gelehrten heranbilden lassen, aber ich lehnte das Anerbieten ab, weil ich Jude bin und weder den Gott meiner Väter noch die Herrlichkeit der Propheten noch die Stadt Davids vergessen konnte. Habe ich überhaupt Wohltaten von dem Römer angenommen, so war es, weil ich ihn liebte und überdies hoffte, durch seinen Einfluß bald etwas Genaues über meiner Mutter und Schwester Geschick zu erfahren. Auch hatte ich noch ein anderes Ziel im Auge, das mich veranlaßte, die Kunst zu erlernen, die Waffen geschickt zu gebrauchen. Nachdem ich mir diese im römischen Lager wie in der Arena gründlich angeeignet habe, möchte ich nun auch noch die Heerführung kennenlernen. Zu diesem Zweck hat mir der Konsul Zutritt in einer der militärischen Bildungsanstalten erteilt, und ich wäre bereits dort, wenn mein gestriger Reisegefährte nicht zufällig die Geschichte des Juden Simonides erzählt hätte, ohne zu ahnen, wie sehr mich das Thema interessierte. Doch, ich sehe dir deutlich an, guter Simonides, daß es mir nicht gelungen ist, dich zu überzeugen. Du hast immer noch Mißtrauen gegen mich."

Der Kaufmann verzog keine Miene und gab mit keinem Wort zu erkennen, was er dachte.

„Auch bin ich mir völlig der Schwierigkeit meiner Lage bewußt", fuhr Ben Hur fort. „Wie soll ich Beweise aufbringen, daß ich meines Vaters Sohn bin, nachdem meine Mutter und Schwester – die einzigen, deren Zeugnis mir nützen könnte – tot oder doch wenigstens verschollen sind?"

Bei diesen Worten bedeckte der junge Mann das Gesicht mit der Hand. Esther reichte ihm nochmals den Becher und sagte: „Der Wein kommt aus dem Lande, das uns allen so teuer ist. Ich bitte dich, trinke."

Ben Hur sah Tränen in ihren Augen schimmern und entgegnete weich, indem er den Becher an die Lippen führte: „Tochter des Simonides, der Gott unserer Väter segne dich für die Barmherzigkeit, die du einem Fremden erweist! Ich danke dir."

Hierauf fuhr er, zu dem Vater gewandt, fort: „Da ich dir nicht die gewünschten Beweise vorlegen kann, o Simonides, will ich dich nicht länger belästigen. Nur eins möchte ich noch erwähnen, nämlich, daß ich nicht gekommen bin, um dich in die frühere Dienstbarkeit zurückzuversetzen oder um Rechenschaft von deinem Vermögen zu verlangen. Ich gönne dir von Herzen, was du dir durch mühevolle Arbeit und Geschicklichkeit erworben hast, denn mein Adoptivvater Quintus Arrius hat mir ein fürstliches Erbe hinterlassen, so daß ich deiner Schätze nicht bedarf. Solltest du je wieder an mich denken, so erinnere dich jedoch, daß der einzige Zweck meines heutigen Besuches war, dich bei Jehovah, unserem Gott, zu beschwören, du mögest mir sagen, was aus meiner Mutter und meiner Schwester Tirzah geworden ist – meiner süßen kleinen Tirzah, die an Schönheit und Anmut deinem Kind, dem Liebling deines Herzens, gleicht."

Über Esthers Wangen perlten Tränen, aber der Vater antwortete kalt: „Ich habe gesagt, daß ich den Fürsten Ben Hur kannte und von dem Unglück hörte, das seine Familie traf. Alle Nachforschungen nach der verschollenen Witwe und ihrer Tochter sind jedoch erfolglos geblieben."

Ben Hur stöhnte laut.

„So bin ich denn wieder um eine Hoffnung ärmer!" rief er tief erschüttert. „Übrigens, ich könnte an Enttäuschungen gewöhnt sein. Vergib mir die unliebsame Störung. Ich habe nun nur noch den einen Lebenszweck – Rache zu üben. Lebe wohl – und Dank euch beiden!"

„Friede sei mit dir", sagte der Kaufmann.

Esther konnte vor Schluchzen nicht sprechen.

So schied Ben Hur aus dem Hause.

Drittes Kapitel

Kaum war der junge Mann fort, so schien Simonides wie vom Schlafe zu erwachen, seine Augen glänzten, und er sagte fröhlich: „Klingle, Esther, klingle!"

Das Mädchen trat an den Tisch und läutete dem Diener.

Ehe man bis drei zählen konnte, öffnete sich eine Seitentür, und ein Mann trat ein, näherte sich dem Kaufherrn und verneigte sich nach Sitte des Landes.

„Hierher, Malluch", sagte Simonides. „Ich habe einen wichtigen Auftrag für dich, den ich pünktlich ausgeführt wissen will. Soeben steigt ein junger Mann ins Warenlager hinab – er ist groß, von angenehmem Äußeren und trägt das jüdische Gewand. Folge ihm auf Schritt und Tritt wie sein Schatten und statte mir allabendlich Bericht ab, wo er sich aufhält, was er treibt, welche Gesellschaft er aufsucht, und wenn du, ohne Entdeckung fürchten zu müssen, seine Gespräche belauschen kannst, so wiederhole sie mir Wort für Wort – kurz, erforsche aufs genauste seine Gewohnheiten, die Beweggründe, die ihn leiten sowie seine Lebensweise. Verstehst du mich? Gut, so mach dich ohne Verzug ans Werk. Halt, noch eins, Malluch! Sollte er die Stadt verlassen, so geh ihm nach, und diene ihm, wo du kannst, nur sage ihm unter keinen Umständen, daß du in meinem Auftrag handelst. Schnell – schnell!"

Der Mann verbeugte sich abermals und verschwand.

Simonides rieb sich vergnügt die Hände und lachte.

„Welchen Tag haben wir heute?" fragte er plötzlich. „Ich möchte ihn mir merken als einen besonders glücklichen. Sieh nach, Esther."

Des Vaters Fröhlichkeit kam der Tochter unnatürlich vor, und sie suchte ihn daher davon abzulenken, indem sie sagte: „Wehe mir, Vater, wenn ich je diesen Tag vergessen sollte!"

Sofort sanken die Hände nieder, und der Kopf fiel schwer auf die Brust.

„Allerdings", erwiderte er, ohne aufzusehen. „Allerdings, meine Tochter. Es ist der zwanzigste Tag des vierten Monats. Heute vor fünf Jahren fiel meine Rahel, deine Mutter, vor Schrecken tot zur Erde, als man mich mit gebrochener Lebenskraft und gebrochenen Gliedern heimbrachte. Wir legten sie in ein einsames Felsengrab zur Ruhe, sie, die die Wonne meiner Augen und meines Herzens Freude gewesen war. Ein Licht ist mir jedoch in der Finsternis geblieben – und dieses Licht ist mit den Jahren zum glänzenden Morgenstern geworden." Er legte die Hand auf der Tochter Haupt und fuhr fort: „Lieber Herr, ich danke dir, daß du mir in Esther meine Rahel wieder hast aufleben lassen!"

Plötzlich hob er sinnend den Kopf und sagte: „Rufe Abimelech, Kind, daß er mich in den Garten fährt, wo ich den Fluß und die Schiffe sehen kann. Ich will dir dann erzählen, warum mein Mund mit einem Male voll Lachens und meine Zunge voll Rühmens ist."

Auf des Mädchens Klingeln erschien ein Diener und schob den Rollstuhl auf das terassenförmige Dach, das Simonides seinen Garten nannte und von wo aus er eine weite Aussicht auf den von Schiffen wimmelnden Fluß und die Zinnen des auf der gegenüberliegenden Insel stehenden Palastes hatte.

Esther saß auf der Armlehne des Rollstuhls und liebkoste des Vaters Hand, wobei sie seiner Rede lauschte.

„Ich beobachtete dich, Esther, während der junge Mann sprach", sagte Simonides, „und ich sah, daß er dich völlig für sich gewann."

„Ich konnte nicht umhin, seinen Worten Glauben zu schenken", entgegnete Esther, die Augen niederschlagend.

„Deiner Meinung nach ist er also der verschollene Sohn des Fürsten Hur?"

„Jedenfalls müßte ich mich sehr täuschen, wenn er es nicht ist, Vater. Seine Worte und sein ganzes Wesen haben das Gepräge der Wahrheit getragen, und ich kann mir nicht denken, daß sich ein Mensch so sehr verstellen könnte."

„Demnach hältst du deinen Vater also für seines Vaters Knecht?"

„Wenn ich ihn recht verstand", erwiderte Esther, „so hat er dir nur erzählt, was er zufällig gehört hatte."

Eine Weile hafteten des Greises Blicke auf seinen auf dem Wasser tanzenden Schiffen, aber seine Gedanken schweiften in weite Ferne. Endlich sagte er: „Du bist ein gutes Kind, Esther, und in einem Alter, da man dir wohl etwas anvertrauen darf. Höre mir zu, so will ich dir von mir und deiner Mutter erzählen, wie auch mancherlei aus der traurigen Vergangenheit, was ich dem grausamen Römer vorenthielt und auch dir bisher nicht mitteilte, damit du in Einfalt und Lauterkeit des Herzens vor Jehovah aufwachsen mögest.

Ich wurde in einer Höhle im Hinnomtal am südlichen Abhang des Berges Zion geboren. Meine Eltern waren hebräische Leibeigene, die Weinberge und die Feigen- und Olivenbäume in den königlichen Gärten in der Gegend von Silva hüteten, und in meiner Kindheit half ich ihnen bei dieser Arbeit. Später wurde ich an den Fürsten Hur verkauft, der zu jener Zeit der zweitmächtigste Mann im Königreiche war. Nachdem ich ihm sechs Jahre in seinem Warenlager in Alexandrien gedient hatte, schenkte er mir im siebten Jahr die Freiheit, wie Moses im Gesetz geboten hat."

„Und meine Mutter?" fragte Esther.

„Du sollst alles erfahren, Esther, nur Geduld. Bevor ich mit meiner Erzählung zu Ende bin, wirst du zu der Einsicht gekommen sein, daß ich eher meine Rechte vergessen könnte als deine Mutter. Nach meiner Freilassung kam ich nach Jerusalem zum Passahfest, besuchte bei dieser Gelegenheit meinen früheren Herrn, den ich liebgewonnen hatte, und bat ihn, ihm auch ferner dienen zu dürfen. Er gewährte mir den Wunsch, und ich arbeitete sieben weitere Jahre für ihn, aber nicht mehr als Sklave, sondern als Tagelöhner aus den Reihen der Söhne Israels. In dieser Eigenschaft übertrug er mir allerlei wichtige kaufmännische Unternehmungen zu Wasser und zu Lande, und der Herr gab mir Gedeihen in allem, was ich tat. Ich brachte dem Fürsten großen Gewinn ein und erweiterte meine Kenntnisse von Jahr zu Jahr. Eines Tages, als ich bei dem Fürsten zu Gast war, machte ich die Bekanntschaft deiner Mutter und gewann sie auf den ersten Blick so lieb, daß ich nicht mehr von ihr lassen konnte. Als ich den Fürsten bat, sie mir zum Weibe zu geben, sagte er mir, sie sei zwar seine Leibeigene fürs Leben, aber, um mir eine Gunst zu erweisen, wolle er ihr gern die Freiheit schenken. Sie liebte mich ebenfalls, konnte sich aber nicht entschließen, ihren Herrn zu verlassen und ging nur unter der Bedingung auf meinen Wunsch ein, mein Weib zu werden, daß ich die Knechtschaft mit ihr teile. Unser Vater Jakob hat sieben Jahre um seine Rahel gedient. Konnte ich das nicht auch um die meinige? Sieh, Esther! Da ist die Narbe, die der Pfriemen zurückgelassen hat!"

"Ja, ich sehe sie!" rief Esther bewegt. "Oh, wie lieb mußt du meine Mutter gehabt haben!"

"Ob ich sie liebte, Kind! Sie war mir teurer als die Sunamitin dem König Salomo gewesen ist – eine Quelle lebendigen Wassers, Ströme vom Libanon. Auf meine Bitte ging der Fürst mit mir vor den Richter, dann führte er mich an die Tür seines Palastes, durchbohrte mein Ohr mit einem Pfriemen und machte mich so fürs Leben zu seinem Leibeigenen. Damit hatte ich meine Rahel gewonnen. Und nie hat wohl ein Mann sein Weib mehr geliebt, als ich das meine."

Esther beugte sich zum Vater nieder und küßte ihn. Beide schwiegen eine Weile im Andenken an die teure Entschlafene.

"Mein Herr ertrank im Meer, und das war mein erster schwerer Kummer", fuhr Simonides fort. "Nicht nur in seinem, sondern auch in meinem Hause in Antiochien herrschte tiefe Trauer. Und nun, merke wohl, Esther! Kurz vor seinem Tode hat mir der gute Fürst die Verwaltung seiner ganzen Habe übertragen – du kannst daraus schließen, wie sehr er mich liebte und mir vertraute. Seine Witwe bestätigte mich in dem mir von ihm angewiesenen Amt, dessen ich mich um so treuer zu entledigen suchte. Das Geschäft vergrößerte sich von Jahr zu Jahr, bis endlich der Schlag kam, von dem der junge Mann erzählte. Der Prokurator gab vor, der Steinwurf sei kein Mißgeschick, sondern ein Attentat auf seine Person gewesen und konfiszierte unter diesem Vorwand mit des Kaisers Genehmigung die ungeheuren Besitztümer der Witwe und ihrer Kinder – ja, nicht genug damit, er räumte letztere aus dem Wege. Seither ist die Familie Hur gänzlich verschollen gewesen. Der Sohn ist zu den Galeeren verurteilt worden, während Mutter und Tochter möglicherweise in einem der zahlreichen Kerker Judäas schmachten."

Esthers Augen schwammen in Tränen.

„Höre weiter", sagte ihr Vater. „Um meiner Wohltäterin Hilfe zu leisten, eilte ich nach Jerusalem, wurde aber am Tore verhaftet und in die unterirdischen Zellen der Antoniaburg geschleppt, ohne eine Ahnung zu haben, weshalb. Das wurde mir erst klar, als Gratus persönlich zu mir kam und verlangte, ich solle ihm die Kapitalien der Familie Hur ausliefern. Ich weigerte mich, seinem Befehl zu gehorchen, selbst nachdem er mich wiederholt hatte foltern lassen. Als gebrochener Mann kam ich nach Hause zurück, um meine Rahel alsbald vor Gram und Schrecken tot zusammensinken zu sehen. Jedoch der Gott unserer Väter regierte und erhielt mich am Leben. Ich erkaufte mir vom Kaiser das Recht, mit allen Städten der Welt zu handeln, ohne irgend jemandem dafür verantwortlich zu sein. Und heute – gelobt sei Der, Der auf den Fittichen des Windes einherfährt – heute, Esther, sind die Kapitalien, die mir der Fürst dereinst zur Verwaltung anvertraut hat, zu einem eines Cäsars würdigen Schatz angewachsen."

Er erhob stolz das Haupt. Die Augen von Vater und Tochter begegneten sich; eins wußte, was das andere dachte. „Was soll ich mit dem Geld tun, Kind?" fragte der Greis.

„Mein Vater", antwortete das Mädchen leise, „ist nicht der rechtmäßige Eigentümer soeben hiergewesen?"

„Soll ich dich etwa als Bettlerin zurücklassen, Kind?"

„Nicht doch, Vater. Bin ich nicht als deine Tochter des jungen Mannes Leibeigene? Und von wem steht denn geschrieben: Stärke und Ehre sind ihr Gewand, und sie soll fröhlich sein in den kommenden Tagen?"

Ein Strahl unaussprechlicher Liebe verklärte des Vaters Züge, als er erwiderte: „Gott der Herr hat mir viel Gnade und Barmherzigkeit erwiesen, das höchste Gut aber hat Er mir in dir geschenkt, meine Esther."

Mit diesen Worten zog er das Mädchen an seine Brust und küßte es zärtlich.

„Nun höre, warum ich heute morgen lachte", sagte er dann. „Der junge Mann ist das getreue Ebenbild seines Vaters, und sobald ich ihn sah, jauchzte ich ihm innerlich zu, denn ich fühlte, daß meine Prüfungszeit und Mühsal nun zu Ende sind. Kaum war ich imstande, meine Freude zu verbergen. Ich hätte ihn am liebsten bei der Hand genommen und ihm die erworbenen Schätze gezeigt. Aber es ist mir dreierlei in den Sinn gekommen, was mich veranlaßte, vorsichtig zu Werke zu gehen. Erstens wollte ich herausfinden, ob der junge Mann seines Vaters würdig ist, und dann fragte ich mich, ob nach allem namenlosen Unglück, das über mein und meines Herrn Haus gekommen ist, die Schuldigen völlig straflos ausgehen sollten. Sage mir nicht, Esther, daß die Rache des Herrn ist. Führt Er nicht auch Seine Gerichte durch Menschenhände aus, so gut wie Seine Segnungen? Hat er nicht sogar weit mehr Kriegsleute als Propheten? Heißt es nicht ausdrücklich in Seinem Gesetz: Auge um Auge, Zahn um Zahn? Soll ich mich umsonst alle diese Jahre hindurch auf den Augenblick vorbereitet haben, da ich Rache an den Übeltätern nehmen könnte? Und als der junge Mann heute sagte, er habe um eines bestimmten Zweckes willen, den er nicht nennen wolle, das Waffenhandwerk erlernt, war ich sofort überzeugt, der Zweck, den er im Auge hat, ist kein anderer als der, Rache an seinen Feinden zu üben. Dieser Gedanke, Esther, war es, der mir verhalf, mich still zu verhalten und mich gegen des jungen Mannes Bitten zu stählen. Er war es, der mich zum Lachen reizte, nachdem Ben Hur fort war."

„Wird er wohl jemals wiederkommen?" fragte Esther, indem sie des Vaters Hand streichelte.

„Der treue Malluch wird ihn nicht aus dem Auge verlieren und zurückbringen, wenn ich für ihn bereit bin."

„Und wann wird das sein, Vater?"

„In nicht allzulanger Zeit. Er meint, es sei niemand mehr am Leben, der für ihn zeugen könne; eine Person aber existiert noch, die ihn sicherlich erkennen wird, wenn er wirklich der Sohn meines geliebten Herrn ist."

„Meinst du seine Mutter?"

„Nein, Tochter. Mehr kann ich für den Augenblick nicht sagen. Wir wollen die Angelegenheit vor Gott liegen lassen, bis ich ihn der betreffenden Person gegenüberstellen kann. Nun aber rufe Abimelech, denn ich bin müde."

Esther rief den Diener und kehrte mit dem Vater ins Haus zurück.

Viertes Kapitel

Als Ben Hur das große Warenlager verließ, lastete der Gedanke schwer auf seiner Seele, daß sich zu den vielen Enttäuschungen, die er beim Suchen nach seinen vermißten Lieben bereits erlitten, eine neue hinzugesellt hatte. Damit gewann das Gefühl der Vereinsamung mehr und mehr Raum in ihm, und es schien ihm kaum mehr der Mühe wert, weiterzuleben.

Fast ohne sich Rechenschaft zu geben, wohin er seine Schritte lenkte, eilte er zum Khan zurück und erkundigte sich beim Aufwärter nach dem Weg nach Daphne.

„Was, du bist noch nie in Daphne gewesen?" entgegnete der Mann verwundert. „Dann rechne diesen Tag für den glücklichsten deines Lebens. Geh nur durch die alte Stadt Seleukeia und durch die bronzenen Tore des Epiphanes, dann kommst du auf eine Straße, die schnurgerade nach Daphne führt. Mögen die Götter dich in ihren Schutz nehmen!"

Nachdem Ben Hur noch einige Anweisungen wegen seines Gepäcks gegeben hatte, machte er sich, einem plötzlichen Impuls folgend, auf den Weg nach dem Hain Daphne, von dem er schon so viel gehört hatte.

Es war beinahe ein Ding der Unmöglichkeit, fehl zu gehen, denn sobald Ben Hur die bronzenen Tore hinter sich hatte, brauchte er sich nur der langen Prozession von Fußgängern, Reitern und Gefährten anzuschließen, die alle dem berühmten Hain zusteuerten. Die bunte Menge gewann ihm indes wenig Interesse ab. Im Augenblick war ihm alles mehr oder weniger gleichgültig, sonst wäre er schwerlich allein in den Hain gegangen, oder er hätte sich wenigstens vorher genau über alle darin befindlichen Sehenswürdigkeiten unterrichtet.

Während er mit der jubelnden Menge den Hain betrat, drängte sich ihm ein altes Sprichwort auf: „Lieber ein Wurm sein und sich von den Maulbeeren von Daphne nähren, als Gast des Königs sein." Er konnte es nicht wieder loswerden, und je öfter es ihm im Kopf herumging, umso unabweisbarer drängte sich ihm die Frage auf: „War das Leben im Hain wirklich so lieblich, und worin lag sein Zauber, daß Tausende alljährlich der Welt den Abschied gaben und sich dahin zurückzogen? Fanden sie dort das Glück, das sie erwarteten, und wenn dem so war, war es wirklich derart, daß man nicht nur die Leiden der Vergangenheit, sondern auch die über der Zukunft schwebenden Hoffnungen dauernd darüber vergaß?" Verhalf der Hain anderen zu solchem Glück, warum sollte das nicht auch bei ihm der Fall sein? Allerdings war er Jude, aber machte das einen Unterschied? Sollten nur die Kinder Abrahams von diesem Glücke ausgeschlossen sein?

Während Ben Hur diese Fragen in seinem Innern bewegte, drang aus den Anlagen zu seiner Rechten herrlicher Rosenduft zu ihm. Er blieb stehen und fragte den Mann, der ihm zunächst war: „Ist dort ein Garten?"

„Ich glaube eher, daß irgendeiner Gottheit geopfert wird und der Wohlgeruch von dem Weihrauch herrührt, der dabei benützt wird", lautete die in hebräischer Sprache gegebene Antwort.

Ben Hur blickte erstaunt auf. „Bist du Jude?" fragte er den Fremden.

Der Mann lächelte und antwortete verbindlich: „Ich bin aus Jerusalem gebürtig", und ehe Ben Hur Zeit hatte, ein Gespräch anzuknüpfen, war der Hebräer im Gedränge verschwunden – jedoch nur für kurze Zeit.

Vor Ben Hur lag ein Wald von hohen Zypressen, in dessen Schatten er Kühlung zu finden hoffte. Dort traf er den Landsmann nach einer Weile wieder.

„Friede sei mit dir", rief ihm derselbe freundlich zu.

„Danke", entgegnete Ben Hur. „Gehst du meines Weges?"

„Ich will zum Stadion. Der Trompetenstoß, der vor einigen Minuten ertönte, bedeutete die Eröffnung des Rennens."

„Guter Freund", sagte Ben Hur, „ich gestehe, daß ich hier weder Weg noch Steg kenne. Darf ich mich dir anschließen?"

„Von Herzen gern. Horch, da hört man bereits Wagengerassel!"

Ben Hur lauschte einen Augenblick, dann legte er die Hand auf seines Begleiters Arm und stellte sich ihm vor mit den Worten: „Ich bin der Sohn des Duumvirs Arrius."

„Und ich", entgegnete der Hebräer, „bin der antiochische Kaufmann Malluch – doch sage mir, wie kommt es, daß der Sohn eines römischen Duumvirs ein jüdisches Gewand trägt?"

„Der edle Arrius war mein Adoptivvater", antwortete Ben Hur.

Am Ausgang des Waldes lag ein großes Feld, das als Rennbahn zugerichtet und ringsum mit Zuschauerplätzen versehen war. Dort stellten sich die beiden Neuankömmlinge auf.

Ben Hur zählte die vorüberfahrenden Wagen. Es waren deren im ganzen neun – zu seiner Verwunderung alles Viergespanne. Acht davon kamen im Trab vorüber, das neunte in vollem Galopp.

Ben Hur brach in einen Ausruf der Verwunderung aus.

„Ich bin in den kaiserlichen Ställen gewesen, Malluch", sagte er, „aber bei unserem Vater Abraham gesegneten Andenkens, solche Pferde habe ich nie gesehen! Wem gehören sie?"

„Einem Scheich aus der Wüste jenseits des Landes Moab, dem Besitzer großer Dromedarherden und einer Rasse von Pferden, die von Rennern aus des ersten Pharao Zeit abstammen sollen. Scheich Ilderim wird der Mann genannt."

Während Malluch sprach, kam ein anderes Gefährt in Sicht, das in der Menge mit lauten Beifallrufen begrüßt wurde und dadurch in wenigen Augenblicken die allgemeine Aufmerksamkeit auf sich gelenkt hatte. Die Schönheit der Pferde und der kostbare mit Tigerköpfen verzierte und reich vergoldete Wagen veranlaßte Ben Hur, sich den Mann näher zu betrachten, der die Rosse lenkte.

Er konnte anfangs dessen Gesicht nicht sehen, aber seine ganze Erscheinung und Haltung hatten ihm etwas merkwürdig Bekanntes, an frühere Zeiten Erinnerndes.

Wer mochte er sein?

Als sich der Wagen näherte, stand Ben Hur auf und bahnte sich einen Weg zu einem der Vordersitze, von wo aus er den Lenker deutlich sehen konnte. Er war einen Augenblick wie versteinert und wußte nicht, ob er träumte oder wachte. Nein, es war kein Irrtum – der Mann war kein anderer als Messala! Ben Hur erkannte ihn sofort an der ganzen Art des Auftretens, an der theatralischen Haltung und dem Ausdruck in den kalten, scharfen Zügen des echt römischen Gesichts, daß der ehemalige Gespiele noch genauso hochmütig, selbstbewußt und anmaßend war wie früher.

Fünftes Kapitel

Ben Hur war soeben im Begriff, seinen Platz zu verlassen, als ein Araber auf die unterste Stufe des Podiums trat und mit einer Stentorstimme rief:

„Ihr Männer von Osten und Westen, hört! Der gute Scheich Ilderim entbietet euch seinen Gruß. Er ist mit vier Pferden, den Lieblingssöhnen Salomos des Weisen, aus seiner Heimat gekommen, um sich an dem Rennen zu beteiligen. Dazu braucht er vor allem einen guten Wagenlenker. Er verspricht dem, der sich dieses Amtes zu seiner Befriedigung entledigt, ungezählte Reichtümer. Macht das Anerbieten da und dort in den Städten, den Zirkussen und an sonstigen Orten, wo sich viele Leute zusammenfinden, bekannt! Ich verkündige dies im Auftrag meines Herrn, des Scheichs Ilderim des Großmütigen."

Die Proklamation wurde von allen Seiten besprochen. Ben Hur blieb stehen, als er sie hörte, und blickte zögernd bald auf den Herold, bald auf den Scheich. Malluch dachte schon, er werde das Anerbieten annehmen; zu seiner nicht geringen Beruhigung aber wandte sich der junge Mann nach einer kleinen Weile mit der Frage an ihn: „Wohin nun, guter Malluch?"

Lachend erwiderte der Hebräer: „Willst du es den anderen gleichtun, die zum erstenmal den Hain aufsuchen, so läßt du dir ohne Verzug wahrsagen."

„Wahrsagen?" wiederholte Ben Hur. „Gut, gehen wir also zur Göttin, wenn ich auch nicht behaupten kann, daß ich viel Vertrauen in die Geschichte habe."

„Nur nicht so ungläubig, Sohn des Arrius! Diese Apollonier haben eine ganz besondere Art des Wahrsagens. Sie verkaufen dir ein ganz einfaches, noch frisches Papyrusblatt, heißen es dich in das Wasser eines gewissen Brunnens tauchen, und in dem Vers, der darauf steht, wenn du es herausnimmst, liest du, was dir in Zukunft begegnen wird."

Ben Hurs Züge zeigten nicht viel Interesse; dennoch sagte er:

„Welchen Namen trägt der Brunnen?"

„Castalia", lautete die Antwort.

„Ach, der ist ja weltberühmt!" erwiderte Ben Hur. „Laß uns hingehen!"

Malluch beobachtete seinen Gefährten unterwegs und bemerkte, daß dieser verstimmt war. Ohne der Vorübergehenden oder der Sehenswürdigkeiten zu achten, schritt er langsam, beinahe verdrießlich neben ihm her.

Der Anblick Messalas hatte allerlei unangenehme Gedanken in ihm geweckt. Es war ihm, als wäre kaum eine Stunde darüber hingegangen, seit die starken Hände ihn von seiner Mutter weggerissen und den Toren seines Vaterhauses das kaiserliche Siegel aufgedrückt hatten. Er versetzte sich in die jammervollen Stunden zurück, da er als Galeerensträfling neben dem Frondienst des Ruderns die Zeit damit ausfüllte, Rachepläne zu schmieden. Gratus konnte er allenfalls noch vergeben, hatte er sich damals gesagt – Messala niemals! Um ja nicht in diesem Entschlusse wankend zu werden, pflegte er sich wieder und immer wieder die Fragen vorzulegen: Wer hat uns den Verfolgern ausgeliefert – wer meiner noch gespottet, als ich ihn bat, sich wenigstens meiner unglücklichen Angehörigen anzunehmen? Und jeder solcher Fragen folgte die gleiche Bitte: „O Gott meines Volkes, an dem Tage, an dem ich irgendwie wieder mit Messala zusammenkomme, hilf mir, Rache an ihm üben!"

Dieses Zusammentreffen stand nun unmittelbar bevor.

Hätte Ben Hur Messala etwa als armen kranken Mann wiedergesehen, so hätten seine Gefühle ihm gegenüber vielleicht eine Wandlung erfahren; nachdem er ihn aber mehr denn je vom Glück begünstigt fand, sann er nur darauf, wann die Begegnung stattfinden und wie er sie am besten ausnützen könnte.

Nach längerer Wanderung durch einen prächtig gehaltenen Eichenwald kamen die beiden Hebräer endlich in Sicht des berühmten Brunnens, aus dem sich das Wasser mit silberhellem Strahl in ein schwarzes Marmorbecken ergoß.

Neben diesem saß unter einem kleinen, in die Felswand gehauenen Portal ein alter Priester mit langem, wallendem Bart, tiefgefurchtem Gesicht und einer Kutte, wie sie die Eremiten zu tragen pflegten. Er hörte und sah alles, was um ihn her vorging, sprach aber kein Wort. Reichte einer der Besucher des Brunnens ihm eine Münze, so nahm er das Geldstück mit einem schlauen Blinzeln der kleinen verschmitzten Augen und gab dem Betreffenden dafür ein Papyrusblatt, tauchte dieses eiligst in das Becken und hielt dann das tropfende Blatt gegen das Sonnenlicht, um die nun zum Vorschein kommende gereimte Inschrift zu buchstabieren. In der Regel tat es dem Ruf des Brunnens nicht den geringsten Abbruch, wenn das Versmaß auch noch so schlecht war.

Ehe Ben Hur das Orakel für seine eigene Person zu Rate ziehen konnte, sah man eine Gruppe neuer Besucher des Weges kommen, die allgemeines Aufsehen erregte und auch des jungen Mannes Aufmerksamkeit fesselte.

Voran schritt gravitätisch ein riesenhaftes schneeweißes Dromedar, das einen ungewöhnlich großen roten, goldverbrämten Baldachin auf dem Rücken trug und von einem Reiter am Zaum geführt wurde. Zwei andere Reiter folgten dem Tier mit langen Speeren.

„Wer mochten nur der Mann und die Frau sein, die unter dem Baldachin thronen?" fragten sich neugierig die Umstehenden.

War ersterer ein Fürst oder ein König, so konnten auch die am philosophischsten Angelegten unter ihnen die Unparteilichkeit der Zeit nicht leugnen. Beim Anblick des hageren, eingefallenen, unter dem ungeheuren Turban nahezu verschwindenden Gesichts und der mumienhaften Hautfarbe mußte sich ihnen der angenehme Gedanke aufdrängen, daß das Leben nicht nur für die Kleinen, sondern auch für die Großen dieser Welt nicht ewig währt. Das einzig Beneidenswerte an der ganzen Persönlichkeit schien das kostbare Gewand zu sein, das den schlaffen Körper umhüllte.

Die Frau war nach Art der Orientalinnen überreich mit

Schleiern und Spitzenstoffen von auserlesener Feinheit behangen sowie mit Ringen und Armspangen geziert. Sie trug ein Diadem von Korallenperlen und Goldplättchen auf dem Kopf, aber ihr schönster Schmuck war das in Fülle herabwallende tiefschwarze Haar, über dem in anmutigen Falten der Schleier hing, zum Schutz gegen Sonne und Staub. Das liebliche Gesicht, das daraus freundlich auf die Menge herabblickte, war noch sehr jugendlich und hatte, wenn auch von der Sonne des oberen Nil dunkel gefärbt, eine so durchsichtige Haut, daß man auf Stirn und Wangen förmlich das Blut durchschimmern sah. Die Augen waren groß und die Lider wie bei allen Orientalinnen schwarz bemalt. Durch die leicht geöffneten purpurnen Lippen glänzten zwei Reihen milchweißer Zähne.

Nachdem sich das anmutige Geschöpf satt an der bunten Menge und deren Umgebung gesehen hatte, ließ es sich von dem Äthiopier – der mittlerweile das Dromedar an den Brunnen geführt und es veranlaßt hatte, niederzuknien – einen Becher füllen. Im selben Augenblick ertönte Wagengerassel und Pferdegetrampel, und mit lauten Schreckensrufen stoben die Umstehenden nach allen Seiten auseinander.

„Der Römer will uns, scheint es, niederreiten! Achtung!" rief Malluch Ben Hur zu, indem er sich schleunigst aus dem Staube machte.

Ben Hur blickte nach der Richtung hin, aus der das Gerassel kam, und sah Messala mit seinem Viergespann geradewegs auf die Menge zufahren.

Bei der Behendigkeit, die seinesgleichen eigen ist, hätte das Dromedar allenfalls noch entkommen können. Aber es rührte sich nicht von der Stelle und wäre samt seiner kostbaren Last einfach niedergeritten worden, wenn Ben Hur nicht das linke Leitpferd am Zaume ergriffen und so heftig zur Seite gerissen hätte, daß es die anderen Tiere mit sich fortzog, so daß der Wagen umkippte, wodurch Messala mit knapper Not der Gefahr entging, herausgeschleudert zu werden.

Nun zeigte sich die beispiellose Frechheit des Römers. Er

sprang aus dem Wagen, ging auf das Dromedar zu, ohne Ben Hur eines Blickes zu würdigen, und sagte, teils zu dem Greis, teils zu der Frau gewandt: „Ich bitte um Entschuldigung. Ich bin Messala und schwöre euch bei der alten Mutter Erde, daß ich das Tier nicht gesehen habe. Was jene guten Leute betrifft, so habe ich mich ein wenig auf ihre Kosten belustigen wollen. Nun haben sie das Lachen auf ihrer Seite. Wohl bekomme es ihnen!"

Danach wandte er sich wieder zu der Frau und rief: „Bei Pallas, du bist schön! Aus welchem Lande magst du stammen? Wende dich nicht von mir! Fürwahr, die Sonne Indiens strahlt aus deinen Augen, während deinen Mundwinkeln Ägypten seinen Stempel aufgedrückt hat. Schöne Herrin, wende dich nicht jenem Sklaven zu, bis du diesem hier Gnade erzeigt hast. Sage mir wenigstens, daß du mir verziehen hast."

Hier unterbrach sie ihn, indem sie mit einer anmutigen Kopfbewegung Ben Hur an ihre Seite winkte und zu ihm sagte: „Ich bitte dich, fülle mir diesen Becher, mein Vater ist durstig."

Ben Hur trat hinzu, um den Becher in Empfang zu nehmen, und stand nun gerade vor Messala. Ihre Blicke begegneten sich; der des Juden war herausfordernd und drohend, der des Römers sichtlich belustigt.

Nach einem Abschiedswort an die schöne Ägypterin bestieg Messala seinen Wagen wieder und fuhr davon. Die Frau sah ihm mit keineswegs mißbilligenden Blicken nach. Hierauf nahm sie das Wasser, gab ihrem Vater zu trinken, führte den Becher an die eigenen Lippen und händigte ihn dann wieder Ben Hur ein, indem sie mit unbeschreiblicher Anmut sagte: „Bitte, behalte ihn. Er ist mit Segenswünschen für dich angefüllt."

Einen Augenblick später stand das Dromedar aufrecht und zum Abmarsch bereit. Der Greis rief Ben Hur zu sich heran und sprach zu ihm: „Du hast heute dem Fremdling einen großen Dienst geleistet. Es gibt nur einen einigen Gott – in seinem heiligen Namen danke ich dir. Ich bin Balthasar, der Ägypter, und zur Zeit Gast des Scheichs Ilderim des Großmütigen, der sein

Zelt in dem Palmenhain jenseits des Dorfes Daphne aufgeschlagen hat. Dort suche uns auf. Du darfst eines dankbaren
Willkommens sicher sein."

Ben Hur konnte sich nicht genug über des Greisen klare
Stimme und ehrwürdiges Benehmen wundern. Während er Vater und Tochter nachsah, fiel sein Blick noch einmal auf den
fröhlich und mit spöttischem Lachen davonfahrenden Messala.

Sechstes Kapitel

In der Regel kann man darauf rechnen, daß man den Unwillen seines Nächsten herausfordert, wenn man Böses mit Gutem vergilt. In diesem Falle war Malluch glücklicherweise eine Ausnahme von der Regel. Die Begebenheit, von der er Augenzeuge gewesen war, hob Ben Hur in seiner Achtung, denn der junge Mann hatte dabei Mut und Geschicklichkeit an den Tag gelegt. Gewann er nun noch einen Einblick in dessen Geschichte, so konnte Simonides mit dem Erfolg dieses Tages zufrieden sein.

Was diese Geschichte betraf, so hatte er bisher zweierlei herausgebracht, nämlich, daß der Gegenstand seines Interesses ein Jude und der Adoptivsohn eines berühmten Römers war. Ferner war er zu der Überzeugung gekommen, daß irgendeine Beziehung zwischen Messala und dem Sohn des Duumvirs bestehen mußte – aber welche, und wie konnte er sich hierüber Gewißheit verschaffen? Trotz allen Hin- und Herüberlegens wußte er nicht, wie der Sache auf die Spur kommen. Schließlich kam ihm Ben Hur selbst zu Hilfe.

„Guter Malluch", sagte er zu ihm, indem er ihm die Hand auf den Arm legte und ihn aus dem Gedränge zog, „kann einer seine Mutter vergessen?"

Malluch wußte nicht recht, was er aus der Frage machen sollte, aber als er dem jungen Mann ins Gesicht blickte, um sich Rechenschaft zu geben, was er wohl meinte, sah er eine fieberhafte Röte auf dessen Wangen und Tränen in seinen Augen. Da antwortete er, ohne sich zu besinnen: „Nein, niemals – wenigstens, wenn er ein echter Jude ist – niemals." Nach einer kurzen Pause fügte er hinzu: „Die erste Lektion, die ich in der Synagoge erhielt, lautete: ‚Ehre deinen Vater von ganzem Herzen und vergiß nicht die Leiden deiner Mutter.'"

„Die Worte bringen mir meine Kindheit ins Gedächtnis zurück und liefern mir den Beweis, daß du ein echter Jude bist. Ich glaube, ich kann dir vertrauen."

Mit diesen Worten ließ Ben Hur Malluchs Arm los und preßte die Hand auf seine Brust, als empfinde er dort einen heftigen Schmerz. Dann fuhr er fort: „Meines Vaters Name hat einen guten Klang gehabt und stand in Jerusalem in Ehren. Meine Mutter war noch in der Blüte der Jahre, als sie Witwe wurde. Sie war nicht nur gut und schön, sondern ihre Rede war lieblich und mit Salz gewürzt, so daß sie allen, die in ihre Nähe kamen, zum Segen wurde. Meine Schwester und ich waren ihre einzigen Kinder, und wir führten ein überaus glückliches Familienleben. Eines Tages traf einen hochgestellten Römer ein Mißgeschick, während er an der Spitze einer Kohorte an unserem Hause vorüberritt. Da sprengten die Legionäre das Tor, ergriffen uns und schleppten uns davon. Seither habe ich weder Mutter noch Schwester mehr gesehen. Ich habe keine Ahnung, was aus ihnen geworden ist, ob sie noch leben oder tot sind. Aber Messala, der Mann, der uns heute beinahe niedergeritten hätte, war zugegen, als wir auseinandergerissen wurden; ja, er war es, der uns den Häschern auslieferte und noch unserer Verzweiflung spottete. Ich weiß nicht, was sich tiefer in mein Gedächtnis gegraben hat – die Liebe oder der Haß. Heute habe ich ihn schon von weitem erkannt – und Malluch –"

Er packte wieder seines Begleiters Arm und fuhr fort: „Malluch, er kennt das Geheimnis, das zu ergründen, ich mit Freuden mein Leben wagen würde. Er könnte sagen, ob sie noch lebt, wo sie ist – und wie es ihr geht. Und sollten sie tot sein – sie und meine Schwester, so könnte er mir wenigstens ihre Grabstätte zeigen."

„Will er das nicht?"

„Nein."

„Warum nicht?"

„Weil ich Jude bin und er Römer!"

„Aber Römer haben Zungen, und so verachtet die Juden sein mögen, haben sie doch Mittel und Wege, sie zum Sprechen zu bringen."

„Für seinesgleichen nicht. Überdies handelt es sich um ein

Staatsgeheimnis. Meines Vaters sämtliche Besitztümer sind eingezogen und verteilt worden."

Malluch nickte mit dem Kopf zum Zeichen, daß er des jungen Mannes Beweisführung verstehe; dann fragte er: „Hat er dich nicht erkannt?"

„Unmöglich. Ich gelte längst für tot, denn Galeerensträflinge sterben meist schon im ersten Jahr."

„Mich wundert, daß du ihn nicht auf der Stelle niedergeschlagen hast", sagte Malluch, einem Anflug von Leidenschaftlichkeit nachgebend.

„Dann hätte er mir nicht mehr nützen können. Der Tod bewahrt seine Geheimnisse besser noch als ein schuldbeladener Römer."

Ein Mann, der soviel Ursache zur Rache hat und eine so gute Gelegenheit, sich zu rächen, unbenützt vorübergehen lassen kann, muß etwas Besseres im Schilde haben, sagte sich Malluch, und das Interesse, das er an seinem Schutzbefohlenen genommen hatte, verwandelte sich in den lebhaften Wunsch, ihm dienen zu können.

Nach einer Weile sagte Ben Hur: „Ich will ihm nicht das Leben nehmen, wenigstens nicht für den Augenblick, damit er das Geheimnis nicht mit sich ins Grab nehme. Hilfst du mir, so will ich jedoch sehen, ob ich ihn nicht strafen kann."

„Er ist Römer", entgegnete Malluch rasch, „und ich bin aus dem Stamme Juda. Ich bin bereit, dir zu helfen. Wenn du willst, schwöre ich es dir."

„Es genügt, wenn du mir die Hand darauf gibst", sagte Ben Hur, sichtlich erleichtert. „Was ich dir auftragen möchte, ist weder schwierig auszuführen noch belastend für dein Gewissen. Kennst du Scheich Ilderim den Großmütigen?"

„Ja."

„Wie weit ist sein Palmenhain vom Dorf Daphne entfernt?"

Ein Zweifel stieg in Malluchs Seele auf bei der Erinnerung an die Gunst, welche die schöne Ägypterin dem jungen Mann am Brunnen erzeigt hatte, und er fragte sich, ob dieser wohl um eines Liebestraumes willen die Leiden seiner Mutter vergessen werde. Dennoch antwortete er: „Zu Pferde ist der Palmenhain von Daphne aus in zwei Stunden zu erreichen, auf einem schnellfüßigen Dromedar in der Hälfte der Zeit."

„Danke, und nun noch eins. Wann sollen die Spiele, die du mir gegenüber erwähntest, stattfinden?"

Die Frage stimmte Malluch nicht wenig neugierig.

„Die Eröffnung des Zirkus ist für den sechsten Tag des Monats angekündigt", sagte er.

„Soviel ich gehört habe, soll dieser Circus kaum hinter dem des Circus Maximus zurückstehen."

„Der eurige wird etwas größer sein als der unsrige in Antiochien; die Einrichtung soll aber ganz die gleiche sein."

„Und die Regeln?"

„Sind auch die gleichen, mit dem einzigen Unterschied, daß in Rom nur vier Wagen zugleich abfahren dürfen, in Antiochien hingegen alle miteinander."

„Das ist griechischer Brauch", sagte Ben Hur.

„Ja, Antiochien ist mehr griechisch als römisch in seinen Gebräuchen."

„Demnach kann ich mir also Wagen und Pferde selbst wählen. Allerdings ist die Zeit kurz anberaumt, aber es wird sich schon machen lassen. Bei den Propheten unseres alten Israels, ich werde mich also am Rennen beteiligen, natürlich unter der Bedingung, daß Messala unter den Bewerbern ist."

Malluch begriff nun, was Ben Hur im Sinn hatte, und er wäre kein echter Nachkomme Jakobs gewesen, wenn er sich nicht, da nun sein Interesse einmal geweckt war, zu vergewissern gesucht hätte, ob der Plan Aussicht hatte, zu gelingen. Mit vor Erregung zitternder Stimme fragte er: „Hast du die nötige Übung?"

„Fürchte nichts, mein Freund. Bei den letzten Spielen im Circus Maximus hat mich sogar der Kaiser fragen lassen, ob ich nicht seine Pferde lenken wolle."

„Hast du es getan?" forschte Malluch.

„Ich bin Jude", erwiderte Ben Hur, „und obgleich ich einen

römischen Namen trage, hätte ich doch nichts tun mögen, was meines Vaters Namen in den Vorhöfen des Tempels befleckt hätte. Ich schwöre dir, Malluch, um des Preises willen würde ich mich auch diesmal nicht an einem Rennen im Zirkus beteiligen. Die Demütigung meines Feindes ist mir von weit größerem Werte als die ausgesetzte Belohnung. Das Gesetz erlaubt uns, Rache an unseren Feinden zu nehmen!"

Malluch nickte lächelnd, als wolle er sagen: „Ganz richtig. Die Juden verstehen einander." Dann bemerkte er: „Messala nimmt am Rennen teil, das ist außer aller Frage. Sein Name ist in sämtlichen Listen aufgeführt, und er kommt täglich hierher, um sich einzuüben."

„Ach so, der Wagen und die Pferde, die wir sahen, sind demnach diejenigen, die er im Zirkus zu benützen gedenkt? Dank, herzlichen Dank für die mir gegebene Auskunft, Malluch. Du hast mir damit schon viel gedient. Nun zeige mir noch den Weg zum Palmenhain und führe mich beim Scheich Ilderim ein."

„Wann?"

„Jetzt sogleich. Ich muß mir seine Pferde sichern."

„Also gefallen sie dir?"

„Das will ich meinen", antwortete Ben Hur lebhaft. „Ich habe ihresgleichen nirgends gesehen außer in den Ställen Cäsars, und ich kenne die Vorzüge dieser Wüstenpferde. Sind sie wirklich das, wofür sie gelten, und kann ich sie unter meine Herrschaft bekommen, so . . ."

„So gewinnst du den Preis", vervollständigte Malluch lachend den Satz.

„Nein", antwortete Ben Hur rasch. „So tue ich etwas, was sich besser für einen Nachkömmling Jakobs ziemt – so demütige ich meinen Feind öffentlich. Doch, wir verlieren unnötig Zeit. Wie können wir am besten zu den Zelten des Scheichs gelangen?"

Nachdem sich Malluch die Sache einen Augenblick überlegt hatte, sagte er: „Das beste ist, wir gehen geradewegs ins Dorf und mieten uns dort zwei Dromedare."

Siebentes Kapitel

Die Freunde fanden die gewünschten Tiere ohne Mühe und machten sich wohlgemut auf den Weg. Nach einem angenehmen Ritt durch blumenübersäte Auen und anmutige Täler kamen sie in knapp fünfzig Minuten in die Nähe des Palmenhains. Eine lieblichere Gegend hatte Ben Hur niemals gesehen. Zu seinen Füßen wogte das Gras in üppiger Fülle, über seinem Haupt schimmerte der blaue Himmel durch die grünen Äste der hohen, mächtigen Dattelpalmen. Eine kleine Strecke weiter spiegelte sich die Sonne in dem klaren See, so daß das Wasser wie helles Silber glitzerte. Wahrlich, schöner war selbst der Hain Daphne nicht als dieser Palmenhain!

„Sieh nur", sagte Malluch, auf einen der Riesenbäume am Rand des Sees deutend. „Jeder einzelne Ring am Stamm bezeichnet ein Lebensjahr. Zähle, wie viele er deren aufzuweisen hat, dann wirst du es dem Scheich glauben, wenn er dir erzählt, daß der Hain schon vor der Zeit der Seleukiden bestand."

Man kann wirkliche Palmbäume nicht betrachten, ohne sich poetisch gestimmt zu fühlen. So erging es auch Ben Hur. Bei ihrem Anblick kamen ihm unwillkürlich die Worte auf die Lippen: „Wie kommt der Scheich, der mir, nach dem, was ich heute früh von ihm sah, ein ganz gewöhnlicher Mann zu sein scheint, zu dieser Besitzung? Ich fürchte, die Rabbiner zu Jerusalem würden ihn für einen Edomiterhund halten. Wie ist es ihm gelungen, sich bei der Habgier der römischen Statthalter sein Eigentum zu wahren?"

„Wenn das Blut im Lauf der Zeit besser wird, Sohn des Arrius, so ist der alte Ilderim nicht ein Hund sondern ein Mensch, wenngleich ein unbeschnittener Edomiter", erwiderte Malluch erregt. „Seine sämtlichen Vorväter waren Scheichs, und einer von ihnen soll einem hartbedrängten König seinerzeit wieder zu seinem Thron verholfen haben. Der König, heißt es, hat dem Wüstensohn diesen Dienst nicht vergessen, sondern ihm dieses

Stück Land geschenkt, damit er fortan mit seiner Familie und seinen Herden am Ufer des Sees und unter dem Schatten der Palmen wohne, und niemand hat ihnen seither diesen Besitz streitig gemacht. Des Königs Nachfolger haben es klüger gefunden, auf gutem Fuß mit dem Stamm zu leben, dem der Herr soviel Wachstum und Gedeihen gegeben hat, daß die Handelsleute ringsum mit ihnen zu rechnen haben. Selbst der Präfekt der Zitadelle oberhalb Antiochien schätzt sich glücklich, wenn Ilderim der Großmütige mit seinen Weibern, Kindern, Pferden und Dromedaren und seinem ganzen Gefolge auf seinen Nomadenzügen für eine Zeitlang auch in unsere Gegend kommt."

„Dann verstehe ich aber nicht, warum sich der Scheich heute früh die Haare raufte und schwur, es sei das letztemal gewesen, daß er einem Römer vertraut habe", entgegnete Ben Hur. „Hätte ihn der Cäsar schimpfen hören, so hätte er sagen können: ‚Für einen solchen Freund bedanke ich mich. Schafft ihn mir vom Halse.'"

„Ilderim hat seine guten Gründe, weshalb er zur Zeit so erbost auf Rom ist", erwiderte Malluch. „Er hat manche Ungerechtigkeit seitens des Vierfürsten Herodes erfahren müssen, und die Antwort, die er vom Kaiser bekam, als er sich darüber bei ihm beklagte, hat seinen Ingrimm noch gesteigert. Er kann nur in der Sache nichts ändern – die Ursache, weshalb nicht, will ich dir ein andermal klar machen. Sieh, da beginnt schon die Gastfreundschaft des Scheichs."

Die Männer hielten ihre Dromedare an. Ben Hur beugte sich zu ein paar kleinen Mädchen nieder, die ihm Datteln anboten, während ein Mann vom nahen Baume herabrief: „Friede sei mit euch! Seid uns herzlich willkommen!"

Nach einigen freundlichen Dankesworten ritten die beiden weiter.

„Du mußt wissen", fuhr Malluch fort, „daß mir der Kaufmann Simonides sein Vertrauen schenkt und mir manchmal die Ehre erweist, mich in dieser oder jener Angelegenheit zu Rate zu ziehen. Da ich häufig zu ihm ins Haus komme, habe ich viele seiner Freunde kennengelernt, und diese sprechen ganz ungeniert in meiner Gegenwart. Auf diese Weise bin ich auch mit Scheich Ilderim in nähere Beziehung getreten."

Einen Augenblick wanderte Ben Hurs Aufmerksamkeit vom Gespräch ab. Vor seinen Geist trat das Bild von des Kaufmanns Tochter, der lieblichen Esther. Er sah wieder, wie sie verschämt den Blick zu ihm erhob, hörte ihren leisen Fußtritt und empfand noch einmal, was er gefühlt hatte, als sie ihm den Becher reichte. Die Vision erquickte ihn bis ins innerste Mark, aber sobald er sich Malluch zuwandte, um weiter zu hören, verschwand sie.

„Vor einigen Wochen besuchte der alte Araber Simonides wieder, während ich gerade im Zimmer anwesend war", fuhr Malluch fort. „Da ich bemerkte, daß ihn etwas Außergewöhnliches bewegte, erhob ich mich, um zu gehen, aber er bat ausdrücklich, ich möge bleiben, indem er hinzufügte, als Israelit müsse ich die merkwürdige Geschichte hören, die er zu erzählen habe. Der Nachdruck, den er auf das Wort ‚Israelit' legte, erregte meine Neugierde, so daß ich seinem Wunsch nachkam. Ich will die Geschichte, die er nun berichtete, der Hauptsache nach wiedergeben, die Einzelheiten kann der gute Mann dann selbst erzählen. Vor vielen Jahren hielten drei Ausländer – ein Inder, ein Grieche und ein Ägypter – vor Ilderims Zelt in der Wüste, alle drei auf riesengroßen schneeweißen Dromedaren. Er gab ihnen Nachtquartier, und am nächsten Morgen, nachdem sie miteinander gegessen und getrunken und ihr Gebet verrichtet hatten – seine Gäste in einer Weise, wie es Ilderim nie vorher gehört hatte, nämlich zu Gott dem Vater und Gott dem Sohne –, erzählte der Ägypter, wer sie waren und woher sie kamen. Jeder von ihnen hatte einen Stern gesehen und eine Stimme vernommen, die ihnen zurief, sie sollten nach Jerusalem gehen und sich dort nach dem neugeborenen König der Juden erkundigen. Sie gehorchten. Von Jerusalem führte sie der Stern nach Bethlehem, wo sie in einer Krippe ein neugeborenes Kindlein sahen. Nachdem sie es angebetet, ihm Geschenke gebracht und ihr Zeugnis abgelegt hatten, bestiegen sie ihre Dromedare und ritten in fliegender Eile zu Scheich Ilderim zurück, denn wäre Herodes ihrer habhaft geworden, so hätte er sie sicherlich umbringen lassen. Treu seiner Gewohnheit nahm sich der Scheich der Gefährdeten an und verbarg sie ein Jahr lang in seinem Bereich, worauf jeder seine Straße zog."

„Allerdings eine wunderbare Geschichte!" rief Ben Hur, als Malluch geendet hatte. „Was sagtest du, sollten sie in Jerusalem fragen?"

„Wo ist der neugeborene König der Juden?"

„Weiter nichts?"

„Sie sollten noch etwas sagen, aber daran kann ich mich nicht mehr erinnern."

„Und sie fanden das Kind wirklich?"

„Ja, und beteten es an."

„Merkwürdig!" rief Ben Hur.

„Ilderim ist ein ernster, wenn auch leicht erregbarer Mann, wie alle Araber", erwiderte Malluch. „Er ist einer Lüge nicht fähig."

„Hat Ilderim nichts mehr von den drei Fremden gehört?" fragte Ben Hur. „Was ist aus ihnen geworden?"

„Gerade am Abend, ehe Ilderim zu Simonides kam, war der Ägypter plötzlich wieder bei ihm aufgetaucht."

„Wo?"

„Hier, an der Tür seines Zeltes."

„Woran hat er den Mann erkannt?"

„An seinen Gesichtszügen und seiner ganzen Art und Weise. Er ritt dasselbe große weiße Dromedar wie damals, als er mit seinen Begleitern kam, und stellte sich unter dem gleichen Namen vor wie einst."

„Das ist ein Wunder Gottes!" rief Ben Hur erregt.

„Warum das?" fragte Malluch.

„Der Greis, dem wir heute am Brunnen begegneten, nannte sich ebenfalls Balthasar, der Ägypter", sagte Ben Hur.

Malluch wurde nachdenklich. Nach einer Weile rief er: „Du hast recht, die Beschreibung des Dromedars trifft ebenfalls zu –

und du hast ihm das Leben gerettet!"

„Und die Frau", sagte Ben Hur wie im Selbstgespräch, „die Frau war seine Tochter."

Abermals entstand eine Pause, und es hatte den Anschein, als sähe der junge Mann das Bild der schönen Ägypterin vor sich und als finde er noch mehr Wohlgefallen daran, als er an dem Bilde Esthers gefunden hatte – wenn auch nur, weil er länger dabei verweilte –, aber dem war nicht so.

„Sage mir noch einmal", begann er nach einer Weile, „sollten die drei Männer fragen: ‚Wo ist der neugeborene König der Juden?'"

„Ja, so lautete der Befehl, und seither wartet der Scheich auf diesen König. Niemand kann ihn von dem Glauben abbringen, daß er kommen wird."

„Wie – als König?"

„Ja, und um Rom den Untergang zu bringen, sagt der Scheich."

Ben Hur schwieg eine Weile, um über die Sache näher nachzudenken und seiner Bewegung Herr zu werden. Endlich sagte er langsam und feierlich: „Der Greis ist einer von Millionen, von denen jeder einzelne irgendein Unrecht zu rächen hat, und die seltsame Geschichte bietet seiner Hoffnung immer neue Nahrung; denn solange Rom besteht, kann nur ein Herodes König sein. Was hat Simonides ihm geantwortet?"

„Simonides ist ein kluger Mann", antwortete Malluch. „Er sagte – doch horch! Es kommt uns jemand nach."

Man hörte deutlich Pferdegetrampel und Wagengerassel, und im nächsten Augenblick erschien Scheich Ilderim in höchst eigener Person zu Pferde und von vier Arabern gefolgt, die den Wagen nach sich zogen. Beim Anblick der beiden Männer sagte er freundlich: „Friede sei mit euch! Ach, du bist es, guter Malluch! Willkommen! Du bist doch nicht etwa schon auf dem Heimweg begriffen! Nehmt beide die Zügel wieder auf und folgt mir! Ich habe Brot und Branntwein – wenn ihr den gern trinkt – und Ziegenfleisch. Kommt!"

Ben Hur und Malluch folgten ihm an die Tür des Zeltes, wo er abstieg und seine Gäste nochmals willkommen hieß, indem er ihnen ein Tablett reichte und herzlich sagte: „Trinkt, das ist das Lebenselixir der Zeltbewohner."

Die Männer leerten die Becher bis auf den letzten Tropfen. Dann sagte der Scheich: „Nun tretet ein in Gottes Namen!"

Malluch nahm ihn beiseite und flüsterte ihm einige Worte zu. Dann trat er wieder zu Ben Hur, um ihm die nötige Erklärung zu geben.

„Ich habe den Scheich von deinem Anliegen in Kenntnis gesetzt", bemerkte er. „Er ist dir freundlich gesinnt und will dich morgen die Pferde probieren lassen. Das übrige mußt du nun selbst tun, denn ich muß nach Antiochien zurückkehren, um mit einem Geschäftsfreund zusammenzutreffen, den ich nicht warten lassen darf. Es bleibt mir keine andere Wahl, aber wenn alles gut geht, werde ich morgen zurückkommen und bis nach Beendigung der Spiele bei dir bleiben."

Nach dem Austausch herzlicher Segenswünsche verließ Malluch das Zelt.

Achtes Kapitel

Als die untere Sichel des Neumondes hinter den Zinnen der Feste auf dem Berg Sulpius hervorkam, saß Simonides auf seinem Lehnstuhl und blickte von der Terrasse den Fluß entlang auf die vor Anker liegenden Schiffe.

„Malluch ist heute abend spät dran", sagte er und zeigte damit, wo seine Gedanken waren.

„Glaubst du, daß er noch kommen wird?" fragte Esther.

„Es sei denn, daß er dem jungen Mann aufs Wasser oder in die Wüste zu folgen hat, sonst wird er gewiß kommen", versetzte Simonides zuversichtlich.

„Vielleicht schreibt er", meinte Esther.

„O nein. Hätte er gemerkt, daß er nicht zurückkommen kann, so hätte er es mir rechtzeitig geschrieben. Nachdem das nicht der Fall ist, darf ich mit ziemlicher Sicherheit auf ihn rechnen."

„Ich hoffe, du wirst nicht enttäuscht", sagte Esther leise.

Sei es der Ton, in dem sie sprach, sei es der Wunsch selbst – das eine oder das andere erregte seine Aufmerksamkeit.

„Du möchtest gern, daß er käme, nicht wahr, Esther?" fragte er.

„Ja", sagte sie, die Augen treuherzig zu ihm erhebend.

„Kannst du mir sagen, warum?" forschte er weiter.

„Weil", sie stockte und begann dann noch einmal, „weil der junge Mann . . ." Weiter kam sie nicht.

„Unser Herr ist. Wolltest du das sagen, Esther?"

„Ja."

„Du meinst also immer noch, ich sollte ihn auffordern, zurückzukommen und uns und alle unsere Habe nehmen: Alles, Esther – Güter, Sekel, Schiffe, Sklaven, ja, den ganzen mächtigen Kredit, diesen gold- und silberdurchwirkten Mantel, den der Erfolg – dieser größte aller den Menschen dienstbaren Geister – mir gewoben hat?"

Sie antwortete nicht.

„Verschlägt dir das nichts, Kind, gar nichts?" sagte er mit einem leisen Anflug von Bitterkeit. „Nun, Esther, ich habe die Erfahrung gemacht, daß selbst das Allerschlimmste erträglich ist, wenn wir es langsam hinter den Wolken hervorkommen sehen, so daß wir uns darauf vorbereiten können und es uns nicht überrumpelt. Nach dieser philosophischen Auffassung muß auch die Dienstbarkeit, der wir entgegengehen, mit der Zeit ihren Stachel verlieren. Schon jetzt freut mich der Gedanke, wie unser Herr vom Glück begünstigt ist, sein Vermögen fällt ihm einfach in den Schoß, ohne ihm je eine schlaflose Nacht, einen Tropfen Schweiß oder auch nur einen Gedanken gekostet zu haben. Und außerdem, Esther, fällt ihm ungesucht zu, was er um alles Geld der Welt auf keinem Markt hätte kaufen können – dich, mein Kind, meinen Liebling, dich, du Knospe vom Grabe meiner Rahel."

Mit diesen Worten zog er sie an sich und küßte sie wiederholt, einmal von sich aus, einmal im Namen ihrer Mutter.

„Sage das nicht, Vater", bat sie, „wir wollen uns eines Besseren von ihm versehen. Er weiß aus eigener Erfahrung, was Kummer ist und wird uns daher sicherlich freilassen."

„Ja, Esther, du hast den richtigen Blick, und du weißt wohl in zweifelhaften Fällen, wo es gilt, herauszufinden, ob es jemand gut oder böse meint; setze großes Vertrauen in dein Urteil. Aber – aber", seine Stimme nahm einen harten Klang an „dieser verunstaltete Körper ist nicht alles, was ich dem jungen Mann, der heute früh bei uns war, bringe. Nein, nein! Ich bringe ihm eine Seele mit, die über alle Folterqualen und die noch schlimmere Bosheit der Römer gesiegt hat – einen Verstand, der in weiter Ferne zu entdecken weiß, wo Goldminen verborgen liegen, wie sie zu haben und festzuhalten sind, damit sie nicht etwa auf irgendeines anderen Wort Flügel nehmen und davonfliegen – kurz einen kaufmännischen Verstand, das Talent, die richtigen Leute für meine Zwecke zu gewinnen und sie zur Arbeit anzuhalten, so daß ich mich sozusagen ins hundert-

und tausendfache vervielfältige. So kommt es, daß die Kapitäne mir meine Schiffe reichbeladen zurückbringen, daß Malluch dem jungen Mann unserem Herrn, gewissenhaft überallhin nachgeht ..." In dem Augenblick ließen sich Fußtritte vernehmen. „Habe ich es nicht gesagt, Esther", rief der Greis triumphierend, „jetzt werden wir Nachricht bekommen! Um deinetwillen, mein süßes Kind, meine Lilienknospe, flehe ich zu Gott, der Seine zerstreute Herde Israel nicht vergessen hat, daß es gute, tröstliche Nachrichten sein mögen, die er bringt. Nun werden wir hören, ob wir Aussicht haben, daß er dir trotz deiner Schönheit und mir trotz meiner Gaben und Talente die Freiheit läßt."

Malluch trat an den Stuhl heran, verbeugte sich und sagte: „Friede sei mit dir, guter Herr, und mit dir, Esther, der besten aller Töchter!"

Die ehrerbietige Haltung, in der er vor den beiden stehenblieb, war die eines Untergebenen, der Gruß hingegen der eines vertrauten Freundes, so daß man nicht recht erkennen konnte, in welcher Beziehung er zu Vater und Tochter stand. Nach seiner Gewohnheit ging Simonides, sobald er den Gruß erwidert hatte, zur Sache über, indem er hastig fragte:

„Nun, wie ist es mit dem jungen Mann?"

Malluch erzählte ruhig und einfach die Begebenheiten des Tages. Der Greis hörte zu, ohne den Bericht ein einzigesmal zu unterbrechen. Man hätte ihn für eine Marmorsäule halten können, so unbeweglich saß er da; nur in den Augen konnte man das Interesse lesen, mit dem er jedem Wort folgte. Als Malluch zu Ende war, sagte er herzlich: „Danke, Malluch, du hast deine Sache gut gemacht. Welcher Nation gehört der junge Mann deiner Meinung nach an?"

„Er ist Israelit, guter Herr, und aus dem Stamme Juda."

„Weißt du das gewiß?"

„Ja, ganz gewiß."

„Und doch hat er dir offenbar wenig aus seinem Leben erzählt."

„Er hat allem Anschein nach gelernt, vorsichtig zu sein. Ich halte ihn sogar für mißtrauisch. Alle meine Versuche, sein Vertrauen zu gewinnen, blieben erfolglos, bis wir uns auf dem Wege ins Dorf Daphne befanden."

„Warum ist er in den Hain gegangen, diesen Ort, der jedem echten Sohn Israels ein Greuel ist?"

„Ich dachte zuerst, aus Neugierde, wie die meisten, die zum erstenmal hingehen, aber merkwürdigerweise hat er gar kein Interesse gezeigt für das, was um ihn her vorging. Wegen des Tempels fragte er nur, ob er den griechischen Göttern geweiht sei. Meiner Ansicht nach, guter Herr, hat der junge Mann einen Kummer auf den Herzen, den er vergessen wollte, und er ist in den Hain gegangen, um ihn zu begraben."

„Das wäre gut", sagte Simonides leise vor sich hin. Danach fügte er lauter hinzu: „Malluch, der Fluch unserer Zeit ist Verschwendungssucht. Die Armen äffen die Reichen nach und geraten dadurch nur immer tiefer in Armut, und die einigermaßen Wohlhabenden tun es womöglich den Prinzen zuvor. Hast du diese Schwäche an dem Jüngling wahrgenommen? Hat er mit jüdischem oder römischem Geld um sich geworfen? Inmitten der vielen Versuchungen – sei es auch nur zum guten Essen oder Trinken – hat es gewiß auch bei ihm nicht an überflüssigen Ausgaben gefehlt. Das ist bei seiner Jugend kaum anders zu erwarten."

„Er hat in meinem Beisein keinen Bissen gegessen und keinen Tropfen Wein getrunken."

„Hast du in seinem Reden oder Tun irgendwie herausfinden können, womit er sich in Gedanken am meisten beschäftigt, welche Beweggründe ihn bei seinen Handlungen leiten?"

„Diese Frage, Meister Simonides, kann ich beantworten, ohne mich auch nur einen Augenblick zu besinnen. Sein Dichten und Trachten geht in erster Linie darauf hinaus, seine Mutter und Schwester zu finden. Außerdem hat er einen tiefen Groll gegen Rom, und da jener Messala, von dem ich dir erzählt habe, mit schuld ist an dem Unrecht, das ihm widerfuhr, so ist

zur Zeit sein sehnlichster Wunsch, diesen seinen Feind öffentlich zu demütigen."

„Messala ist ein einflußreicher Mann", sagte Simonides.

„Der Sohn des Arrius beabsichtigt, ihn im Zirkus zu Fall zu bringen, und ich bin überzeugt, es wird ihm gelingen, ihn zu besiegen. Er hat ganz das Zeug dazu."

„Sprich Malluch, erstrecken sich seine Rachepläne nur auf einzelne, die ihm Schaden zugefügt haben, oder auf viele? Und sind dieses nur die Äußerungen der flüchtigen Gefühlsaufwallung eines leicht erregbaren Jünglings oder sind sie dem tiefen Leid eines durch schwere Proben gestählten Mannes entsprungen? Du weißt, Malluch, Rachegedanken, die nur von einer momentanen Gemütsstimmung herrühren, verflüchten schnell wieder, während es einen Durst nach Rache gibt, der Herz und Geist ausfüllt und keines von beiden zur Ruhe kommen läßt, bis ihm Genüge geschehen ist."

Simonides stieß die Worte hastig hervor. Seine Hände ballten sich krampfhaft, und er sprach wie einer, der das Übel, das er beschreibt, aus eigener Erfahrung kennt.

„Ein Hauptgrund, der mich zu der Annahme bestimmt, daß der junge Mann eine Jude ist, ist der, daß er so tief hassen kann", erwiderte Malluch. „Man sah ihm an, daß er gewohnt ist,

156

seine Gefühle zu beherrschen, aber dann und wann brachen sie hervor, und seine Augen flammten. Einmal, als er von mir zu erfahren suchte, wie Ilderim Rom gegenüber gesinnt ist, und dann, als ich ihm Ilderims Ansicht über das Geheimnis der drei aus weiter Ferne gekommenen Weisen mitteilte – nämlich, daß mit der Erscheinung des Königs, von dem die Männer sprechen, Roms Untergang zusammenfallen werde. Da ergoß sich eine jähe Röte über des Jünglings Gesicht, und er sagte ernst: ,Solange Rom besteht, kann nur ein Herodes König sein.'"

„Was wollte er damit sagen?"

„Daß das Kaiserreich untergehen müsse, ehe ein anderes Königshaus zur Herrschaft gelangen könne."

Simonides blickte eine Zeitlang nachdenklich den Fluß entlang; dann sagte er: „Genug, Malluch. Iß, und mache dich bereit, morgen in den Palmenhain zurückzukehren. Du mußt dem jungen Mann beistehen. Komm mit Tagesanbruch zu mir, ich will dir einen Brief für Ilderim mitgeben." Leise, wie zu sich selbst sprechend, fügte er hinzu: „Vielleicht wohne ich dem Rennen im Zirkus bei."

Nachdem Malluch sich entfernt und Simonides eine kleine Stärkung zu sich genommen hatte, rief er Esther an seine Seite und sagte: „Gott ist gütig gegen mich, sehr gütig. Gewöhnlich hüllt Er sein Tun in Verborgenheit, aber zuweilen gewährt Er uns einen Einblick in dasselbe. In der elften Stunde, da die Hoffnung bereits in mir zu ersterben begann, schickt Er mir etwas, sie neu zu beleben. Ich sehe sich ein Ereignis von solcher Tragweite anbahnen, daß es eine Wiedergeburt für die gesamte Welt bedeutet, und ich verstehe nun, warum mir Gott so großen Reichtum geschenkt hat. Wahrlich, Kind, ich lebe wieder auf."

Esther schmiegte sich fester an ihn.

„Der König, der in Bethlehem geboren wurde", fuhr er fort, „muß jetzt nahezu das Mannesalter erreicht haben. Balthasar sagt, Er sei ein Kind gewesen, das die Mutter noch auf dem Schoß hielt, als er Ihn auffand und anbetete, und Ilderim rechnet, daß etwa siebenundzwanzig Jahre darüber vergangen sein mögen, seit Balthasar und seine Gefährten in seinem Zelt Zuflucht gegen Herodes suchten. Es kann also nicht mehr lange währen, bis der König hervortritt. Heute oder morgen kann das wichtige Ereignis stattfinden. Heilige Väter Israels, welch ein Gedanke! Es ist mir, als höre ich die alten Mauern mit furchtbarem Krachen zusammenstürzen und alles neu werden – ja, als sähe ich zur Freude des ganzen Weltalls die Erde sich auftun und das verhaßte Rom verschlingen." Er brach in lautes Lachen aus. „Hast du je ähnliches gehört, Esther?" fragte er hierauf. „Mir scheint, ich habe die Gabe des Gesangs und der Dichtkunst wie Mirjam und David. In meinem Gehirn vermischen sich die Zahlen und Warenballen mit Zymbelnschall und Harfenklang und dem Jubelgeschrei von Leuten, die einem neuen Herrscher huldigen. Ich will den Gedanken für den Augenblick beiseitedrängen; nur braucht der König Geld und Leute, wenn er kommt, denn als ein von einem Weib Geborener wird er sein wie unsereiner und zum Aufbewahren und Verwalten seines Geldes die nötigen Männer haben müssen. Auch Leute, die das alles beaufsichtigen. Siehst du nicht, Esther, daß da Raum genug ist, worauf meine Füße und die unseres jungen Herrn gehen können, Pfade, die für den einen und den anderen von uns zu Ruhm und Rache führen." Er hielt einen Augenblick inne, als ihm plötzlich zum Bewußtsein kam, daß er in dem Bild, das er gezeichnet, sie mit keinem Worte erwähnt hatte. Dann fügte er hinzu, indem er ihre weiße Stirn küßte: „Und zum Glück für deiner Mutter Kind, Esther."

Sie schwieg und regte sich nicht. Da erinnerte er sich, daß die Naturen verschieden sind, der eine Mensch zuweilen Freude über Dinge empfindet, die einen anderen erschrecken. Er sagte daher liebevoll: „Woran denkst du, Kind? Hast du einen Wunsch, so laß ihn mich wissen, Kleine, solange ich noch in der Lage bin, ihn dir zu erfüllen."

Sie antwortete mit kindlicher Einfalt: „Laß ihn heute abend noch holen, Vater. Verhüte, daß er in den Zirkus geht."

„Das ist es?" rief er mit einem Anflug von Eifersucht, indem er den Blick wieder den Fluß entlanggleiten ließ. Wie, wenn sich wirklich Liebe für den jungen Mann in ihr Herz geschlichen hätte! Doch nein, dazu war sie noch zu jung. Aber war sie nicht schon sechzehn Jahre alt? Hatten sie nicht erst kürzlich ihren Geburtstag miteinander gefeiert? Er wußte es wohl, und doch war es, als werde es ihm erst jetzt klar, als erwache er erst jetzt zu dem Bewußtsein, daß er alt wurde. Merkwürdigerweise preßte ihm der Gedanke einen Seufzer aus der Brust. Nicht genug, daß sie ihres Herrn Leibeigene werden sollte. Sie brachte ihm auch die Liebe und Zärtlichkeit entgegen, die er so gut an ihr kannte, weil er sie bisher ungeteilt hatte genießen dürfen. Der Feind, der es sich zur Aufgabe gemacht hat, uns mit allerlei bangen und bitteren Gedanken zu quälen, tut sein Werk selten halb. In dem augenblicklichen Schmerz verlor der tapfere, alte Mann alles andere aus dem Auge und sich mühsam bezwingend, fragte er: „Warum sollte ich verhüten, daß er in den Zirkus geht, Kind?"

„Weil es sich für einen Sohn Israels nicht schickt, Vater."

„Nur darum, Esther?"

Die Frage war in so ernstem Ton gestellt, daß sie Esther durch und durch ging. Sie konnte nicht antworten, so laut klopfte ihr Herz, und es bemächtigte sich ihrer ein eigentümliches Gefühl, das sie nie im Leben empfunden hatte.

„Der junge Mann soll das ganze Vermögen haben – Schiffe, Sekel und alles, Esther", sagte der Greis, indem er liebevoll ihre Hand in die seine nahm. „Willst du ihm auch deine Liebe geben, Kind – das einzige, was ich hoffte, für mich behalten zu dürfen, und was mir kostbarer ist als alle Schätze der Welt?"

Sie beugte sich über ihn und schmiegte den Kopf an seine Wange.

„Sprich, Esther", mahnte er. „Wenn ich weiß, wie ich daran bin, wird es mir leichter ums Herz werden. Gewißheit ist immer besser zu ertragen als Ungewißheit."

Da sah sie auf und sagte mit dem Ausdruck tiefster Wahrheit: „Beruhige dich, Vater, ich werde dich nie verlassen. Sollte er auch meine Liebe gewinnen, so werde ich doch nie aufhören, für dich zu leben. Er hat mir gefallen – das kann ich allerdings nicht leugnen. Seine flehende Stimme hat mich zu ihm hingezogen, und es schaudert mich beim Gedanken, daß ihm Gefahr droht. Ja, Vater, ich würde mich unaussprechlich freuen, ihn wiederzusehen. Übrigens, eine Liebe, die nicht erwidert wird, ist gar keine richtige Liebe, darum will ich geduldig warten und nicht vergessen, daß ich deine und meiner Mutter Tochter bin."

„Du bist das herrlichste Gnadengeschenk, das Gott mir gegeben hat, Esther. Solange ich dich habe, bin ich reich, wenn mir auch alles andere genommen ist. Auch schwöre ich dir bei Seinem heiligen Namen und dem ewigen Leben, daß kein Herzeleid, das zu verhüten in meiner Macht steht, dich jemals treffen soll."

Nach einer kleinen Weile ließ er sich vom Diener ins Zimmer zurückfahren und saß dort noch lange in Gedanken an den kommenden König versunken, während Esther sich zur Ruhe legte und bald sanft schlief wie ein müdes, unschuldiges Kind.

Neuntes Kapitel

Scheich Ilderim war eine viel zu gewichtige Persönlichkeit, als daß er als Privatmann hätte in der Welt umherziehen können. Er hatte einerseits einen Ruf inmitten seines Stammes aufrechtzuhalten, wie es sich für einen der mächtigsten Fürsten und Patriarchen der ganzen östlich von Syrien gelegenen Wüste schickt – andererseits den Städten gegenüber den Ruf als der reichste Mann des Ostens. Da er wirklich nicht nur viel Geld, sondern auch viele Knechte und Mägde, Dromedare, Pferde und Viehherden besaß, hatte er Freude daran, sich mit einem gewissen Nimbus zu umgeben, der ihm nicht nur Ansehen bei den Fremden verschaffte, sondern seinem Stolz schmeichelte und zu seiner persönlichen Bequemlichkeit beitrug. Der Leser muß sich den Palmenhain daher als eine ganz ansehnliche Niederlassung vorstellen, in der sich drei große Zelte befanden: eins für ihn selbst, eins zum Empfang für etwaige Gäste, eins für sein Lieblingsweib und deren Frauen und sechs bis acht kleinere für seine Knechte und solche seiner Stammesgenossen, die er als persönliche Leibgarde aus der Heimat mitgenommen hatte – starke Männer von erprobtem Mut, die es verstanden, Bogen und Speer zu führen.

Ilderim wich auch im Palmenhain nicht von den Sitten und Gebräuchen ab, die in der Wüste gang und gäbe waren, so daß das Leben dort im Grunde den Charakter des Nomadenlebens der alten israelitischen Patriarchen trug.

„Pflanzen wir hier unsere Zelte auf", sagte er am Tage seiner Ankunft im Hain, indem er zu einer Gruppe mächtiger Palmen trat und dort seinen Speer in den Boden stieß.

Wer anders als der Scheich hatte das Recht, der Karawane Halt zu gebieten oder anzuordnen, wo das Zelt aufzuschlagen sei? Der Speer wurde herausgezogen und in das Loch, das zurückblieb, der erste Pfahl getrieben, der dem Zelt zum Mittelpunkt diente. Darum herum wurden acht andere Pfähle aufgepflanzt, so daß deren im ganzen je drei in einer Reihe standen. Auf einen Wink eilten danach die Frauen und Kinder herbei und nahmen den zusammengerollten Kanevas von den Kamelen. Wer hätte das anders tun sollen als die Frauen? Waren sie es doch, die den braunen Ziegen die Haare abgeschoren, sie zum Faden gedreht, zu Tuch gesponnen und zu dem Zeltdach zusammengefügt hatten, das aus der Ferne schwarz aussah, wie die Zeltbehänge Kedars! Unter welchem Scherzen und Lachen spannte das gesamte Gefolge des Scheichs schließlich den Kanevas von Pfahl zu Pfahl! Und mit welcher Spannung warteten die Leute auf den Urteilsspruch ihres Herrn und Gebieters, wenn endlich nach Wüstenbrauch das letzte geschehen, nämlich die Wände von durchbrochenem Weidengeflecht aufgestellt waren, bis sich der Scheich, nachdem er von allen Seiten um das Zelt herumgegangen und alles genau in Augenschein genommen hatte, wohlgefällig die Hände rieb und ausrief: „Gut Kinder! Macht jetzt noch das Gehege. Wir wollen dann heute abend das Brot mit Arrak und die Milch mit Honig süßen, und an jedem Feuer soll ein Zicklein gebraten werden. Gott mit euch! Es wird uns nicht an Wasser fehlen, denn das spendet uns der See; noch werden weder die Lastenträger noch die jüngsten der Herde hungern, dafür bürgen uns die grünen Auen ringsum. Gott mit euch, meine Kinder! Frisch ans Werk!"

Unter Jubel und Freudengeschrei eilten hierauf die meisten davon, um ihre eigenen Zelte aufzuschlagen. Etliche blieben zurück und richteten das Zelt des Scheichs ein, das mittels eines Vorhangs in zwei Räume geteilt wurde, der eine zur Rechten als Ilderims Privatwohnung, der andere zum Aufenthalt für die Pferde – seine Juwelen Salomos –, die darin frei umherlaufen durften. Am mittleren Pfahl wurde das Waffengestell angebracht und mit Lanzen, Speeren, Bogen, Pfeilen und Schilden gefüllt – vorn an das in Form des Neumonds geschmiedete Schwert, dessen Scheide wie die in den Griff eingefügten Juwelen funkelte. An einem Ende des Gestells hing das vielfarbene Sattel- und Zaumzeug der Pferde und am anderen des Gebie-

ters wollene und leinene Gewänder, seine Tuniken und Bein-
kleider, sowie verschiedenerlei Tücher, die als Turban um den
Kopf gewickelt wurden. Erst wenn der Scheich seine Zufrie-
denheit aussprach, wurde das Werk des Einrichtens als vollen-
det betrachtet. Es blieb dann nichts mehr zu tun übrig, als die
Krüge mit Wasser zu füllen und die Arrakschläuche aufzuhän-
gen, so daß sie am nächsten Tag bequem zur Hand waren. Nach
Ansicht der Araber fehlte Ilderim nun nichts mehr zu seinem
Glück in dem Zelt am See, unter den herrlichen Palmen des
Hains, an dessen Eingang wir Ben Hur verlassen haben.

Einer der Knechte nahm dem Scheich die Sandalen ab, ein
anderer löste Ben Hur die Schuhriemen auf, wonach beide die
staubigen Obergewänder mit frischen vertauschten.

„Komm herein – in Gottes Namen – und ruhe dich aus", sagte
der Hausherr freundlich in dem auf dem Marktplatz zu Jerusalem gebräuchlichen Dialekt, indem er seinen Gast zum Diwan
führte. „Ich sitze hier", fügte er dann hinzu, „und der Fremde
dort."

Eine der anwesenden Frauen legte geschickt Kissen und Polster zurecht, so daß man bequem den Rücken anlehnen konnte.
Dann holte sie frisches Wasser vom See, wusch den Männern
die Füße und trocknete sie ihnen mit einem Tuch.

„Wir Wüstenbewohner sagen, ein guter Appetit garantiere
ein langes Leben", begann Ilderim, indem er sich den langen
Bart mit den Fingern glättete. „Hast du einen solchen?"

„Nach dieser Regel müßte ich hundert Jahre alt werden, guter Scheich", erwiderte Ben Hur. „Du hast einen hungrigen
Wolf in deinem Zelt aufgenommen."

„Du sollst nicht als solcher von hinnen gehen, sondern vom
besten meiner Herde haben."

Mit diesen Worten klatschte Ilderim in die Hände. Als hierauf einer der Diener erschien, gebot er diesem: „Suche den
Fremden im Gastzelt auf und sage ihm, ich, Ilderim, bete, daß
sein Friede sei wie unaufhaltsam fließendes Wasser."

Der Diener verneigte sich.

„Ferner sage", fuhr Ilderim fort, „daß ich mit einem anderen Gast zum Brotbrechen heimgekehrt bin, und daß drei an dem Mahl teilnehmen können, ohne daß die Speisen verkürzt werden, wenn der weise Balthasar mit uns speisen will."

Der zweite Diener verschwand. Hierauf setzte sich Ilderim mit verschränkten Beinen auf den Diwan nieder, hörte auf, mit den Fingern durch seinen Bart zu fahren, und sagte ernst: „Bist du auch mein Gast und im Begriff, von meinem Salz zu essen, nachdem du von meinem Branntwein getrunken hast, so sei mir dennoch die Frage gestattet: Wer bist du?"

„Scheich Ilderim", sagte Ben Hur, ruhig den Blick des großen Mannes aushaltend, „denke nicht, ich wolle deiner gerechtfertigten Frage ausweichen, wenn ich dir die Gegenfrage stelle: Hat es nie in deinem Leben eine Zeit gegeben, da es ein Vergehen gegen dich selbst gewesen wäre, eine solche Frage zu beantworten?"

„Bei der Herrlichkeit Salomos, ja!" erwiderte Ilderim. „Ein an sich selbst verübter Verrat ist unter Umständen nicht weniger gemein als ein an seinen Stammgenossen verübter."

„Dank, herzlichen Dank, guter Scheich!" rief Ben Hur. „Nun weiß ich, daß du dich nur überzeugen willst, ob ich des Vertrauens, das ich gekommen bin, von dir zu erbitten, würdig sei, und daß es dir von größerem Interesse ist, dies zu erfahren, als meine eigenen Angelegenheiten zu erkunden."

Der Scheich verneigte sich, und Ben Hur suchte seinen Vorteil zu verfolgen, indem er hinzufügte: „Erlaube mir denn zunächst die Bemerkung, daß ich nicht ein Römer bin, wie man aus dem Namen, unter dem ich mich bei dir einführte, schließen könnte, sondern ein Israelit aus dem Stamme Juda."

Der Scheich zog die Augenbrauen ein wenig in die Höhe, und Ben Hur fuhr fort: „Nicht allein aber das, Scheich, ich bin ein Jude, der eine Beschwerde gegen Rom hat, im Vergleich zu der die deine Kinderspiel ist."

Des Greisen Finger fuhren wieder mit nervöser Hast durch den Bart, und seine Augenbrauen zogen sich finster zusammen.

„Ferner schwöre ich dir, Scheich Ilderim", sagte Ben Hur weiter, „ich schwöre dir bei dem Bunde, den Jehovah mit meinen Vätern gemacht hat, wenn du mich nur die Rache an meinen Feinden nehmen läßt, die ich begehre, so sollen der Ruhm und der Preis des Rennens dein sein."

Ilderims Gesicht klärte sich zusehends auf.

„Genug", sagte er. „Wenn eine Lüge an deinem Gaumen klebt, so wäre selbst Salomo nicht sicher vor dir. Daß du kein Römer bist und als Jude Ursache zur Beschwerde gegen Rom hast und dich darum rächen möchtest, glaube ich dir gern – aber wie steht's mit der nötigen Geschicklichkeit? Kannst du die Pferde in deine Herrschaft bekommen, so daß du sie lenken kannst, wohin du willst, daß sie auf einen Zuruf von dir ihre letzten Kräfte anspannen, um das Ziel zu erreichen? Diese Gabe hat nicht jeder, mein Sohn. Ich kannte einen König, dem Millionen von Menschen auf einen Wink gehorchten, der sich aber bei keinem Pferd in Respekt setzen konnte. Paß wohl auf, ich rede nicht von dummen Tieren, die so entartet sind, daß sie gar kein Temperament mehr haben, sondern von Pferden wie den meinigen, Königen ihres Geschlechts, deren Stammbaum zurückgeht bis auf die Zeit der ersten Pharaonen, meinen Freunden und Kameraden, die mein Zelt mit mir teilen und solange mit mir zusammengelebt haben, daß sie den Menschen beinahe ebenbürtig geworden sind, die außer dem ihnen angeborenen Instinkt und Gefühlsvermögen nahezu menschliches Denken und menschliches Empfinden haben, so daß sie uns Ehrgeiz, Haß, Verachtung und Liebe nachfühlen können, im Krieg Heldenmut und im täglichen Umgang eine Hingabe und ein Vertrauen beweisen wie das zarteste Frauengemüt. Heda!"

Ein Diener trat heran, dem gebot er: „Führe meine Araber vor!"

Der Mann zog den Vorhang zurück, so daß man einer Gruppe Pferde ansichtig wurde, die nur auf Ilderims Aufforderung zu warten schienen und gravitätisch herbeigeschritten kamen, sobald ihr Herr zu ihnen sagte: „Kommt! Warum zögert ihr? Was habe ich, das ich nicht mit euch teilte? Kommt nur!"

„Sohn Israels", fuhr er dann zu seinem Gaste gewandt fort. „Dein Moses war ein gewaltiger Mann, aber ich muß lachen, wenn ich bedenke, daß er deinen Vätern erlaubte, mit Ochsen und Eseln zu pflügen, und ihnen verbot, sich Pferde zu halten. Ha! Ha! Ha! Meinst du, er hätte das getan, wenn er diesen hier – und den dort – und jenen – gesehen hätte?" Hiermit legte er die Hand auf das ihm zunächst stehende Pferd und klopfte ihm liebkosend auf den Nacken.

„Das ist ein Mißverständnis, Scheich, ein Mißverständnis! rief Ben Hur. „Moses war sowohl ein Kriegsmann wie ein von Gott begnadeter Gesetzgeber. Und einer, der sich mit Kriegführen abgibt, hat ein Herz für Pferde so gut wie für alle anderen Tiere, die im Kampf Verwendung finden."

Während er sprach, kam eines der Pferde dem jungen Manne so nahe, daß sein tadellos geformter Kopf mit den sanften, unter der dichten Mähne beinahe verschwindenden Rehaugen und den kleinen spitzzulaufenden, nach vorn gebogenen Ohren seine Brust berührten. Die Nüstern waren weit geöffnet, und die Oberlippe bewegte sich – kurz, kein Mensch hätte verständlicher fragen können: „Wer bist du?" Ben Hur erkannte in ihm auf den ersten Blick eines der vier herrlichen Geschöpfe, die er beim Rennen im Hain Daphne gesehen hatte.

„Sie werden dir sagen, die Verleumder – mögen ihre Tage nicht nur weniger, sondern auch immer kürzer werden!" rief der Scheich, als gelte es, eine ihm persönlich angetane Schmach zurückzuweisen, „sie werden dir weiß machen wollen, daß unsere besten Vollblutpferde aus den nesäanischen Auen Persiens stammen. Gott gab dem ersten Araber eine ungeheure Sandwüste mit ein paar baumlosen Gebirgen, da und dort eine Quelle bitteren Wassers und sagte zu ihm: „Das ist dein Land!" Und als sich der arme Mann beklagte, hatte Gott Mitleid mit ihm und tröstete ihn mit den Worten: „Sei guten Mutes! Ich will dich zweimal mehr segnen als alle die anderen!" Der Araber dankte und machte sich vertrauensvoll daran, den ihm verhei-

ßenden Segen zu suchen. Zuerst ging er die Grenze entlang, und als er ihn nicht fand, bahnte er sich einen Weg in die Wüste, durchstreifte sie, bis er an eine wundervolle Oase kam, in der er auf eine Herde Dromedare und eine Herde Pferde stieß! Freudigen, dankbaren Herzens ergriff er Besitz von ihnen und hielt sie hoch als die beste aller Gaben Gottes. Von dieser Oase aus wurden fortan die Pferde in alle Weltgegenden versandt, auch in die nesäanischen Auen und in die sturmgepeitschten Ebenen der nördlichen Meeresküste. Ich will dir beweisen, daß meine Worte auf Wahrheit beruhen. In jener Truhe liegen die Tafeln aufbewahrt, auf denen die Geschichte unserer sämtlichen Pferde verzeichnet steht, so daß wir genau angeben können, woher jedes einzelne Tier stammt. Wie diese, meine Lieblinge, jetzt zu uns herkommen, um sich von uns liebkosen zu lassen, so sind ihre Vorfahren von grauester Urzeit an zu den meinigen gekommen, unter ein ähnliches Zeltdach, wie das, unter dem wir jetzt sitzen, um die ihnen zugemessene Gerste aus der freien

Hand zu fressen, sich liebkosen zu lassen, wie man Kinder liebkost, und wie Kinder ihren Dank mit Küssen auszudrücken, weil sie es anders nicht können. Und nun, du magst es mir glauben, Sohn Israels, oder nicht – so gut ich unbestrittener Beherrscher der Wüste bin, sind das hier meine Minister. nimmt man sie mir, so werde ich wie ein Kranker, den die Karawane seinem Schicksal überläßt. Ihnen verdanke ich es, daß auf den Landstraßen zwischen den Städten die Furcht vor mir nicht abgenommen hat und nicht abnehmen wird, solange ich Kraft habe, mit ihnen aus- und einzugehen. Ha! Ha! Ha! Ich könnte dir die wunderbarsten Geschichten von ihren Vorfahren erzählen. Zu einer günstigeren Zeit tue ich es vielleicht, für den Augenblick genüge die Bemerkung, daß sie nie von einem Verfolger eingeholt worden sind oder einem vergeblich nachgejagt wären! Allerdings war das in der Wüste und auf dem Ritt; nun aber sollen sie zum erstenmal eingespannt werden, und der Erfolg hängt von der Erfüllung vieler Bedingungen ab, da will mir wohl etwas bange werden. Sie haben den nötigen Ehrgeiz, die Schnellfüßigkeit und Ausdauer. Finde ich einen, der sie zu lenken versteht, so werden sie sicherlich den Preis davontragen. Sohn Israels, bist du der Mann, so schwöre ich dir, der Tag, der dich hierhergebracht hat, ist ein Glückstag für dich. Nun, erzähle mir von dir!"

„Ich weiß jetzt", sagte Ben Hur, „warum der Araber seine Pferde nahezu hält wie seine Kinder, und auch, wie es kommt, daß die arabischen Pferde die besten der Welt sind. Aber guter Scheich, ich möchte nicht, daß du mich nur nach meinen Worten beurteilst, denn du weißt ja, daß die Menschen nur allzu oft hinter dem zurückbleiben, was sie versprochen haben. Gib mir morgen früh freie Hand über die Pferde, und laß sie mich auf einer der Auen hier versuchen."

Ilderims Gesicht strahlte, und er war im Begriff zu antworten, als Ben Hur sagte: „Einen Augenblick Geduld, guter Scheich – nur einen Augenblick. Ich habe manches von den römischen Meistern gelernt, ohne zu ahnen, wozu es mir eines Tages nützen werde, und ich kann dir versichern, daß diese deine Wüstensöhne unfehlbar unterliegen werden, wenn sie nicht eingeübt worden sind, gemeinsam unter dem Joch zu laufen. Bedenke, Scheich, wenn auch jeder einzelne von ihnen die Geschwindigkeit des Adlers und die Ausdauer des Löwen hat, so ist doch unter den vieren einer der langsamste und einer der schnellste, und letzterer ist immer der, der den Sieg gefährdet, während der erstere stets am meisten Aussicht hat, ans Ziel zu gelangen. Ich weiß nicht, wie mein Versuch morgen ausfallen wird. Sollte er mißlingen, so werde ich es dir offen sagen, das schwöre ich dir. Kann ich die vier so in meine Gewalt bekommen, daß sie einmütig zusammenlaufen, so sind der Preis und der Lorbeerkranz dein, mein aber die Rache. Bist du damit einverstanden?"

Ilderim hörte aufmerksam zu, indem er wohlgefällig seinen Bart streichelte. Endlich sagte er lachend: „Ich traue dir das Beste zu, Sohn Israels. Du sollst die Pferde morgen früh haben."

In demselben Augenblick vernahm man am hinteren Eingang des Zeltes ein Geräusch.

„Das Mahl ist bereit!" bemerkte Ilderim. „Und dort ist mein Freund Balthasar, mit dem ich dich bekannt machen werde. Er hat eine Geschichte zu erzählen, die zu hören ein Israelit nie müde werden sollte." Nach diesen Worten gebot er den Dienern: „Bringt die Truhe wieder an ihren Platz und führt meine Juwelen in ihr Zelt zurück!"

Zehntes Kapitel

Es wurden nun die Vorbereitungen zum Mahle getroffen, und zwar in ähnlicher Weise, wie bei der Begegnung jener drei vom Stern geleiteten Männer in der Wüste, nur standen mehr Bequemlichkeiten, eine regelrechte Bedienung zu Gebote.

Balthasar wurde an den Diwan geführt, wo ihn Ilderim und Ben Hur stehend empfingen. Er war in ein langes schwarzes Gewand gehüllt und konnte offenbar nur mühsam gehen, denn er stützte sich auf der einen Seite auf seinen Stab, auf der anderen auf den Arm eines der Diener.

„Friede dir, mein Freund!" sagte Ilderim.

Der Ägypter hob den Kopf in die Höhe und erwiderte: „Dir auch, guter Scheich – dir und den deinen – Friede und der Segen des einigen Gottes!"

Die sanfte, andächtige Art, wie er dies sagte, machte einen tiefen Eindruck auf Ben Hur, umsomehr als der Segenswunsch, den des Greisen Gruß enthielt, zum Teil auch an ihn gerichtet war, und des Alten Augen, während er die Worte sprach, mit einem so eigentümlichen Glanz auf ihm ruhten, daß ihn der Blick bis ins innerste Herz bewegte. Wieder und immer wieder mußte der junge Mann während des Mahles in das faltige bleiche Antlitz blicken, um jedoch nur den ruhigen, friedlichen, vertrauensvollen Ausdruck eines Kindes darin zu sehen.

„Das ist der, der das Brot heute abend mit uns brechen wird, o Balthasar", sagte der Scheich, die Hand auf Ben Hurs Arm legend.

Der Ägypter blickte zu dem jungen Mann auf und sah ihn dann wiederholt an, als suche er sich Rechenschaft von etwas zu geben. Der Scheich bemerkte dies und fuhr daher fort: „Ich habe ihm versprochen, ihn morgen meine Pferde versuchen zu lassen, und wenn alles gut geht, wird er sie im Zirkus lenken."

Balthasar betrachtete Ben Hur immer aufmerksamer.

„Er ist mir gut empfohlen", sagte Ilderim weiter. „Du kennst ihn vielleicht als Sohn des Arrius, eines vornehmen Römers, obwohl", fügte er lachend hinzu, „obwohl er behauptet, er sei ein Israelit aus dem Stamme Juda – und bei der Herrlichkeit Gottes, ich glaube es ihm!"

Balthasar konnte nicht länger an sich halten.

„Heute, o großmütiger Scheich, hat mein Leben in Gefahr geschwebt und wäre verloren gewesen, wenn nicht ein Jüngling, der diesem aufs Haar gleicht – wenn es nicht derselbe ist – eingegriffen und mich gerettet hätte, als alle anderen flohen." Sich hierauf an Ben Hur wendend, fragte er: „Bist du nicht dieser Jüngling?"

„So ganz stimmt die Beschreibung nicht", entgegnete Ben Hur bescheiden und ehrerbietig. „Doch bin ich der, der den Pferden des unverschämten Römers in die Zügel fiel, als sie bei dem Brunnen von Castalia auf deine Dromedare zustürzten. Deine Tochter hat mir zum Andenken einen Becher geschenkt."

Er zog den Becher aus seiner Tunika hervor und reichte ihn Balthasar. Dessen fahles Gesicht klärte sich auf, und er sagte mit zitternder Stimme, indem er Ben Hurs Hand ergriff: „Jehovah hat dich am Brunnen zu mir gesandt und sendet dich mir auch jetzt. Ich danke Ihm, und preise auch du Ihn, denn durch Seine Gnade bin ich imstande, dich für den mir geleisteten Liebesdienst zu belohnen. Den Becher behalte!"

Ben Hur steckte die Gabe wieder zu sich, und da Balthasar Ilderims Blicke fragend auf sich gerichtet sah, erzählte er ausführlich, was sich am Brunnen zugetragen hatte.

„Was!" rief der Scheich. „Das hast du mir gar nicht berichtet, junger Mann, obwohl du mir keine bessere Empfehlung hättest bringen können. Bin ich nicht Araber und Scheich über Tausende und Abertausende? Und ist Balthasar nicht mein Gast, so daß Gutes oder Übles, das ihm getan wird, mich so nahe angeht, als treffe es mich persönlich? Wo solltest du dir deine Belohnung holen, wenn nicht hier? Und welche andere Hand sollte sie dir geben, als die meinige?"

Die Stimme nahm einen immer schrilleren Ton an, so daß sie Ben Hur schließlich geradezu weh tat und er ausrief: „Schone mich, guter Scheich, ich bitte dich. Ich bin nicht um Lohnes willen gekommen, ja, um diesen Gedanken völlig von mir abzuwälzen, füge ich hinzu, daß ich die gleiche Hilfe, die ich deinem vortrefflichen Gast geleistet habe, auch deinem geringsten Knecht hätte zuteil werden lassen, wenn es nötig gewesen wäre."

„Aber er ist mein Freund – nicht mein Knecht. Siehst du nicht, wie das Schicksal dich begünstigt?" sagte der Scheich und fuhr dann, zu Balthasar gewandt, fort: „Bei der Herrlichkeit Gottes versichere ich dir – er ist kein Römer!"

Während Ilderim seine Aufmerksamkeit den Dienern zulenkte, die mittlerweile mit den Vorbereitungen zur Mahlzeit nahezu fertig waren, trat sein Gast Ben Hur einen Schritt näher und fragte in der ihm eigenen kindlich zutraulichen Weise: „Wie sagte der Scheich, daß ich dich nennen solle? Soviel ich mich erinnere, nannte er einen römischen Namen."

„Arrius, Sohn des Arrius."

„Und dennoch bist du kein Römer?"

„Alle meine Angehörigen waren Juden."

„Waren, sagst du? Sind sie nicht mehr am Leben?"

Die Frage war nicht so einfach wie sie klang, aber Ilderim ersparte Ben Hur die Antwort, indem er seine Gäste aufforderte, zum Mahl zu kommen.

Ben Hur reichte Balthasar den Arm und führte ihn an den kaum einen Fuß hohen Tisch, worauf sich nach Sitte der Orientalen jeder auf den für ihn bereitgelegten Teppich niederließ, sich in dem Waschbecken, das einer der Diener ihm brachte, die Hände wusch und diese mit einem Tuch abtrocknete. Auf einen Wink des Scheichs standen dann die Diener still. Dann betete der Ägypter mit ehrfurchtsvoller Stimme und heiliger Andacht: „Allvater – Gott! Was wir haben, kommt von Dir. Nimm unseren Dank und segne uns, damit wir fortfahren können, Deinen Willen zu tun."

Es war das gleiche Tischgebet, das der gute Mann vor Jahren bei jener Mahlzeit in der Wüste gemeinsam mit seinen Brüdern, dem Griechen Kaspar und dem Inder Melchior, zum Himmel emporgesandt hatten, wenn auch jeder in einer anderen Sprache.

Während des Mahles, das alle orientalischen Leckerbissen aufwies, die man sich denken kann, wurde nur wenig gesprochen, denn die drei Männer waren hungrig. Aber als der Nachtisch die Runde machte, lösten sich die Zungen.

In einer solchen Gesellschaft – mit einem Araber, einem Juden und einem Ägypter –, die alle an einen einigen Gott glaubten, konnte zu jener Zeit nur ein Thema verhandelt werden, und wer anders sollte von diesen Dreien das Wort führen, als der, dem Gott nahezu persönlich erschienen war, der Ihn in einem Stern gesehen, Seine Stimme gehört hatte und in so wunderbarer Weise von Seinem Geiste in weite Ferne geleitet worden war? Und wovon sollte er sonst sprechen, als von dem, wovon zu zeugen er berufen war?

Elftes Kapitel

Beim Schein der auf einem ehernen Armleuchter aufgesteckten vier silbernen Öllampen erzählte der Ägypter das Erlebnis von seiner Begegnung mit dem Griechen und dem Inder mitten in der Wüste und stimmte mit dem Scheich überein, daß es siebenundzwanzig Jahre her war, seit er und seine Gefährten auf der Flucht vor Herodes vor sein Zelt kamen und um Obdach baten. Die Erzählung wurde mit tiefem Interesse angehört, sogar seitens der Diener, am meisten Eindruck aber machte sie auf Ben Hur, denn er lauschte ihr als einer Offenbarung von unaussprechlicher Bedeutung für das ganze Menschengeschlecht, vor allem aber für das Volk Israel. In seinem Geist setzte sich ein Gedanke fest, der seinem Leben eine ganz andere Richtung geben, wenn nicht völlig ausfüllen sollte.

Je weiter Balthasar in seiner Erzählung kam, um so tiefer fühlte sich der junge Israelit davon ergriffen, ja, es stieg kein Zweifel an deren Wahrhaftigkeit in seiner Seele auf. Er hätte nur zu gern gewußt, welche Folgen das wunderbare Ereignis nach sich ziehen werde.

Scheich Ilderim war die Geschichte nicht neu. Er hatte sie von den drei Weisen unter Umständen gehört, die keinen Raum für einen Zweifel ließen. Ja, er hatte die Sache so ernst genommen, daß er sogar der Gefahr getrotzt hatte, den Zorn Herodes des Ersten auf sich zu laden, indem er jenen Weisen Zuflucht gewährte. Einer von ihnen saß nun wieder als willkommener, verehrter Gast an seinem Tisch. Gewiß glaubte Scheich Ilderim die Geschichte, doch es lag in der Natur der Sache, daß sie nicht denselben gewaltigen Eindruck auf ihn machte wie auf Ben Hur. Er war ein Araber, für den die Folgen des Ereignisses nur von allgemeiner Bedeutung waren, während Ben Hur die Sache als Isrealit mit einem spezifisch jüdischen Interesse aufnahm.

Man bedenke, daß er von frühester Kindheit an vom Messias gehört hatte. Auch war er in der Synagoge mit allem vertraut gemacht worden, was man über den wußte, der zugleich die Hoffnung, der Schrecken und die Herrlichkeit des auserwählten Volkes war – von dem die Propheten vom Ersten bis zum Letzten geweissagt hatten, dessen Kommen Gegenstand endloser Mutmaßungen seitens der Rabbiner war – von dem die Lehrer der jüdischen Nation in den Synagogen, Schulen und Tempeln, an allen Fast- und Festtagen, privat und in der Öffentlichkeit sprachen, bis alle Kinder Abrahams, wohin ihr Los sie auch verschlug, die Hoffnung auf den verheißenden Messias mit sich herumtrugen und mit eiserner Strenge ihr Leben im Blick darauf einrichteten.

Aus dem Gesagten ergibt sich, daß unter den Juden selbst viel über den Messias gestritten wurde, aber der Streit drehte sich ausschließlich um den Zeitpunkt seines Kommens, hingegen herrschte vollkommene Übereinstimmung der Ansichten über jenen anderen Punkt, daß „der König der Juden", als politischer König, als Cäsar kommen, durch seine Anhänger mit den Waffen in der Hand den Erdboden erobern und im Namen Gottes zu deren Gunsten die Herrschaft ausüben werde. Auf diesen Glauben gründeten die Pharisäer oder Separatisten ein den Traum des Mazedoniers weit überragendes Hoffnungsgebäude.

Was Ben Hur betraf, so hatte er es zwei verschiedenen Lebensführungen zu verdanken, daß er verhältnismäßig frei vom Einfluß und den verhärtenden Einwirkungen des kühnen Glaubens seiner separatistischen Landsleute geblieben war.

Erstens gehörte sein Vater der Sekte der Sadduzäer an, also den Liberalgesinnten jener Zeit, die zwar strenge Beobachter des mosaischen Gesetzes waren, aber der vielen von den Rabbinern gemachten Zusätze spotteten. Sie waren mehr eine philosophisch als religiös gerichtete Sekte, versagten sich die Genüsse des Lebens in keiner Weise und waren in politischer Beziehung entschiedene Gegner der Separatisten. Wären die Dinge ihren natürlichen Lauf gegangen, so hätte der Sohn die Anschauungen und Eigentümlichkeit der Sadduzäer von seinem Vater übernommen so gut wie dessen Besitztümer, und

wie wir gesehen haben, war er bereits im Begriff, sich diese anzueignen, als das Ereignis eintrat, das ihn davor bewahrte.

Wir dürfen hier nicht unerwähnt lassen, daß Ben Hur die Anschauungen der meisten seiner Zeitgenossen teilte, sofern diese
nicht der römischen Nation angehörten. Sein fünfjähriger Aufenthalt in Rom als Adoptivsohn des Arrius gab ihm reichlich
Gelegenheit, den Jammer und das Elend der von den Römern
unterjochten Völker zu sehen und zu studieren, und in der
Überzeugung, daß die Übelstände, unter denen letztere litten,
politischer Natur waren und nur durch das Schwert geheilt werden konnten, machte er sich daran, sich die nötige Ausbildung
anzueignen, um am Tage des Kampfes seinen Mann stellen zu
können. Das Waffenhandwerk hatte er gründlich erlernt, aber
im Kriegsfall genügt das nicht. Wer da durchschlagende Erfolge
erzielen will, muß, wie schon erwähnt, mit der Heerführung
vertraut sein. Das stimmte völlig mit seinen Lebensplänen
überein und sagte ihm um so mehr zu, als ihm die Rache des ihm
persönlich angetanen Unrechts im Krieg leichter ausführbar erschien als im Frieden.

Man kann danach verstehen, mit welchen Gefühlen er Balthasars Worten lauschte, berührte dessen Erzählung doch die
zwei empfindsamsten Punkte seines Wesens. Sein Herz klopfte
immer gewaltiger, je mächtiger sich die Überzeugung in ihm
Bahn brach, daß die Geschichte, die er vernahm, auf Wahrheit
beruhte und daß das auf so wunderbare Weise aufgefundene
Kind der Messias war. Höchst verwundert, daß Israel der
merkwürdigen Offenbarung gegenüber so kalt blieb und er
selbst bisher nie davon gehört hatte, verlangte er sehnlichst danach zu erfahren, wo sich das Kind zur Zeit befand und welches
seine Mission war.

Sich entschuldigend, daß er den Gang der Erzählung unterbrach, suchte er Balthasar seine Ansichten über den Gegenstand zu entlocken und fand zu seiner großen Befriedigung, daß
der Greis durchaus nicht zurückhaltend mit seinen Mitteilungen war.

Zwölftes Kapitel

„Oh, wie schnell würde ich zu Ihm gehen, wenn ich wüßte, wo
Er ist", sagte Balthasar in seiner einfachen, ernsten Weise.
„Weder Meere noch Gebirge könnten mich aufhalten."

„Du hast also versucht, Ihn aufzufinden?" fragte Ben Hur.

Ein Lächeln flog über des Ägypters Züge.

„Das erste, was ich mir zur Aufgabe machte, als ich den mir
freundlich gewährten Bergungsort verließ, war, nach dem Kind
zu forschen", antwortete er, „aber es war mittlerweile ein gan-

zes Jahr verstrichen, und da Herodes noch in der gleichen blutdürstigen Stimmung war, wagte ich nicht, selbst nach Judäa zu
gehen. Einige meiner ägyptischen Landsleute, die meinem Bericht von den wunderbaren Dingen, die ich gesehen und gehört
hatte, Glauben schenkten, sich mit mir der Geburt des Heilands
freuten, und nie müde wurden, die Geschichte zu hören, gingen
an meiner Stelle hin, das Kind zu suchen. In Bethlehem angekommen, fanden sie wohl die Herberge und den Stall, aber
nicht den Hüter, der in der Nacht, in der es zur Welt kam, am
Tor Wache hielt. Der König hatte ihn beiseitegeschafft, und
man hatte ihn nie wieder gesehen."

„Aber den einen oder anderen Beweis fanden sie doch sicherlich?" fragte Ben Hur begierig.

„Jawohl, blutige Beweise", antwortete der Greis. „Ein in
tiefste Trauer versetztes Dorf, Mütter, die ihre Kinder bewein-
ten, denn als Herodes von unserer Flucht hörte, sandte er Leute
hin und ließ alle Kinder in Bethlehem, die noch nicht das zweite
Lebensjahr vollendet hatten, töten. Nicht eins von ihnen kam
davon. Die von mir ausgesandten Männer kamen, in ihrem
Glauben gestärkt, zu mir zurück, brachten aber die Kunde mit,
das Kind sei mit den anderen unschuldigen Würmern umge-
bracht worden. Das kann ich aber heute so wenig glauben wie
damals."

„Ach so, du hast noch anderweitig Nachricht bekommen!"
rief Ben Hur sichtlich erleichtert.

„Nicht doch", erwiderte Balthasar gesenkten Blickes. „Der
Stern, der uns zu dem Kind geleitet hatte, war nicht mehr zu sehen, als wir aus der Höhle kamen, wo wir dem neugeborenen
König gehuldigt und Ihm unsere Schätze dargebracht hatten.
Wir waren demnach wieder uns selbst überlassen. Soviel ich
mich erinnere, war das letzte, was uns der Geist eingab, daß wir
bei Ilderim Schutz gegen den Zorn des Herodes suchen sollten."

„Ja", sagte der Scheich, „ihr erzähltet mir damals, der Geist
habe euch zu mir gesandt."

„Ich habe keine besondere Offenbarung erhalten", fuhr Balthasar fort, als er sah, wie niedergeschlagen Ben Hur war. „Aber ich habe in den langen Jahren Zeit gehabt, die Sache reiflich vor Gott zu erwägen, und ich darf dir vor Seinem Angesicht bezeugen, daß mein Glaube um kein Haar schwächer ist als in jener Stunde, da ich am Ufer des Sees zum erstenmal den Ruf des Geistes vernahm. Willst du mir noch länger Gehör schenken, so will ich dir auseinandersetzen, warum ich glaube, daß das Kind noch am Leben ist."

Sowohl Ilderims wie Ben Hurs Mienen verrieten gespanntes Interesse, und das teilte sich den Dienern mit, die sich dem Diwan näherten, damit ihnen kein Wort entgehe. Im ganzen Zelt herrschte tiefe Stille. „Wir glauben alle drei an Gott", begann Balthasar, indem er ehrerbietig den Kopf neigte. „Und Er ist die Wahrheit", fuhr er fort. „Sein Wort ist ewig wie Er selbst. Die Berge mögen einstürzen, die Meere vertrocknen, aber Sein Wort besteht ewiglich, weil es Wahrheit ist und die Wahrheit nicht untergehen kann. Die Stimme, die keine andere war als die Seinige, sagte damals am Ufer des Sees zu mir: ‚Gesegnet bist du, Sohn Mizraims! Die Erlösung naht. Du und zwei andere, die von den entgegengesetzten Enden der Erde kommen werden, ihr sollt den Heiland der Welt sehen.' Den Heiland habe ich gesehen – gelobt sei Sein Name –, aber der zweite Teil der Verheißung, die Erlösung, ist noch nicht erschienen. Verstehst du nun? Ist das Kind tot, so ist niemand da, der die Erlösung zustandebringt – dann fällt das Wort hin, das Gott zu mir sagte, und Gott – ich wage die weitere Schlußfolgerung nicht auszusprechen."

Bei diesen Worten hob der Greis voll Entsetzen die Hände empor.

„Die Erlösung zu erwirken, ist das Kind zur Welt gekommen, und solange die Verheißung besteht, kann es auch der Tod nicht von seinem Werk scheiden, bis dieses erfüllt ist oder seiner Erfüllung entgegengeht. Das ist der eine Grund, weshalb ich glaube, daß das Kind am Leben ist. Aber höre weiter."

Der Greis trank einen Schluck Wein und fuhr dann, augenscheinlich erfrischt, fort: „Der Heiland, den ich gesehen habe, war ein vom Weibe Geborener wie wir, und also nicht nur der menschlichen Natur teilhaftig, sondern denselben Leiden unterworfen wie unsereiner – selbst dem Tod. Das mache dir in erster Linie klar, und dann überlege, ob es nicht eines weisen, festen, verständigen Mannes – nicht aber eines Kindes – zur Ausführung eines Werkes, wie das in Frage stehende, bedarf. Um das zu werden, mußte Er wachsen wie unsereiner. Stelle dir nun die Gefahren alle vor, denen sein Leben in der langen Zeit von der Kindheit bis zum Mannesalter ausgesetzt war. Die gewalthabenden Mächte waren Ihm feindlich gesinnt – zunächst Herodes. Wie Rom sich zu Ihm stellen würde, mußte sich erst noch zeigen, und damit Israel Ihm nicht am Ende zufalle, sollte Er aus der Welt geschafft werden. Siehst du nun? Welch besseres Mittel gab es, Sein Leben in dem hilflosen Kindesalter zu erhalten, als das Aufwachsen in der Verborgenheit? Darum sage ich mir zur Stärkung meines Glaubens, der übrigens noch keinen Augenblick erschüttert war: Der Heiland ist nicht tot, sondern nur für eine Zeitlang verschollen, und da Er Sein Werk noch nicht vollbracht hat, wird Er sicherlich wiederkommen."

Ilderims kleine arabische Augen leuchteten verständnisinnig auf, und Ben Hur fügte hinzu: „Ich meinerseits kann ihnen wenigstens nicht widersprechen. Was weiter, bitte?"

„Genügt das Gesagte dir noch nicht, mein Sohn?" entgegnete Balthasar in ruhigerem Ton. „Als ich erkannte, daß es Gottes Wille war, daß das Kind nicht gefunden werde, faßte ich meine Seele in Geduld und verlegte mich aufs Warten." Er hob die Augen mit dem Ausdruck seligen Vertrauens zum Himmel empor und fuhr fort: „Ich warte noch immer. Er lebt und weiß Sein wichtiges Geheimnis wohl zu bewahren. Was schadet es, wenn ich auch nicht zu ihm gehen, noch Berg oder Tal nennen kann, die ihm zum Zufluchtsort dienen? Ich weiß, daß Er lebt, denn Gott kann Sein Wort nicht brechen."

Es durchzuckte Ben Hurs Seele mit heiliger Ehrfurcht, als er diese Worte hörte, und jede Spur von Zweifel, die ihm gekommen sein mochte, schwand wie der Nebel vor der Morgensonne.

„Wo glaubst du, daß Er sich aufhält?" fragte er leise.

Balthasar blickte ihn freundlich an und erwiderte: „Vor einigen Wochen saß ich daheim in meinem Haus am Nil und bewegte diese Dinge in meinem Herzen. Ein dreißigjähriger Mann, sagte ich mir, sollte seine Felder bereits bestellt haben, denn danach bricht die Sommerzeit des Lebens an, in der der Same, den er ausgestreut hat, knapp zur Reife gelangt. Das Kind, dachte ich ferner, ist jetzt siebenundzwanzig Jahre alt – also ist es nahezu Zeit, daß es mit der Aussaat beginnt. Ich stellte mir die gleiche Frage, die du mir soeben gestellt hast, mein Sohn, und beantwortete sie damit, daß ich hierherkam und diesen Ort zur Ruhestätte wählte, weil er nahe bei dem Land liegt, das Gott deinen Vätern gegeben hat. Wo sollte Er auftreten, wenn nicht in Judäa? In welcher Stadt sollte er Sein Werk beginnen, wenn nicht in Jerusalem? Wer sollte der Segnungen, die Er bringt, in erster Linie teilhaftig werden, wenn nicht die Kinder Abrahams, Isaaks und Jakobs? Bekäme ich den Auftrag, Ihn zu suchen, so würde ich in den Weilern und Dörfern Nachforschung halten, die an den Gebirgsabhängen von Judäa liegen. Ich bin überzeugt, dort ist Er."

Balthasar deutete mit erhobener Hand und ausgestrecktem Finger in die Richtung von Judäa. Von seiner tiefen Bewegung fortgerissen, hatten sämtliche Zuhörer, inbegriffen die Diener, das Gefühl, als stehe unter der Zelttür eine geheimnisvolle, majestätische Gestalt. Und diese schwand auch nicht sogleich. Die um den Tisch Versammelten blieben eine Weile in tiefes Nachdenken versunken, bis endlich Ben Hur das Schweigen brach und sagte: „Ich erkenne, guter Balthasar, daß dir eine wunderbare Gnade zuteil geworden ist. Ich kann nicht aussprechen, wie dankbar ich dir bin für das, was du uns mitgeteilt hast. Mache nun aber das Maß deiner Güte voll, ich bitte dich, indem du uns Näheres über die Mission dessen sagst, auf dessen Kommen du wartest, und auf den auch ich vom heutigen Abend an warten werde, wie es sich für einen gläubigen Sohn Judas geziemt. Du hast angedeutet, Er komme als Erlöser; wird er nicht zugleich König der Juden sein?"

„Mein Sohn", sagte Balthasar in seiner wohlwollenden Art, „der Zweck dieser Mission ist noch in Dunkel gehüllt. Die Ansicht, die ich persönlich über den Gegenstand hege, fußt auf der mir seinerzeit gewordenen Antwort auf das in der Wüste von mir zu Gott emporgesandte Gebet. Dieselbe lautete: ‚Deine guten Werke haben den Sieg davongetragen. Die Erlösung ist nahe. Du wirst den Heiland sehen.‘ Danach ging ich fröhlich meines Weges nach Jerusalem. Wem gilt nun diese Erlösung? Der ganzen Welt. Und welcher Art wird sie sein? Sie wird keinen politischen Zweck verfolgen, nicht darin bestehen, daß diese und jene Herrscher abgesetzt und andere an ihrer Stelle auf den Thron erhoben werden. Wäre das alles, so wäre Gottes Weisheit nicht unübertrefflich. Ich sage euch: Der, der da kommt, ist ein Erlöser der Seelen, und das Heil, das Er bringt, besteht darin, daß der Gerechtigkeit wieder Raum gemacht wird auf Erden, so daß Gott wieder unter uns wohnen kann."

Auf Ben Hurs Gesicht war bittere Enttäuschung zu lesen – sein Kopf senkte sich. Aber er war im Augenblick nicht imstande, die Ansicht des Ägypters zu widerlegen. Ilderim hingegen rief: „Bei der Herrlichkeit Gottes, das wäre ganz gegen alles Herkommen! Jede Gemeinschaft muß einen Führer haben, der mit einer gewissen Macht bekleidet ist, sonst kann von irgendwelcher Reform nicht die Rede sein."

Balthasar antwortete ernst: „Deine Weisheit, guter Scheich, ist von der Welt, und du vergißt, daß wir gerade von unserer irdischen Denkungsweise erlöst werden sollen. Der Ehrgeiz des Königs geht darauf aus, sich die Menschen untertan zu machen; Gottes Sehnen ist die Rettung unsterblicher Menschenseelen."

Ilderim schüttelte unwillig den Kopf, entgegnete aber nichts, während Ben Hur bescheiden fragte:

„Vater – du gestattest wohl, daß ich dich so nenne –, nach wem solltest du dich an den Toren Jerusalems erkundigen?"

„Ich sollte fragen: ‚Wo ist der neugeborene König der Juden?'" erwiderte Balthasar ruhig.

„Und du hast Ihn in einer Grotte in der Nähe von Bethlehem gefunden?"

„Wir haben Ihn gesehen, angebetet und ihm Geschenke gebracht: Melchior Gold, Kaspar Weihrauch und ich Myrrhen."

„Wenn du Tatsachen anführst, Vater, so kommt mir keine Spur von Zweifel", sagte Ben Hur. „Aber welche Art von König du aus dem Kinde machen willst, kann ich mit dem besten Willen nicht begreifen. Ich kann mir keinen Herrscher ohne eine gewisse Machtstellung und gewisse Pflichten denken."

„Sohn", entgegnete Balthasar, „wir sind gewöhnt, den uns naheliegenden Dingen weit mehr Aufmerksamkeit zu schenken als den entfernteren, mögen letztere noch so wichtig sein. So siehst du jetzt nur den Titel ‚König der Juden'. Erhebe deine Augen zu dem dahinterliegenden Geheimnis, so ist der Stein des Anstoßes aus dem Wege geräumt. Bezüglich des Titels möchte ich nur eines sagen: Israel hat bessere Tage gesehen – Tage, in denen es Jehovah liebevoll ‚Sein Volk' nannte und durch Propheten mit ihm verkehrte. Wenn Er ihm nun zu jener Zeit den Heiland, den ich sah, verhieß – und zwar als König der Juden –, so mußte dessen Erscheinen der gegebenen Verheißung wenigstens dem Wortlaut nach entsprechen. Nun wirst du verstehen, warum ich an den Toren Jerusalems nach dem König der Juden fragen sollte. Was nun zweitens die Würde des Kindes betrifft, so frage dich: War es nach irdischem Ehrbegriff eine Würde, Nachfolger des Herodes zu sein? Hatte Gott nicht etwas Besseres für seinen geliebten Sohn? Wenn du dir den allmächtigen Vater um einen Titel verlegen denken kannst, so daß er sich zu menschlichen Erfindungen herablassen müßte, warum ließ Er mich dann nicht lieber nach einem Cäsar fragen? Willst du das, wovon wir sprechen, seinem innersten Wesen nach verstehen, so blicke höher hinauf, ich bitte dich! Frage lieber, worüber der, den wir erwarten, König sein soll; denn ich sage dir, mein Sohn, das ist der Schlüssel zu dem Geheimnis, und wer diesen Schlüssel nicht hat, wird das Geheimnis niemals verstehen."

Balthasar erhob die Augen andächtig zum Himmel.

„Es gibt ein irdisches Königreich, wenn es auch nicht von dieser Welt ist – ein Königreich, das weit über die Grenzen von Wasser und Land hinausgeht. Es existiert so gut, wie unsere Herzen existieren, und wir durchreisen es von unserer Geburt an bis zu unserem Lebensende, ohne es zu sehen, noch wird es irgend jemand sehen, bis er seine Seele gesehen hat, denn das Königreich ist für seine Seele, nicht für ihn. Und in der Herrschaft, die es ausübt, liegt eine Herrlichkeit, die alles Denken übersteigt."

„Deine Worte sind mir ein Rätsel, Vater", sagte Ben Hur, „ich habe nie von einem solchen Königreich gehört."

„Ich auch nicht", fügte Ilderim hinzu.

„Und ich darf nicht mehr darüber sagen", versetzte Balthasar, indem er demütig die Augen niederschlug. „Was es ist, wie es ist, und wie man hineinkommt, kann niemand erfahren, bis das Kind kommt und Besitz davon nimmt als von Seinem Eigentum. Er bringt den Schlüssel zu dem Tor mit, das Er den Seinen öffnen wird, nämlich allen, die Ihn lieben, denn nur ihnen gilt die Erlösung."

Hiermit endete das Gespräch, und es entstand eine lange Pause, bis Balthasar in seiner ruhigen Weise sagte: „Guter Scheich, morgen oder übermorgen gehe ich für einige Zeit in die Stadt. Meine Tochter möchte gern die Vorkehrungen sehen, die für die bevorstehenden Spiele getroffen werden. Ich werde dir die genaue Zeit unserer Abreise noch mitteilen. Und dich, mein Sohn, werde ich noch sehen. Euch beiden Friede und eine gute Nacht."

Alle erhoben sich. Nachdem der Ägypter das Zelt verlassen hatte, sagte Ben Hur: „Scheich Ilderim, ich habe heute seltsame Dinge gehört. Erlaube mir, am See auf und ab zu gehen und darüber näher nachzudenken."

„Tu das", erwiderte der Scheich, „ich werde dir folgen."

184

FÜNFTES BUCH

Erstes Kapitel

Am Morgen nach Ben Hurs Begegnung mit Messala im Hain Daphne traten zwei Eilboten in des letzteren Zimmer, von denen jeder ein versiegeltes Schreiben aus des Römers eigener Hand in Empfang nahm – einen Brief an den noch in Cäsarea weilenden Statthalter Valerius Gratus. Einer der Boten sollte den Land-, der andere den Seeweg benützen, und beiden wurde aufs dringendste eingeschärft, sich ja nicht unterwegs aufzuhalten, denn die Papiere seien von äußerster Wichtigkeit.

Da es für das Verständnis der Erzählung nötig ist, daß der Leser den Inhalt des Briefes kennt, führen wir denselben hier an, wenn auch nur auszugweise.

Antiochien, XII. Kal. Iul.

Mein Midas! Nimm mir die Anrede nicht übel, sie ist von Liebe und Dankbarkeit diktiert.

Ich habe Dir, o mein Midas, eine erstaunliche Mitteilung zu machen, der Du ohne Zweifel sofortige Beachtung schenken wirst.

Du wirst mir erlauben, daß ich zuerst Dein Gedächtnis etwas auffrische. Du erinnerst Dich wohl, daß vor Jahren die Familie eines sehr reichen, von einem außerordentlich alten Geschlecht stammenden Fürsten in Jerusalem lebte, aber infolge eines Mordversuchs, den der einzige Sohn auf Deine erhabene Person gemacht haben soll, verhaftet und ihrer Güter verlustig erklärt wurde. Da letzteres mit Genehmigung des ebenso gerechten wie weisen Cäsars geschehen ist, kann es uns nicht zur Schande gereichen, der Summen Erwähnung zu tun, die Dir und mir aus dieser Quelle zugeflossen sind, und für die ich nie aufhören kann, Dir dankbar zu sein, wenigstens nicht, solange ich in ungestörtem Genuß des mir zugefallenen Anteils bin.

Zum Ruhme Deiner Weisheit erinnere ich Dich ferner an die Vorkehrungen, die Du dazumal betreffs der Familie Hur trafest. Wir hatten uns dahin geeinigt, daß es am geratensten sei, sie einem langsamen, aber sicheren Tode preiszugeben und die Angelegenheit so geheim wie möglich zu betreiben. Wenn ich nun dennoch dem Wunsch nicht widerstehen kann, zu erfahren, ob die Mutter und Schwester des Übeltäters noch unter den Lebenden weilen oder nicht, so bin ich überzeugt, daß Du mir bei Deiner bekannten Liebenswürdigkeit die Gewährung dessen nicht versagen wirst. Der Jüngling, der den Stein gegen Dich geschleudert haben soll, wurde zu den Galeeren verurteilt, und zwar lebenslänglich. Die meisten Sträflinge erliegen schon im ersten Jahr dem schrecklichen Frondienst auf der Ruderbank – ich rechnete darum fest darauf, daß der junge Ben Hur tot ist, und genoß in aller Gemütsruhe das Vermögen, das mein ehemaliger Spielgenosse mir – wenn auch unfreiwilligerweise – hinterlassen hat.

Gestern abend ist mir nun eine merkwürdige Geschichte zu Ohren gekommen. Der Konsul Maxentius kommt heute, wie Du weißt, hierher, um die letzten Vorkehrungen zu einem Feldzug gegen die Parther zu treffen. Unter den Ehrgeizigen, die ihn begleiten werden, ist ein Sohn des verstorbenen Duumvirs Arrius. Ich hatte Gelegenheit, nähere Erkundigungen über ihn einzuziehen und hörte, er sei Galeerensträfling gewesen, habe Arrius das Leben gerettet, als dieser während des Kriegszugs gegen die Piraten dem Ertrinken nahe war, und sei von dem damaligen Tribun an Kindes Statt angenommen worden, so daß er nun nicht nur Besitzer eines großen Vermögens, sondern sogar römischer Bürger ist. Du sitzt allerdings zu fest, edler Gratus, als daß Dich diese Kunde irgenwie erschüttern könnte, aber ich bin in Gefahr – in welcher brauche ich Dir nicht erst zu sagen, das weißt Du so gut wie ich.

Falls Du geneigt wärest, die Sache leicht zu nehmen, o mein Gratus, will ich Dir nicht vorenthalten, daß ich den geheimnisvollen Sohn des Arrius gestern von Angesicht zu Angesicht sah und es für mich keinem Zweifel unterliegt, daß er mein früherer Spielgenosse ist, eben dieser Ben Hur, der, wenn er ein Mann ist – sei es auch nur einer von der allergewöhnlichsten Sorte –, im Augenblick, da ich dies schreibe, auf tödliche Rache sinnt, auf Rache für sein Vaterland, seine Mutter und Schwester, für seine eigene Person und auch für den Verlust seines Vermögens.

Was ist nun zu tun, edler Gratus? Ich werde hier Deine Antwort abwarten.

Ich habe den Juden gestern im Hain Daphne gesehen, und wenn er nicht mehr dort sein sollte, so ist er jedenfalls in der Nachbarschaft. Ja, ich glaube mit Bestimmtheit sagen zu können, daß er dann im alten Palmenhain zu finden ist, im Zelt des Verräters Scheich Ilderim, der sich unserer starken Hand nicht mehr lange wird entziehen können. Wundere Dich nicht, wenn eine der ersten Maßnahmen des edlen Maxentius darin bestehen wird, daß er den alten Araber auf einem Schiff nach Rom sendet.

Hast Du einen Entschluß gefaßt, edler Gratus, so vertraue ihn

mir an und rechne zu dessen Ausführung auf die Dienstwilligkeit
Deines treuesten Freundes, der zugleich Dein gelehrigster Schüler zu sein wünscht.

Messala

Zweites Kapitel

Ungefähr um die gleiche Stunde, als die Eilboten Messalas Zimmer verließen, trat Ben Hur in Ilderims Zelt.

Der Scheich begrüßte ihn mit den Worten: „Friede sei mit dir, Sohn des Arrius. Die Pferde sind bereit. Ich bin bereit. Bist du es auch?"

„Ich wünsche dir den gleichen Frieden, den du mir gewünscht hast, edler Scheich, und ich danke dir für alles Wohlwollen, das du mir beweist. Ich bin bereit."

Ilderim klatschte in die Hände und befahl dem herbeieilenden Diener, die Pferde zu bringen.

„Sind sie angeschirrt?"

„Nein."

„Dann gestatte, daß ich es selbst tue", sagte Ben Hur. „Ich muß Bekanntschaft mit deinen Arabern machen. Befiehl deinen Dienern, das Geschirr zu bringen."

„Und den Wagen?" fragte der Scheich.

„Nein, für heute nicht. Aber anstatt dessen ein fünftes Pferd, und zwar ungesattelt und schnellfüßig wie die anderen."

Ilderims Neugierde war erregt, und er ließ sein eigenes Leibpferd herbeiführen, seinen vielgeliebten Sirius, der seit zwanzig Jahren sein Zelt- und Kampfgenosse war.

Nachdem Ben Hur mit eigener Hand die prächtigen Tiere angeschirrt hatte, schwang er sich leicht wie der gewandteste Araber auf des Scheichs Lieblingsroß und sagte: „So, jetzt bin ich bereit, guter Scheich. Gib mir einen Führer mit ins Feld, und laß Wasser hinaustragen."

Die Pferde machten keinerlei Schwierigkeit. Es war, als herrsche bereits ein gewisses Einvernehmen zwischen ihnen und ihrem neuen Lenker, der seine Sache so ruhig gemacht hatte, daß die Tiere offenbar Vertrauen gewannen. Es wurde dieselbe Ordnung eingehalten wie beim Fahren, nur daß Ben Hur auf dem Rücken des Sirius saß, anstatt auf dem Wagen zu stehen.

Ilderim strich sich vergnügt den Bart und murmelte leise, aber mit sichtlicher Befriedigung vor sich hin: „Er ist kein Römer – das sieht man deutlich!"

Nicht nur der Scheich, sondern alle Bewohner des „douar", Männer, Frauen und Kinder, gingen hinter den Pferden her und folgten mit Spannung jeder Bewegung des jungen Mannes. Selbst Balthasar und zwei dicht verschleierte Frauen fanden sich unter den Zuschauern ein.

Während der Scheich unverhohlen seiner Bewunderung Ausdruck gab, erschien Malluch auf der Bildfläche, ging auf ihn zu und sagte: „Ich habe eine Botschaft vom Kaufmann Simonides für dich, o Scheich."

„Von Simonides!" rief der Araber. „Gut. Möge Abbadon sich aller seiner Feinde bemächtigen!"

„Er hieß mich, dir zuerst den heiligen Frieden Gottes zu wünschen und dir danach diese Briefe auszuhändigen", fuhr Mal-

190

luch fort. „Ich soll dich bitten, du mögest sie sofort nach Empfang lesen."

Ilderim brach die Siegel und las wie folgt:

Nr. 1.
Simonides an Scheich Ilderim

O Freund!

Vor allem sei meiner herzlichen Zuneigung versichert.

Es ist in Deinem „douar" zur Zeit ein Jüngling von sehr einnehmendem Äußeren. Er nennt sich „Sohn des Arrius" und ist auch in der Tat des Duumvirs Adoptivsohn.

Derselbe ist mir sehr teuer.

Er hat eine wunderbare Geschichte hinter sich, die ich Dir erzählen will. Also komm heute oder morgen, denn ich bedarf Deines·Rates.

Einstweilen gewähre ihm jeden ehrenhaften Wunsch. Sollten Dir daraus Kosten erwachsen, so bin ich zu jeglicher Vergütung bereit.

Laß Dir nicht anmerken, daß ich mich für den jungen Mann interessiere.

Empfiehl mich Deinen anderen Gästen. Ich habe für Dich, den Ägypter Balthasar und seine Tochter und wen Du sonst belieben magst, zu den Spielen mitzubringen, Plätze im Zirkus zurückgehalten.

Friede sei mit Dir und allen den Deinen.

Was sollte ich anders sein, o mein Freund, als Dein Freund?

Simonides

Nr. 2.
Simonides an Scheich Ilderim

O Freund!

Aus dem reichen Schatz meiner Erfahrung sende ich Dir ein Wort.

Heute kommt der Konsul Maxentius.

Sei auf Deiner Hut.

Soll eine Verschwörung gegen Dich gelingen, so muß Herodes

*daran beteiligt sein. Du hast viele Güter in den unter seiner Bot-
mäßigkeit stehenden Ländern.*

Darum wache.

*Schicke heute vormittag vertrauenswerte Männer auf die
Landstraßen südlich von Antiochien, und laß jeden Eilboten, der
aus der Stadt kommt oder dorthin geht, gründlich durchsuchen,
und wenn bei dem einen oder anderen Papiere gefunden werden,
die sich auf Angelegenheiten beziehen, die von persönlichem Interesse für Dich sein können, so lies sie ohne Verzug.*

*Du hättest dieses Schreiben gestern erhalten sollen, aber wenn
Du nicht zögerst, so ist es auch jetzt noch nicht zu spät.*

Verliere keine Zeit.

Verbrenne den Brief, wenn Du ihn gelesen hast.

O mein Freund, Dein Freund.

Simonides

Ilderim las die Briefe wiederholt durch und steckte sie dann in
seinen Gürtel.

Nachdem Ben Hur die Pferde etwa im ganzen zwei Stunden
lang eingeübt hatte, ließ er sie Schritt gehen und sagte, dabei vor
Ilderim stehenbleibend: „Mit deiner Erlaubnis, o Scheich, will
ich deine Araber jetzt bis heute Nachmittag ins Zelt zurückbringen."

Ilderim ging auf ihn zu und erwiderte: „Ich überlasse sie dir
bis nach den Spielen, Sohn des Arrius. Du kannst mit ihnen machen, was du willst. Du hast in zwei Stunden mehr mit ihnen erreicht als ein Römer in vielen Wochen. Wir werden gewinnen –
ich bin fest überzeugt."

Im Zelt angelangt, blieb Ben Hur bei den Pferden, während
sie versorgt wurden, nahm dann ein Bad, legte sein jüdisches
Gewand wieder an und ging mit Malluch im Hain spazieren, um
Gelegenheit zu haben, ihm seine Aufträge bezüglich der noch
für das Rennen zu treffenden Vorkehrungen zu geben.

Mittlerweile schickte Ilderim einen Boten auf die nach Antiochien führende Straße, wie Simonides ihm geraten hatte.

Drittes Kapitel

Ilderim kehrte am nächsten Tage etwa um die dritte Stunde nach dem „*douar*" zurück. Als er vom Pferd stieg, reichte ihm ein Mann seines Stammes ein Paket mit den Worten: „Ich soll dir dieses Paket geben mit der Bitte, es sofort zu lesen."

Das Siegel war bereits gebrochen, und als Ilderim die äußere Hülle entfernt hatte, hielt er einen Brief in Händen, der die Aufschrift trug: „An Valerius Gratus in Cäsarea."

„Abbadon möge ihn holen", brummte der Scheich, als er merkte, daß der Brief in lateinischer Sprache verfaßt war.

„Wo ist der junge Jude?" fragte er.

„Auf dem Feld mit den Pferden", antwortete ein Diener.

Der Scheich verwahrte das Schriftstück sorgfältig in seinem Gürtel und bestieg abermals sein Pferd. Ehe er aber von dannen ritt, wurde ein Fremder vor ihn geführt, der offenbar aus der Stadt gekommen war.

„Ich suche Scheich Ilderim, mit dem Zunamen ‚der Großmütige'", begann der Fremdling in römischer Sprache.

Der alte Araber, der die Sprache wohl verstehen und sprechen, aber nicht lesen konnte, entgegnete: „Ich bin Scheich Ilderim."

„Ich hörte, daß ihr einen Pferdelenker für die Spiele sucht", sagte der Fremde nach einer tiefen Verbeugung.

„Geh deiner Wege", versetzte der Scheich, „ich bin bereits versorgt", und nach kurzem Gruß ritt er davon, während der Fremde lächelnd in die Stadt zurückkehrte.

Jeden Tag bis zu dem Tag der Spiele kamen einer, manchmal zwei und drei zum Scheich in den Palmenhain unter dem Vorwand, daß sie als Pferdelenker eine Stellung suchten, und auf diese Weise ließ Messala Ben Hur bewachen.

Viertes Kapitel

Der Scheich beobachtete mit sichtbarem Wohlgefallen, wie der junge Jude die Pferde auf dem Feld tummeln und sie der Reihe nach die verschiedenen Gangarten probieren ließ.

„Heute nachmittag will ich sie an den Wagen spannen", sagte ihm Ben Hur. „Es sind prächtige Tiere, die nicht eingeschüchtert sind und dem leisesten Wink gehorchen. Ich fürchte nur eines."

„Was?" fragte der alte Araber.

„In der Sucht nach Triumph nimmt ein Römer es nicht immer genau mit der Ehre. Bei allen Wettspielen wenden sie ihre Kniffe an, und das gerade bei den Pferderennen. Ich rate dir darum, o Scheich, bis zum Rennen keinem Fremden mehr Zutritt zu den Pferden zu gewähren und sie wenn möglich von einem bewaffneten Hüter bewachen zu lassen."

„Dein Rat soll genau befolgt werden", versetzte Ilderim. „Ich habe nun noch eine Bitte", fuhr er fort, als sie im Zelt angelangt waren und sich auf dem Diwan niedergelassen hatten. „Willst du mir diesen lateinischen Brief in deiner Muttersprache wiedergeben?"

Ben Hur nahm das Schreiben. Als er aber die Überschrift las: „Messala an Gratus", hielt er einen Augenblick überrascht inne. Ilderim schaute fragend auf, so daß sich unser Freund rasch zu fassen und weiterzulesen suchte. Es war ein Duplikat des Briefes, den Messala an Gratus gesandt hatte, und der Anfang zeigte, daß der Schreiber seine Spottlust noch nicht abgelegt hatte. Dann fuhr er fort, indem er das Gedächtnis des Gratus aufzufrischen suchte. „Du erinnerst Dich wohl an die Vorkehrungen, die Du dazumal betreffs der Familie Hur trafest. Wir hatten uns dahin geeinigt, daß es am geratensten sei, sie einem langsamen, aber sicheren Tode preiszugeben und die Angelegenheit so geheim wie möglich zu betreiben."

Ben Hur hatte mehr als einmal während des Lesens innege-

194

halten, nun aber ließ er das Papier zu Boden fallen und barg das Gesicht in den Händen, indem er rief: „Oh, sie sind tot – tot, und ich bin allein übriggeblieben."

Der Scheich, der seinen Gast voll Teilnahme beobachtet hatte, stand auf und sagte: „Verzeihe mir, Sohn des Arrius. Lies den Brief, und wenn du dich soweit gefaßt hast, daß du mir den Inhalt mitteilen kannst, so laß mich rufen."

Mit diesen Worten verließ er das Zelt und bekundete damit ein Zartgefühl, wie nicht viele es bei ihm vermutet hätten.

Ben Hur warf sich auf den Diwan und ließ seinen Gefühlen freien Lauf.

Nach einer Weile erinnerte er sich, daß er den Brief nicht zu Ende gelesen hatte. Er nahm ihn darum wieder zur Hand und las weiter: „Du erinnerst Dich wohl, was du mit der Mutter und Schwester des Übeltäters angefangen hast. Wenn ich nun dennoch dem Wunsch nicht widerstehen kann, zu erfahren, ob sie noch unter den Lebenden weilen oder nicht, so . . ."

Ben Hur fuhr empor und las die Stelle wieder und wieder; plötzlich rief er: „Er weiß nicht, ob sie tot sind! Er weiß es nicht! Gelobt sei der Name des Herrn! So gibt es noch eine Möglichkeit, meine Lieben ausfindig zu machen! Sie sind gewiß nicht tot, sonst hätte er es erfahren."

Nachdem er den Brief noch einmal aufmerksam gelesen hatte, ließ er den Scheich rufen.

„Als ich deinem gastfreien Zelte nahte, o Scheich", sagte Ben Hur ruhig, nachdem sich Ilderim gesetzt hatte und sie wieder allein waren, „wollte ich dir nur so viel von meiner persönlichen Vergangenheit mitteilen, als nötig war, damit du mir vertrauensvoll deine Pferde überlassen konntest. Die Umstände jedoch, durch die mir dieses Schriftstück in die Hände kam, so daß ich es lesen mußte, sind so seltsam, daß ich mich gezwungen fühle, mich dir ganz anzuvertrauen. Ich tue es um so lieber, als ich diesem Brief entnehme, daß wir beide von demselben Feind bedroht sind und darum wohl tun, gemeinsame Sache miteinander zu machen. Während ich dir nun den Brief vorlese, will ich dir die nötigen Erklärungen geben, und du wirst verstehen, warum ich vorhin so bewegt war."

Der Scheich hörte zu, ohne eine Bemerkung zu machen, bis Ben Hur den Teil des Briefes las, wo er besonders erwähnt war, und wo es hieß: „Ich habe den Juden gestern im Hain Daphne gesehen, und wenn er nicht mehr dort sein sollte, so ist er jedenfalls in der Nachbarschaft. Ja, ich glaube mit Bestimmtheit sagen zu können, daß er dann im alten Palmenhain zu finden ist."

„Ah!" rief Ilderim und griff seiner Gewohnheit gemäß nach dem Barte.

„Im alten Palmenhain", wiederholte Ben Hur, „im Zelt des Verräters Scheich Ilderim."

„Verräter! Ich, ein Verräter!" rief der alte Mann in hellem Zorn.

„Gedulde dich noch einen Augenblick, guter Scheich und höre weiter seine Drohung: ‚Im Zelt des Verräters Scheich Ilderim, der sich unserer starken Hand nicht mehr lange wird entziehen können. Wundere Dich nicht, wenn eine der ersten Maßnahmen des edlen Maxentius darin bestehen wird, daß er den alten Araber auf einem Schiff nach Rom sendet.'"

„Nach Rom! Mich, Ilderim, den Scheich von zehntausend Lanzenreitern! Mich nach Rom schicken!"

Ilderim war furchtbar anzusehen in seinem Zorn. „Oh, ihr Götter! Wann soll die Frechheit dieser Römer ein Ende haben? Ich bin frei, und mein Volk ist frei. Sollen wir nun als Sklaven sterben oder, was noch schlimmer wäre, als Hunde leben, die vor den Füßen ihrer Herren kriechen? Oh, wäre ich nur zwanzig Jahre jünger!" Dabei knirschte er mit den Zähnen und ballte die Fäuste. Wütend eilte er im Zelt auf und ab, dann blieb er plötzlich vor Ben Hur stehen, packte ihn an der Schulter und rief: „Wenn ich so jung, so kräftig und so waffengeübt wäre wie du, Sohn des Arrius, und wenn ich einen Grund zur Rache hätte wie du, Sohn des Hur, dann würde ich keinen Augenblick mehr zögern. Ich würde mich ganz der Rache hingeben und durch die Lande ziehen, um die Völker aufzustacheln. Wo immer sich jemand gegen Rom erhebt, da würde ich ihn nach Kräften unterstützen. Jede Waffe wäre mir recht, die im Kampf gegen den Todfeind gebraucht würde, und von Erbarmen würde keine Rede sein. Des Nachts würde ich zu den Göttern, den guten und den bösen beten, daß sie mir mit den größten, ihnen zu Gebote stehenden Schrecken zu Hilfe kämen! Oh, ich würde nicht schlafen können! Ich, ich –"

Der Scheich hatte sich so in Erregung gesprochen, daß ihm der Atem ausging. Ben Hur hatte von dem ganzen langen Zornesausbruch nicht viel gehört, denn die Tatsache, sich zum ersten Male seit Jahren mit seinem eigenen Namen genannt zu hören, hatte einen ungeheuren Eindruck auf ihn gemacht.

„Aber woher kannte der Scheich seinen Namen?" fragte er sich, „und wie kam es, daß dieser Sohn der Wüste seine Identität anerkannte, ohne nach Beweisen zu fragen?"

„Willst du mir sagen, guter Scheich, wie du in den Besitz dieses Briefes gekommen bist?" fragte unser Freund.

„Meine Leute haben ihn auf der Landstraße einem Eilboten abgenommen", antwortete Ilderim kurz.

„Sind sie als deine Leute bekannt?"

„Nein! Man hält sie für Räuber, die von mir verfolgt werden."

„Gestatte mir noch eine Frage, guter Scheich. Wie kommst du dazu, mich bei meines Vaters Namen zu nennen?"

Ilderim zögerte einen Augenblick, dann sagte er: „Ich kenne dich, doch habe ich nicht die Freiheit, mehr zu sagen!"

„Hast du jemandem Schweigen gelobt?" forschte Ben Hur weiter. Der alte Araber antwortete nicht, sondern wandte sich zum Gehen. Als er des Juden Enttäuschung bemerkte, sagte er: „Wir wollen die Angelegenheit für den Augenblick ruhen lassen. Ich reite jetzt zur Stadt. Bei meiner Rückkehr können wir näher darauf eingehen."

Hierauf bestieg er sein Pferd und ritt der Stadt zu.

Fünftes Kapitel

Der aufgegriffene Brief hatte Ben Hur verschiedene wichtige Aufschlüsse gegeben. Vor allem ging klar daraus hervor, daß der Schreiber sich daran beteiligt hatte, die Familie in mörderischer Absicht aus dem Wege zu räumen, daß er den hierzu vorgeschlagenen Plan gebilligt und einen Teil des Erlöses aus den eingezogenen Gütern bekommen hatte. Ferner konnte man erkennen, daß das unerwartete Erscheinen des „Übeltäters", wie er sich auszudrücken beliebte, ihn beunruhigte, und er auf Mittel sann, um den unbequemen Juden endgültig unschädlich zu machen.

Ben Hur mußte sich sagen, wenn seine Feinde sich vor ihm fürchteten, so hatte er noch viel mehr Ursache, sich vor ihnen zu fürchten, und seine Lage war so ernst, daß sie wohl gründlich überlegt werden durfte. Um sich die Zeit des Alleinseins zu vertreiben, machte er zuerst einen Spaziergang durch das Gebiet des Scheichs, dann ließ er sich nach dem Mahl den Rennwagen vorführen und unterzog ihn einer eingehenden Prüfung. Zu seiner Freude fand er, daß der Wagen nach griechischem System gebaut war, das seiner Ansicht nach dem römischen vorzuziehen war.

Sah dieses auch gefälliger aus, so war dabei doch oft zu wenig auf die Haltbarkeit des Gefährts Rücksicht genommen, während die griechischen Wagen sowohl bei einem Rennen als auch auf dem Schlachtfeld gebraucht werden konnten.

Stunde um Stunde probierte Ben Hur hierauf die Pferde und ließ sie unter dem Joch laufen.

Als er später heimkehrte, hatte er seinen Gleichmut völlig wiedergewonnen und war zu dem Entschluß gekommen, vor dem Rennen nichts in der Angelegenheit zu tun. Er wollte sich den Genuß nicht entgehen lassen, seinem Todfeind auf der Rennbahn zu begegnen und hegte nicht den geringsten Zweifel, daß er Sieger sein würde. Er war sich nicht nur seiner eigenen

Geschicklichkeit bewußt, sondern hatte auch volles Vertrauen zu den Pferden.

Nach Sonnenuntergang setzte er sich vor die Tür des Zeltes, um Ilderim zu erwarten, der noch nicht aus der Stadt heimgekehrt war. Plötzlich hörte er eiligen Hufschlag, und gleich darauf erschien Malluch.

„Sohn des Arrius", sagte er, „ich grüße dich von Scheich Ilderim, der dich bitten läßt, zu ihm in die Stadt zu kommen."

Ohne eine Frage zu stellen, ließ sich Ben Hur ein Pferd satteln, und es dauerte nicht lange, so waren die beiden Reiter auf dem Wege nach Antiochien.

In der Nähe der seleukischen Brücke ließen sie sich über den Fluß setzen, ritten auf einem großen Umweg nach dem westlichen Teil der Stadt, bis an das große Handelshaus des Simonides. Dort stiegen sie ab.

„Wo ist der Scheich?" fragte Ben Hur endlich.

„Folge mir. Ich werde dich zu ihm führen."

Sechstes Kapitel

Malluch begleitete Ben Hur bis an die Tür und entfernte sich dann.

Als unser junger Freund das Zimmer, in dem er schon einmal gewesen war, betrat, blieb er auf der Schwelle stehen und sah erstaunt auf die Gruppe vor ihm, auf Simonides, Ilderim und Esther.

„Sohn Hurs", begann Simonides langsam und mit besonderem Nachdruck, „nimm von mir und den Meinen den Friedensgruß des Gottes unserer Väter", und dabei kreuzte er seine Hände über der Brust.

Die Stellung, die der greise Mann einnahm, war nicht mißzuverstehen.

„Simonides", antwortete Ben Hur tief bewegt, „ich nehme den heiligen Gruß, den du mir entbietest, dankbar an und gebe ihn dir zurück wie ein Sohn dem Vater. Nur laß volles Verständnis zwischen uns walten."

Auf diese zarte Weise suchte er an Stelle des Verhältnisses von Herr und Diener ein heiligeres und höheres zu setzen. Dann nahm er den Stuhl, den Esther ihm bot, und setzte sich zu Simonides Füßen.

„Esther, Kind, bring mir das Schriftstück", gebot Simonides sichtlich erleichtert; dann wandte er sich an seinen Gast.

„Du sagtest recht, Sohn Hurs", begann er, „wir wollen uns verstehen, und ich habe darum hier einige Aufzeichnungen gemacht, die uns zu einem klaren Einblick in die Verhältnisse verhelfen werden. Willst du so gut sein und lesen. Unser Freund Ilderim darf bei der Aussprache wohl zugegen sein, ja, wir bedürfen seiner sogar als Zeugen. Er ist ganz eingeweiht und steht zu dir als ein treuer Freund. Was er mir seit Jahren gewesen ist, will er auch dir sein."

Der alte Araber nickte statt einer Antwort.

„Ich habe schon Beweise seiner Freundschaft bekommen",

erwiderte Ben Hur, „und es ist nun an mir, mich dieser Freundschaft würdig zu zeigen. Was deine Bitte betrifft, o Simonides,
so will ich die Papiere später eingehend prüfen und wäre dankbar, wenn du mir in wenigen Worten deren Hauptinhalt mitteil-
test."

„Auf dem ersten Blatt", sagte Simonides, „ist die Summe
Geldes verzeichnet, die aus dem Vermögen deines Vaters vor
den Römern gerettet werden konnte. Es war dies nur möglich,
weil das Geld nach unserer jüdischen Gewohnheit in Wechseln
angelegt war, die ich an den Haupthandelsorten stehen hatte.
Der ganze Betrag hat sich auf hundertzwanzig Talente jüdischen Geldes belaufen.

Mit diesem Geld habe ich gearbeitet und, wie auf einem zweiten Blatt genau dargelegt ist, weitere fünfhundertdreiundfünf-

zig Talente erworben, so daß sich dein ganzes Vermögen nun auf sechshundertdreiundsiebzig Talente beläuft. Du bist somit, o Sohn Hurs, wenn du deinen sonstigen Besitz hinzurechnest, der reichste Mann auf der Welt."

Als der Kaufmann schwieg, kreuzte er aufs neue die Hände über der Brust, während Esther ängstlich von einem zum anderen sah und Ilderim nervös mit dem Bart spielte. Alle waren auf Ben Hurs Antwort gespannt, denn nie tritt die Gesinnung eines Menschen klarer zutage, als in dem Augenblick, wo ihn ein unerwartetes Glück trifft.

Sichtlich ergriffen erhob sich Ben Hur und sagte: „Ich sehe dies alles als ein Licht an, das mir vom Himmel gesandt worden ist, um eine tiefe Nacht zu zerstreuen. Ich danke zunächst Gott, der mich nicht verlassen hat, und dann dir, o Simonides! Deine Treue übertrifft die Grausamkeit anderer. Sei in dieser wichtigen Stunde meines Lebens mein Zeuge, Scheich Ilderim. Höre, was ich dem treuen Simonides und Esther, dem guten Engel dieses Mannes, sage. Alles, was diese Papiere hier aufzählen an Schiffen, Häusern, Waren, Kamelen, Pferden und Geld – alles gebe ich dir zurück, o Simonides, und überweise es dir und den Deinen zum bleibenden Eigentum."

Esther lächelte unter Tränen, Ilderim bearbeitete eifriger denn je seinen Bart, und seine Augen funkelten wie Sterne. Simonides allein blieb ruhig.

„Ich verschreibe es dir und den Deinen", wiederholte Ben Hur, „mit der alleinigen Ausnahme der hundertzwanzig Talente meines Vaters und unter der Bedingung, daß du mir in meinen Nachforschungen über den Verbleib meiner Mutter und Schwester nach Kräften behilflich bist."

Nun hatte auch Simonides Mühe, seiner Bewegung Herr zu werden. „Ich erkenne hieraus deine Gesinnung, Sohn Hurs", sagte er, „und ich danke Gott, daß Er dich mir so zugesandt hat, wie du bist. Wenn ich deinem Vater sowohl bei seinen Lebzeiten als nach seinem Tode treu gedient habe, so werde ich mich dem Sohn gegenüber nicht anders stellen. Aber, Sohn Hurs, du hast noch nicht die volle Abrechnung. Lies noch dieses Blatt hier, lies es laut, ich bitte dich!"

Und Ben Hur las:

Verzeichnis der Knechte des Hur, zusammengestellt von Simonides, dem Verwalter des Besitzes der Familie Hur

1. Amrah, eine Ägypterin, wohnhaft im Palast zu Jerusalem

2. Simonides, der Verwalter in Antiochien

3. Esther, Tochter des Simonides

Nie war es Ben Hur in den Sinn gekommen, daß Esther dem Gesetz nach dieselbe Stellung einnahm wie ihre Eltern. Diese Tatsache berührte ihn sichtlich unangenehm.

„Fürchte nichts, o Simonides, und auch du nicht, schöne Esther! Scheich Ilderim soll Zeuge sein, daß ich heute, an demselben Tage, an dem ihr euch als meine Knechte erklärt habt, euch für frei erkläre. Ich werde diese Abmachung zwischen uns zu Papier bringen und mit meinem Namen unterzeichnen. Genügt das?"

„Du machst einem wahrlich das Dienen leicht, o Sohn Hurs", versetzte Simonides. „Leider steht es aber nicht in deiner Macht, uns für frei zu erklären. Ich bin für alle Zeiten dein Knecht, denn als ich Rahel zur Frau begehrte, mußte ich nach dem Gesetz werden, was sie war, und ich bat darum meinen Herrn, deinen Vater, mit mir an die Pfosten seiner Haustür zu gehen und mein Ohr mit dem Pfriemen zu durchbohren. Die Narbe ist heute noch zu sehen."

„O Simonides", rief der junge Herr, „ich kann nicht anders, als in dem großen Reichtum, der mir zugefallen ist, die Hand Gottes sehen, der damit eine bestimmte Absicht verfolgt. Rate mir, o Simonides, und hilf mir das Rechte erkennen und tun. Hilf mir meines Namens würdig sein, und was du mir dem Gesetz nach bist, das will ich dir in der Tat und Wahrheit sein."

Simonides Gesicht leuchtete vor Freude.

„O Sohn meines verstorbenen Herrn", rief er. „Ich will dir nicht nur helfen, sondern dir mit meinem Herzen und meinem Kopf dienen. Ich schwöre dir dies bei dem Altar unseres Gottes.

Und nun sprich du, Tochter meiner Rahel!"

Esther trat errötend vor Ben Hur und sagte in lieblicher Jung-fräulichkeit: „Ich bin nichts Besseres als meine Mutter war, und da sie tot ist, bitte ich dich, meinen Herrn, daß ich für meinen Vater sorgen darf."

Ben Hur nahm sie bei der Hand, führte sie zum Stuhl ihres Vaters zurück und sagte: „Du bist eine gute Tochter. Deine Bitte sei erfüllt."

Siebentes Kapitel

Nachdem Simonides Brot und Wein hatte auftragen lassen, sagte er: „Ich bin dir noch eine Erklärung schuldig, teurer Herr, für die Art und Weise, wie ich dir vor einigen Tagen begegnet bin. Ich ließ dich damals unter dem Eindruck fortgehen, als erkennte ich deine Rechte nicht an. Dem war aber nicht so. Esther kann bezeugen, daß ich keinen Augenblick im Zweifel über deine Identität war, und Malluch wird dir sagen können, daß ich dich nicht im Stich gelassen habe."

„Malluch?" rief Ben Hur erstaunt.

„Wer wie ich an den Stuhl gebunden ist, muß seine Helfer haben, die für ihn die nötigen Gänge machen und Nachforschungen anstellen. Ich habe deren mehrere, aber Malluch ist einer der besten. Manchmal kommt mir auch mein treuer Freund Scheich Ilderim zu Hilfe. Wie sollte ich sonst die Menschen kennenlernen! Ich wußte, wer, aber nicht, wie du warst. Es gibt Leute, denen ein Vermögen zum Fluch würde. Malluch mußte seine Augen und Ohren sozusagen in meinen Dienst stellen, und du darfst ihm darum nicht zürnen. Er berichtete nur Gutes von dir."

„Ich zürne ihm gewiß nicht", versetzte Ben Hur herzlich. „Es lag Weisheit in deiner Güte."

„Ich fragte mich oft", fuhr Simonides fort, „wie es kam, daß das Vermögen so außerordentlich anwuchs. Kein Wüstenwind fügte je meinen Karawanen Schaden zu, die Seestürme, die die Küsten mit Wracks bedeckten, trieben meine Schiffe nur um so schneller in den Hafen, und, was am allerwunderbarsten war, ich, der ich mich nicht vom Fleck rühren kann, erlitt nie einen Verlust durch einen meiner Agenten. Die Elemente dienten mir, und meine Diener waren treu."

„Was du sagst, klingt allerdings wunderbar", versetzte Ben Hur.

„Ja, wunderbar war es, und ich kam schließlich zu derselben

205

Ansicht, die du, o Herr, schon aussprachst. Ich kann mir die Sache nicht anders erklären, als daß Gott die Hand im Spiel hatte, und ich fragte mich: Was mag Er im Sinne haben? Seit Jahren bewegte ich diese Frage im Herzen und harrte auf eine Antwort. Jetzt scheint mir dieser Augenblick gekommen zu sein."

Ben Hur hörte gespannt zu.

„Vor vielen Jahren saß ich mit den Meinen am Wegesrand, nicht weit von dem nördlichen Tore Jerusalems, als ich drei Männer auf weißen Dromedaren der Stadt nahen sah. Offenbar waren es Fremde, die aus weiter Ferne kamen. Der eine hielt sein Tier an und fragte mich: ‚Wo ist der neugeborene König der Juden?' und fügte sofort zur Erklärung hinzu: ‚Wir haben Seinen Stern gesehen und sind gekommen, Ihn anzubeten!' Ich verstand nicht, was sie wollten, folgte ihnen aber durch das Tor von Damaskus und hörte sie jedem, dem sie begegneten, die gleiche Frage stellen. Damals wurde viel über die merkwürdigen Fremden geredet, und man hielt sie für Vorboten des Messias; mit der Zeit aber vergaß man die ganze Angelegenheit. Selbst die weisesten unter uns sind eben Kinder. Wenn Gott auf Erden wandelt, so sind seine Schritte zuweilen Jahrhunderte voneinander entfernt. Hast du Balthasar gesehen, o Herr?"

„Ja, und ich habe seine Geschichte gehört."

„Als er sie mir erzählte, schien sie mir eine Antwort auf meine Frage", fuhr Simonides fort. „Gottes Absicht war mir nun verständlich. Wenn der König kommt, wird Er arm und ohne Freunde, ohne Heer, ohne Städte und Burgen sein. Sein Reich muß erst gebaut, die Römer müssen erst vernichtet werden. Siehst du nun, o mein Herr, warum du einen waffengeübten Arm, einen kräftigen Körper und ein so großes Vermögen bekommen hast? Nimm die Gelegenheit wahr, die Gott der Herr dir schickt, und mach Seine Interessen zu den deinen."

„Aber das Königreich?" fragte Ben Hur. „Balthasar meint, es soll aus Seelen bestehen."

Simonides war ein stolzer Jude, darum antwortete er mit einer gewissen Geringschätzung:

„Balthasar hat ein Zeuge wunderbarer Dinge sein dürfen, o
mein Herr, und wenn er davon erzählt, so höre ich ihm mit Ehrerbietung zu. Aber er ist ein Sohn Mizraims, und man kann
nicht erwarten, daß Gott ihm über Seine Führungen mit dem
Volk Israel besonderes Licht gibt. Gott hat Seinem Volk Propheten gegeben, die ihr Licht direkt aus dem Himmel empfangen haben, und ihnen haben wir zu glauben. Es würde mich zu

weit führen, wollte ich dir, o Herr, die Namen aller heiligen Männer aufführen, die von dem Messias als von einem König sprechen, der Sein Volk Israel regieren wird. Kennst du nicht die Stelle im Propheten Jesaia: ‚Das Volk, das im Finstern wandelt, sieht ein großes Licht, und über denen, die da wohnen im finstern Lande, scheint es hell … Denn uns ist ein Kind geboren, ein Sohn ist uns gegeben, und die Herrschaft ruht auf seiner Schulter … Auf daß seine Herrschaft groß werde und des Friedens kein Ende auf dem Thron Davids und in seinem Königreich, daß er's stärke und stütze durch Recht und Gerechtigkeit von nun an bis in Ewigkeit.' Glaubst du den Worten der Propheten, o mein Herr? Esther, reich mir das Buch des Propheten Micha.

Dort steht: ‚Und du, Bethlehem Ephratha, die du klein bist unter den Städten in Juda, aus dir soll mir der kommen, der in Israel Herr sei, dessen Ausgang von Anfang und von Ewigkeit her gewesen ist.' Das war Er, das Kind, das Balthasar sah und im Stalle angebetet hat. Glaubst du den Propheten, o mein Herr? Esther, reich mir das Buch des Propheten Jeremia.

Dort steht: ‚Siehe, es kommt die Zeit, spricht der Herr, daß ich dem David einen gerechten Sproß aufgehen lassen will; der soll Recht und Gerechtigkeit schaffen im Lande. Zu derselben Zeit soll Juda geholfen werden und Jerusalem sicher wohnen.' Als König wird Er regieren, o Herr! Glaubst du den Propheten? Reich mir das Buch des Propheten Daniel, Tochter. Höre, Herr, was er sagt: ‚Ich sah in diesem Gesicht in der Nacht, und siehe, es kam einer mit den Wolken des Himmels wie eines Menschen Sohn und gelangte zu dem, der uralt war, und wurde vor ihn gebracht. Der gab ihm Macht, Ehre und Reich, daß ihm alle Völker und Leute aus so vielen Sprachen dienen sollten. Seine Macht ist ewig und vergeht nicht, und sein Reich hat kein Ende.' Glaubst du den Propheten, o Herr?"

„Es ist genug. Ich glaube", rief Ben Hur.

„Wenn nun der König in Armut kommt", fragte Simonides, „wird Ihm dann mein Herr helfen?"

„Ihm helfen!" erwiderte Ben Hur lebhaft. „Meinen letzten Sekel würde ich Ihm geben, wenn es sein müßte. Aber warum sagst du, daß Er arm kommen wird?"

„Esther, reich mir das Wort, das der Herr dem Propheten Sacharja anvertraut hat. Höre, wie der König in Jerusalem einziehen wird: ,Du, Tochter Zion, freue dich sehr... Siehe, dein König kommt zu dir, ein Gerechter und ein Helfer, arm, und reitet auf einem Esel, auf einem Füllen der Eselin.'"

Ben Hur wandte den Blick ab.

„Was siehst du, o mein Herr?"

„Rom!" versetzte der Jüngling finster. „Rom und seine Legionen. Ich kenne sie."

„Aber du wirst an der Spitze von Legionen stehen, die für den König kämpfen werden", rief Simonides. „Du weißt nicht, wie kräftig unser Israel ist. Geh zum nächsten Passahfest hinauf nach Jerusalem, und du wirst über die Größe des Volkes staunen. Der Druck, unter dem die Römer es gefangenhalten, war ihm heilsam, und es hat sich zur mächtigen Nation entwickelt."

„Oh, wenn ich noch jung wäre!" rief Ilderim voll Begeisterung. „Ich würde mich keinen Augenblick besinnen und meine Kriegsleute sowie meine ganze Habe in den Dienst des großen Königs stellen."

Ben Hur merkte wohl, daß in den Worten der beiden Alten eine Aufforderung für ihn lag, zu tun, was ihnen versagt war. Mehr als einmal war ihm dieser Gedanke schon gekommen, aber noch nie hatte er eine so greifbare Form angenommen. Ehe er sich aber zu irgend etwas entschloß, wollte er so klar als möglich sehen.

„Gesetzt nun, o Simonides", sagte er, „daß der König kommen und daß Sein Reich wie das Salomos sein wird; gesetzt, ich wäre bereit, mich und alles, was ich habe, Ihm zur Verfügung zu stellen – was dann? Sollen wir wie blinde Leute bauen? Sollen wir warten, bis der König kommt oder mich rufen läßt? Beantworte mir diese Frage!"

„Meiner Ansicht nach haben wir keine Wahl", antwortete

Simonides. „Messalas Brief ist das Signal für uns. Wir sind nicht stark genug, um dem von Messala und Gratus beabsichtigten Bündnis Trotz zu bieten, denn es fehlt uns sowohl der nötige Einfluß in Rom als die nötige Macht hierzulande. Wenn wir zögern, werden sie dich töten. Du kannst an mir sehen, wie barmherzig sie sind. Auch vor mir lag in meiner Jugend die Welt verlockend da."

„Ja", sagte Ben Hur, „du warst zu einem großen Opfer fähig."

„Aus Liebe", vervollständigte der Greis.

„Hat das Leben nicht noch andere, ebenso starke Triebfedern?"

Simonides schüttelte den Kopf.

„Ehrgeiz; aber der ist einem Sohne Israels verboten."

„Dann bleibt noch die Rache, und Rache ist eines Juden Recht."

„Ein Dromedar, selbst ein Hund erinnert sich erlittenen Unrechts", rief Ilderim.

„Es gibt eine Arbeit für den König, die Seinem Kommen vorangehen muß", sagte Simonides ruhig. „Wir zweifeln nicht, daß Israel Seine rechte Hand sein wird; aber ach, es ist eine Hand für den Frieden, die nicht im Waffenhandwerk geübt ist. Wir haben keine kriegstüchtige Mannschaft, denn die Römer haben wohl verstanden, wie sie uns dauernd unter dem Joch zu halten vermögen. Aber der Augenblick scheint gekommen, wo der Hirte die Rüstung anlegen und zu Spieß und Schwert greifen wird und wo die weidenden Herden in kämpfende Löwen verwandelt werden. Jemand muß, mein Sohn, den Platz zur Rechten des Königs einnehmen, und wer sollte es anders sein, als der, der diese Aufgabe gut löst?"

Ben Hurs Wangen glühten, doch er fragte: „Aber wie soll diese Aufgabe gelöst werden?"

„Höre, wie ich mir die Sache vorstelle", fuhr Simonides fort, „der Scheich und du, mein Herr, sollen Führer sein, und ich bleibe hier und halte die Augen offen wie bisher. Du gehst nach

Jerusalem und dann in die Wüste, zählst die waffenfähigen Leute in Israel und veranlaßt sie, sich zu je fünfzig oder hundert zusammenzutun, sich unter der Führung eines Hauptmanns in aller Stille einzuüben und im Geheimen Waffen zu sammeln, mit denen ich dich versorgen werde. Ilderim wird in deiner Nähe sein und die Straßen überwachen, so daß nichts geschehen kann, wovon du nicht in Kenntnis gesetzt bist. Bis zur Zeit der Ernte soll niemand erfahren, was wir hier verhandelt und welchen Bund wir gemacht haben. Ilderim ist eines Sinnes mit mir, und was sagst du, mein Herr?"

Ben Hur schien in Gedanken versunken. Endlich sagte er traurig: „Es scheint mir, daß für jeden Menschen ein Freudenbecher bereit steht, der ihm früher oder später gereicht wird, und den er kosten darf. Nur mir ist er versagt. Ich sehe klar, welche Folgen dieser Vorschlag für mich haben wird, guter Simonides, und du, großmütiger Scheich! Wenn ich ihn annehme und die Bahn betrete, dann entsage ich damit dem Frieden und allen Freuden, die sich für einen Menschen daran knüpfen. In den Gräbern nahe den Städten und in den Höhlen der entlegensten Berge wird künftig meine Wohnung sein."

Er wurde in seiner Rede durch leises Schluchzen unterbrochen.

Aller Augen richteten sich auf Esther, die ihr Gesicht auf ihres Vaters Schulter verbarg.

„Ich vergaß, daß du hier bist, Esther", sagte Simonides sanft.

„Laß sie", bat Ben Hur.

„Man trägt ein schweres Schicksal leichter, wenn man weiß, daß einem Anteilnahme geschenkt wird. Hört mich weiter an. Ich wollte sagen, daß ich keine andere Wahl habe, als das Amt zu übernehmen, das ihr mir zugewiesen habt, und da ein längeres Verweilen hier mich nur einem schmachvollen Tode aussetzen würde, will ich mich alsbald an die Arbeit machen."

„Möge der Gott Abrahams uns helfen", sagte Simonides ernst und feierlich, und die drei Verbündeten reichten sich schweigend die Hände.

„Eins will ich noch sagen", rief Ben Hur. „Mit eurer Erlaubnis möchte ich bis nach den Spielen mein eigener Herr sein. Messala wird kaum etwas gegen mich unternehmen, solange er nicht vom Prokurator eine Antwort hat. Und die Freude, ihm auf der Rennbahn zu begegnen, möchte ich mir um keinen Preis entgehen lassen."

Ilderim war vollständig damit einverstanden, und Simonides, der den geschäftlichen Vorteil nie aus dem Auge verlor, entgegnete: „Dadurch gewinne ich Zeit, noch eine wichtige Angelegenheit in Ordnung zu bringen. Sage, o mein Herr, worin besteht das Erbe, das dir Arrius hinterlassen hat?"

„In einer Villa in der Nähe von Misenum und in mehreren Häusern in Rom."

„Dann schlage ich vor, daß die Liegenschaften verkauft werden und der Erlös sicher angelegt wird. Gib mir ein genaues Verzeichnis der einzelnen Gebäude, und ich will einem tüchtigen Agenten die nötigen Schritte anvertrauen. Diesmal wenigstens sollen uns die römischen Räuber nicht zuvorkommen."

Achtes Kapitel

Am Tag vor Beginn der Spiele ließ Ilderim alles zum Rennen Notwendige in die Stadt schaffen und in einem Raum neben dem Zirkus unterbringen. Er hatte sein Lager in der Nähe der Stadt abschlagen lassen, und all seine Habe samt seinen Herden wurden zu gleicher Zeit fortgeschafft, so daß der Anblick dieser Auswanderung fast komisch berühren mußte. Mancher Vorübergehende lachte, den Scheich aber kümmerte es nicht, wenn sich auch die Leute über ihn lustig machten. Die Hauptsache war, daß er und alles, was ihm gehörte, in Sicherheit kam, und dafür hatte er nach Möglichkeit gesorgt.

Weder er noch Ben Hur überschätzten Messalas Einfluß. Sie vermuteten, daß er vor den Spielen keinerlei Maßregeln gegen sie ergreifen werde. Wurde er im Zirkus besiegt, und war es am Ende gar Ben Hur, der als Sieger hervorging, dann war allerdings die Gefahr groß. Demgemäß hatten sowohl Ilderim als Ben Hur ihre Vorkehrungen getroffen, und nun ritten sie getrost und wohlgemut nebeneinander.

Unterwegs trafen sie Malluch, der auf sie gewartet hatte. Der treue Knecht verriet auch nicht mit einer Miene, daß er Kenntnis sowohl von den Beziehungen Ben Hurs zu Simonides hatte noch von dem Bündnis, das die beiden mit Ilderim eingegangen waren.

Nach dem üblichen Gruß reichte er dem Scheich ein Papier. „Hier ist das Programm der Rennen, wie es soeben von dem Veranstalter der Spiele veröffentlicht worden ist. Du wirst deine für das Rennen bestimmten Pferde verzeichnet finden sowie die Reihenfolge der verschiedenen Exerzitien. Ich gratuliere dir schon heute zu dem unausbleiblichen Erfolg und auch dir, Sohn des Arrius, gratuliere ich. Nichts steht mehr einer Begegnung zwischen dir und Messala im Wege. Die Vorbereitungen sind aufs pünktlichste getroffen. Deine Farbe ist Weiß und die Messalas Rot mit Gold.

Morgen wird jeder Araber und Jude in der Stadt deine Farbe tragen, so daß diese und die des Römers auf den Galerien ziemlich gleichmäßig vertreten sein werden."

„Auf den Galerien wohl", entgegnete Ben Hur. „Aber wie ist es bei den reservierten Plätzen über der Pompejanischen Tür?"

„Dort wird allerdings des Römers Farbe vorherrschen. Aber", und dabei schüttelte sich Malluch vor Vergnügen, „wie werden die Würdenträger zittern, wenn wir gewinnen! In ihrem Hochmut rechnen die Römer natürlich gar nicht mit einer Niederlage. Für einen gläubigen Juden ziemt es sich ja nicht, sein Geld auf Wetten zu setzen, aber ich habe einem guten Freund, der seinen Platz dicht hinter dem Konsul hat, eine ansehnliche Summe Geldes zur Verfügung gestellt, damit er für unsere Partei Wetten vorschlagen kann."

„Gut, dann sag deinem Freund, daß er hauptsächlich mit Messala und seinen Freunden auf Wetten einzugehen suchen soll für Ilderims Viererzug gegen Messalas Gespann. Überhaupt wäre es mir lieb, wenn du die allgemeine Aufmerksamkeit soviel als möglich auf das Wettrennen zwischen Messala und mir konzentrieren könntest."

„Das läßt sich machen", entgegnete Malluch. „Außergewöhnlich hohe Wettangebote werden das leicht zustandebringen. Werden die Angebote angenommen, dann ist es umso besser."

„Ein guter Gedanke", rief Ben Hur. „Hier bietet sich mir die Gelegenheit, meinem Todfeind sowohl seinen Stolz als auch sein Vermögen zu vernichten. Halte nicht zurück mit dem Geld! Wage fünf, zehn, zwanzig ja sogar fünfzig Talente, wenn es möglich ist, Messala selbst zu einer Wette zu veranlassen."

„Für eine so hohe Summe müßte ich irgendwie Bürgschaft haben", wandte Malluch ein.

„Die sollst du haben. Geh zu Simonides und sage ihm, daß ich die Angelegenheit geregelt wünsche, mein ganzes Verlangen gehe darauf aus, meinen Feind zu ruinieren, und die Aussichten hierfür seien so günstig, daß ich das Risiko übernehmen wolle.

Möge der Gott unserer Väter auf unserer Seite sein!"

Als Malluch gegangen war, las Ilderim das Programm. Plötzlich rief er:

„Bei Gott, was ist das? Lies, Ben Hur."

Ben Hur nahm das von dem Präfekten der Provinz als dem Veranstalter der Spiele unterzeichnete Papier. Darin wurde dem Publikum mitgeteilt, daß das Fest mit einer prunkvollen Prozession eröffnet werden solle. Nach den üblichen, dem Gotte Consus dargebrachten Ehrungen sollten die verschiedenen Spiele beginnen. Sowohl die Namen der Teilnehmer als auch die Preise für die Sieger waren angegeben.

Unser junger Freund hielt sich nicht lange bei dem ersten Teil des Programms auf, um so größere Aufmerksamkeit schenkte er dem letzten Teil, der die Pferderennen behandelte. Alle Freunde dieser Art Sports wurden eingeladen zu einem Schauspiel, wie es Antiochien bisher noch nicht erlebt hat. Sechs Bewerber hatten sich dazu gemeldet, und es wurden nur Viererzüge zugelassen. Um die Spannung zu erhöhen, sollten alle sechs Bewerber zu gleicher Zeit die Rennbahn betreten. Hierauf folgte die genauere Beschreibung der einzelnen Viererzüge:

I. Ein Viererzug von Lysippus, dem Korinther – zwei Grauschimmel, ein Rappe, ein Fuchs – Sieger bei den Rennen in Alexandrien und Korinth. Lenker: Lysippus. Farbe: Gelb.

II. Ein Viererzug von Messala aus Rom – zwei Schimmel, zwei Rappen – Sieger im Circus Maximus in Rom. Lenker: Messala. Farbe: Rot und Gold.

III. Ein Viererzug von Dikaeus, dem Byzantiner – zwei Rappen, ein Grauschimmel, ein Fuchs – Sieger in Byzanz. Lenker: Dikaeus. Farbe: Schwarz.

IV. Ein Viererzug von Kleanthes, dem Athener – drei Rappen, ein Fuchs – Sieger in Athen. Lenker: Kleanthes. Farbe: Grün.

V. Ein Viererzug von Admetus, dem Sidonier – vier Grauschimmel – dreimal Sieger in Cäsarea. Lenker: Admetus. Farbe: Blau.

VI. Ein Viererzug von Ilderim, dem Scheich der Wüste – vier

Füchse – zum erstenmal auf der Rennbahn. Lenker: Ben Hur, ein Jude. Farbe: Weiß.

„Ben Hur, ein Jude! Warum nicht Arrius?"

Ben Hur sah Ilderim an; er verstand nun dessen Ausruf des Erstaunens. Beide waren derselben Ansicht, daß dies Messalas Werk war.

Neuntes Kapitel

Ein Fremder mochte sich vielleicht über die Mannigfaltigkeit der Nationen wundern, die einem in Antiochien entgegentrat. Aber man konnte dieselbe Wahrnehmung in allen großen Städten damaliger Zeit machen. Eine der Aufgaben des großen Kaiserreiches schien es zu sein, eine gewisse Verschmelzung der Nationen herbeizuführen. Demnach machten sich ganze Völkerstämme auf, ließen sich gerade da nieder, wo es ihnen gefiel und verpflanzten in die neue Heimat ihre Art der Kleidung, ihre Sitten, ihre Sprache und ihre Religion. Dort fingen sie an, Handel zu treiben, Häuser zu bauen, Altäre zu errichten und der neuen Ansiedlung den Stempel ihrer Heimat aufzudrücken.

War es schon sonst in Antiochien zur Abendzeit besonders lebhaft in den Straßen, so war das am Vorabend des Festspiels in besonderer Weise der Fall. Fast jedermann trug die Farben eines der Wagenlenker des folgenden Tages, sei es in Form einer Schärpe, einer Kokarde, eines Bandes oder einer Feder. Man wollte damit kundgeben, welcher Partei man angehörte. So trugen die Freunde des Atheners Kleanthes die grüne Farbe, während die Anhänger des Byzantiners ein schwarzes Abzeichen hatten. Der Brauch war uralt, liefert aber den Beweis, auf welch törichte Dinge die Menschen verfallen können, wenn sie ihren Leidenschaften die Zügel schießenlassen.

Selbst ein oberflächlicher Beobachter konnte an jenem Abend in Antiochien die Wahrnehmung machen, daß von den sechs Farben die grüne, die weiße und die rote und goldene am stärksten vertreten waren.

Wenden wir uns nun von der Straße zu einem Palast auf der Insel. Die fünf großen Armleuchter im Saal spenden ihr Licht. Die Ruhebetten sind mit Schläfern belegt, von den Tischen her hört man das eintönige Geräusch fallender Würfel. Die meisten der Anwesenden gehen auf und ab, gähnen zuweilen oder wechseln hin und wieder einige belanglose Sätze – mit einem

Wort, die jungen Leute leiden an Langeweile. Ihre schwere Arbeit ist getan, das kann man an ihren Täfelchen sehen, auf denen eine Menge Wetten verzeichnet sind, die sich auf die Schnelläufer, Ringer oder Boxer beziehen, kurz auf alles, was am folgenden Tag zu sehen sein würde, mit Ausnahme des Pferderennens. Woher das?

Aus dem einfachen Grund, weil jeder Anwesende Messalas Unüberwindlichkeit auf diesem Gebiet für selbstverständlich hält. Überdies sind nur Anhänger des Römers Messala im Saal anwesend.

Messala selbst ruht auf einem Polster in der Ecke, um ihn herum sitzen oder stehen seine eifrigsten Bewunderer. Natürlich dreht sich das Gespräch um nichts anderes als um das Rennen des morgigen Tages.

Als Drusus und Cäcilius in den Saal treten, hebt Messala ein wenig den Kopf.

„Woher kommt ihr?" fragt er.

„Von der Straße. Noch nie habe ich eine solche Menschenmenge um diese Zeit auf der Straße gesehen. Es heißt, die ganze Welt würde morgen im Zirkus sein."

Messala lachte geringschätzig auf.

„Die Narren", rief er. „Sie sollten die Spiele in Rom sehen, deren Veranstalter Cäsar selbst ist."

„Habt ihr etwas Neues gesehen?"

„Ja", sagten die Freunde lachend.

„Was?"

„Einen ganzen Zug ‚Weißer'."

„Was waren es für Leute?" forschte Messala.

„Abschaum der Wüste, mein Freund, und jüdische Hunde aus Jerusalem. Wir boten ihnen eine Wette an, und ein Bursche, aus dessen Gesichtshaut man kaum einen Wurm als Köder für einen Karpfen hätte machen können, sagte: ‚Ja.'"

„Ich zog meine Tafel hervor und fragte: ‚Für wen trittst du ein?' – ‚Für Ben Hur, den Juden', lautete die Antwort. ‚Was willst du wetten?' fuhr ich fort. ‚Einen – einen Sekel!'"

„Einen Sekel!" wiederholten die Anwesenden und brachen in ein schallendes Gelächter aus.

Plötzlich rief einer: „Ein Weißer! Ein Weißer!"

„Laßt ihn eintreten."

Der so laut Begrüßte war der ehrwürdige Jude, den Ben Hur auf der Reise von Zypern getroffen hatte. Er trat ernst und gelassen unter die erregten jungen Leute. Seine Kleidung und sein Turban waren tadellos weiß. Sich nach allen Seiten höflich verneigend, schritt er dem Tisch in der Mitte zu, ordnete in umständlicher Weise sein Gewand, nachdem er Platz genommen hatte, und winkte mit der Hand.

„Römer – edle Römer – ich grüße euch!" begann er.

„Beim Jupiter, wer ist er?" fragte Drusus.

„Ein Hund Israels – namens Sanballat, der die größten Lieferungen für die Armee macht. Er wohnt in Rom und ist unermeßlich reich. Es heißt, daß er einem in aller Verborgenheit die schlimmsten Fallen stellt. Kommt! Beim Gürtel der Venus! Wir wollen ihn zu Fall bringen!"

Mit diesen Worten stand Messala auf und gesellte sich mit Drusus der Gruppe zu, die sich um den Hebräer gebildet hatte.

„Auf der Straße kam mir das Gerücht zu Ohren", begann Sanballat, „man sei im Palast in Verlegenheit, weil sich niemand finde, der in eine Wette auf Messalas Viererzug einginge. Die Götter müssen, wie ihr wißt, Opfer haben, und deshalb bin ich hier. Ihr seht meine Farbe. Erst den Satz, dann den Betrag. Was wollt ihr mir geben?"

Die Kühnheit des Fremden schien die Anwesenden zu verblüffen.

„Die Sache hat Eile, da ich in kurzer Zeit beim Konsul zu sein habe!"

Die Andeutung verfehlte nicht ihre Wirkung.

„Zwei zu eins!" ließen sich etwa ein halbes Dutzend Stimmen vernehmen.

„Was!" rief der Jude erstaunt. „Nur zwei zu eins, und dabei ist euer Held ein Römer?"

„Dann drei!"

„Drei", sagt ihr; „nur drei?! Mein Klient ist nur ein Judenhund!"

„Gebt vier! Gebt fünf! Fünf!"

Tiefe Stille herrschte im Saale.

„Gebt fünf! Aus Rücksicht auf Roms Ehre gebt fünf!"

„Gut, dann fünf!" sagte endlich einer.

„Gebt sechs!"

„Sechs!" rief Messala, und alle zollten ihm Beifall. „Sechs zu eins", wiederholte er, „so wollen wir das Verhältnis eines Römers zu einem Juden stellen."

„Nun aber nenne die Summe, die du wetten willst. Der Konsul könnte dich rufen lassen, und ich hätte den Schaden."

Sanballat lächelte, schrieb und reichte Messala die Tafel.

„Lies laut!" riefen die Anwesenden.

Und Messala las:

Memoria: Pferderennen. Messala von Rom geht mit Sanballat von Rom eine Wette ein, daß er den Juden Ben Hur besiegen wird. Höhe der Wette: zwanzig Talente. Verabredeter Satz: sechs zu eins. Zeugen: Sanballat.

Im Saal regte sich kein Glied. Messala starrte auf das Schriftstück in seiner Hand und fühlte, daß aller Augen auf ihn gerichtet waren. Wenn er sich weigerte, zu unterzeichnen, so war es um seine Führerstellung geschehen, und doch war er nicht in der Lage, auf die Wette einzugehen, denn er besaß zur Zeit nicht den fünften Teil der genannten Summe.

Endlich kam ihm ein guter Gedanke.

„Jude, zeig einmal, wo hast du zwanzig Talente?" rief er.

Lächelnd reichte ihm Sanballat ein Papier.

„Lies, lies", hieß es wieder, und der Römer las:

Antiochien, Tammus, am 16. Tage.
Dem Inhaber dieses Schreibens Sanballat von Rom, stehen zur Zeit fünfzig Talente in römischer Münze bei mir zur Verfügung.
Simonides

In der allgemeinen Aufregung, die folgte, blieb Sanballat der einzig Ruhige. Nachdem sich der Sturm etwas gelegt hatte, kam Messala mit dem Hebräer überein, die Summe auf fünf Talente herabzusetzen. Die Schriftstücke wurden dementsprechend ausgefertigt und ausgewechselt.

Hierauf stand Sanballat auf und sah spöttisch lächelnd um sich. Er wußte, mit wem er es zu tun hatte.

„Römer", sagte er, „ich fordere euch insgesamt auf, fünf gegen fünf Talente mit mir zu wetten, daß der Weiße gewinnen wird."

Die Römer sahen einander erstaunt an, und wieder rührte sich keiner.

„Was!" rief der Kaufherr lauter. „Soll es morgen im Zirkus heißen, daß ein Judenhund einer Anzahl römischer Edelleute eine Wette in der Höhe von fünf Talenten angeboten und keiner den Mut gehabt hat, sie einzugehen?"

Der Stachel war unerträglich.

„Genug, Unverschämter!" sagte Drusus.

„Schreib dein Angebot, und laß es auf dem Tisch liegen. Wenn wir Gewißheit haben, daß du wirklich so viel Geld besitzt, um eine so unsinnige Wette auszutragen, dann verspreche ich, Drusus, dir, daß sie angenommen wird."

„Hier ist das Angebot, Drusus. Ich lasse es in deiner Verwahrung. Wenn es unterzeichnet ist, so sende es mir, ehe das Rennen beginnt. Ich bin beim Konsul zu finden auf einem Platz über der Pompejanischen Tür. Friede sei mit dir! Friede sei mit euch allen!"

Er verneigte sich und verließ den Saal, ohne auf die Hohnrufe zu achten, die ihm nachgesandt wurden.

Noch in derselben Nacht verbreitete sich in den Straßen Antiochiens das Gerücht von der außergewöhnlichen Wette. Auch Ben Hur hörte es und erfuhr, daß Messala sein ganzes Vermögen aufs Spiel gesetzt habe. Diese Nachricht bewirkte, daß er fester denn je schlief.

Zehntes Kapitel

Der Zirkus von Antiochien stand am südlichen Ufer des Flusses, der Insel beinahe gegenüber und unterschied sich nicht wesentlich von anderen derartigen Bauten.

Die Spiele waren im wahrsten Sinne des Wortes ein Geschenk für das Publikum, denn jedermann durfte ihnen beiwohnen. Lange vor Beginn der Vorstellungen waren die Galerien bis auf den letzten Platz gefüllt, und noch immer strömten Scharen von Schaulustigen herbei.

Genau zur festgesetzten Zeit stieg eine Abteilung Soldaten in voller Waffenrüstung und mit wehenden Fahnen den Berg Sulpius hinab und empfing unter klingendem Spiel den Konsul, der in einem Regierungsboot gelandet war, am Ufer. Sobald der hohe Würdenträger mit seinem Gefolge die für ihn reservierten Plätze eingenommen hatte, verkündete ein Trompetenstoß den Beginn der Spiele.

Die ungeheure Menschenmenge verharrte in atemlosem Schweigen, als die Behörden, die Veranstalter des Festes, in langen Gewändern den feierlichen Umzug eröffneten. Ihnen folgten verschiedene Götterstatuen, die teils von Männern getragen, teils in reichgeschmückten Wagen gefahren wurden. Nach ihnen erschienen die sich an den Vorstellungen beteiligenden Schnelläufer, Springer, Kämpfer und Wagenlenker. Jede einzelne Abteilung wurde mit einem Beifallssturm begrüßt und mit Blumen und Kranzgewinden überschüttet.

Besonders die Gruppe der Pferdelenker erregte allgemeines Aufsehen. Ihre kurzen ärmellosen Tuniken waren in den zugewiesenen Farben. Jeder einzelne war von einem Reiter begleitet, nur Ben Hur hatte eine Begleitung abgelehnt. Wie die Zuschauermenge unter den übrigen Athleten ihren besonderen Lieblingen doppelt zujubelte, so war es auch bei den Wagenlenkern der Fall. Man merkte bald, daß zwei der Lenker in besonderem Ansehen standen, und wenn man die Reihe der Zuschauer überblickte, so sah man deutlich, daß die weiße, die rote und goldene Farbe am meisten vertreten waren.

Als der Umzug vollendet war, wußte Ben Hur, daß seine Bitte erhört und die Hauptaufmerksamkeit des Publikums auf ihn und Messala gelenkt war.

Elftes Kapitel

Gegen drei Uhr nachmittags war eine längere Pause vorgesehen, um den Zuschauern Gelegenheit zu geben, sich vor dem Beginn der Pferderennen zu erfrischen. Diese Zeit benützten diejenigen, die nur für die letzte Nummer der Spiele Interesse hatten, um ihre Plätze einzunehmen, ohne Auffallen zu erregen. Simonides, den vier Diener hereintrugen, war vielen im Publikum bekannt, auch Ilderim wurde lebhaft begrüßt. Niemand aber hatte eine Ahnung, wer Balthasar war, in dessen Begleitung zwei dicht verschleierte Frauen kamen.

Es waren Iras und Esther. Letztere zog beim Anblick der vielen Menschen ihren Schleier dichter um sich, während die Ägypterin den ihrigen fallen ließ und frei umherblickte, unbekümmert um das Aufsehen, das sie erregte.

Unterdessen wurden auf der Rennbahn selbst die nötigen Vorbereitungen getroffen, die von den Zuschauern mit lebhaften Zurufen begleitet wurden.

Nachdem Sanballat unsere Freunde entdeckt hatte, eilte er zu ihnen. Sich vor Ilderim verneigend, sagte er: „Ich habe mich soeben bei den Pferden umgesehen, sie sind in vorzüglicher Verfassung."

„Wenn sie geschlagen werden sollen, so bitte ich Gott, daß es nicht durch Messala geschehe", erwiderte der Scheich einfach.

Dann wandte sich Sanballat zu Simonides, reichte ihm ein Täfelchen und sagte: „Soeben habe ich dieses bekommen. Somit ist die Wette, die ich den Römern gestern abend vorgeschlagen habe, angenommen worden. Wie ausbedungen war, brachte mir ein Diener diese Zusicherung noch vor dem Beginn des Rennens."

„Ja", antwortete Simonides, „sie haben einen Boten mit der Anfrage zu mir geschickt, ob du so viel Geld bei mir stehen hättest. Solltest du verlieren, so weißt du, an wen du dich zu wenden hast, und wenn du gewinnst, dann sei auf der Hut, daß dir deine Schuldner nicht entkommen. Laß sie bis auf den letzten Heller bezahlen, denn mit uns würden sie ebenso handeln."

„Habe keine Sorge", entgegnete Sanballat lächelnd.

„Willst du dich nicht mit zu uns setzen?" fragte Simonides.

„Nein, danke, denn wenn ich meinen Platz neben dem Konsul aufgäbe, würden die jungen Römer drüben noch übermütiger werden. Friede sei mit dir! Friede mit euch allen!"

Hierauf wurde das Ende der Pause durch einen Trompetenstoß verkündet, und die leeren Reihen füllten sich.

Aller Augen richteten sich auf die sechs Abteilungen auf der östlichen Seite des Zirkus.

Die außergewöhnliche Röte im Gesicht des Simonides zeigte, daß auch er von der allgemeinen Erregung nicht unberührt geblieben war, Ilderim bearbeitete eifrig mit den Händen seinen Bart.

„Habe acht auf den Römer", sagte die schöne Ägypterin zu Esther, die mit pochendem Herzen auf Ben Hurs Erscheinen wartete.

Auf ein Zeichen flogen die Türen der sechs Abteilungen wie mit einem Schlage auf und die sechs Gespanne begannen ihren Wettlauf, begleitet von nicht endenwollenden Zurufen der Menge. Und wahrhaftig der Anblick, der sich bot, war einzig in seiner Art – die sechs tadellosen Gespanne, die prächtigen Wagen, auf denen die Lenker mit entblößtem Oberkörper standen, in der Rechten Stachelstöcke, in der Linken wohlgetrennt die Zügel. Es war, als ob die edlen Pferde sich ihrer Bedeutung bewußt waren, so schüttelten sie die glänzenden Mähnen, so flogen die Nüstern, so stampften die Hufe.

Und nun begann die wilde Jagd.

Zunächst galt es, den Platz an der Mauer zu erobern. Die gespannte Leine fiel, und der Römer erreichte mit einem Triumphgeschrei das erste Ziel.

Auf den Tribünen antworteten die Freunde mit jubelnden Zurufen.

Bei der nächsten Wendung stieß des Römers Gefährt mit seinen Tigerkopfverzierungen so heftig an das Leitpferd des Atheners, daß dieses scheute, die anderen seines Gespanns ein Stück weit mit sich fortriß, und dann das ganze Gefährt umwarf. Um das Unglück vollzumachen, fiel Kleanthes unter die Hufe seiner eigenen Pferde. Es war ein schauerlicher Anblick, und Rufe des Entsetzens wurden von allen Seiten laut.

Indes flogen die übrigen Gespanne weiter, Ben Hur dicht hinter Messala und ein Stück weiter zurück der Korinther, der Byzantiner und der Sidonier.

Zwölftes Kapitel

Ein Hindernis nach dem anderen wurde genommen, aber die Reihenfolge der Wettbewerber blieb immer dieselbe. Messala schien so mit seinem eigenen Gespann beschäftigt zu sein, daß er sich nicht die Zeit genommen hatte, seine Renngefährten ins Auge zu fassen. Plötzlich fiel sein Blick auf seinen Nachbarn, und helle Wut verzerrte einen Augenblick seine sonst so ebenmäßigen Züge. Mit dem Ruf: „Nieder Eros! Hoch Mars!" sauste seine Peitsche auf Ben Hurs Araber nieder.

Der Bubenstreich war von der ganzen Versammlung gesehen und mit einem Sturm der Entrüstung beantwortet worden.

Die edlen Tiere hatten eine derartige Behandlung noch nie erfahren. Dank der sanften Art, mit der sie von klein auf geleitet worden waren, hatten sie ein solches Zutrauen zu den Menschen gefaßt, daß mancher an ihnen hätte ein Beispiel nehmen können. Kein Wunder, daß sie nun entsetzt vorsprangen! In diesem kritischen Augenblick kam es Ben Hur zustatten, daß seine Hände durch die angestrengte Arbeit auf den Galeeren so ungewöhnlich ausgebildet worden waren, denn er hatte lernen müssen, auch bei stürmischer See seinen Platz am Ruder zu behaupten.

Wie in Erz gegossen hielt er auf seinem Platz aus, lockerte die Zügel und suchte seine Araber durch sanften Zuspruch zu beruhigen. Ehe sich das Publikum gefaßt hatte, waren die Tiere wieder völlig in seiner Gewalt. Und nicht nur das: beim nächsten Ziel war er wieder an Messalas Seite und erntete die Bewunderung aller nichtrömischen Zuschauer.

Das gleiche Bild erhielt sich beim zweiten, dritten und vierten Gang; beim fünften gelangte der Sidonier an Ben Hurs Seite, aber er konnte sich nur wenige Augenblicke behaupten.

Die Gangart der Tiere war allmählich immer schneller geworden, und das allgemeine Interesse galt beinahe ausschließlich dem Kampf zwischen dem Römer und dem Juden. Alles harrte in atemloser Spannung auf das Ende.

Wenn, wie Sachverständige behaupten, Messala die letzte Kraft seiner Tiere anspornte, so kam er dadurch offenbar in Vorteil und gewann einen kleinen Vorsprung, der von seinen Freunden mit ungezügeltem Zurufen begrüßt wurde.

Auch Malluch konnte seine Erregung kaum mehr meistern. Aus einer Bemerkung, die Ben Hur hatte fallen lassen, schloß er, daß dieser etwas Besonderes im Schilde führte.

Auf Simonides Seite war alles still. Esther wagte kaum zu atmen; nur Iras schien freudestrahlend.

Wieder war beim sechsten und letzten Gang das erste Hindernis genommen, und Messala behauptete noch immer seinen ersten Platz.

Esther bemerkte mit Schrecken, daß Ben Hurs Gesicht bleich geworden war, während Simonides Ilderim zuflüsterte.

„Ich kann mich täuschen, guter Scheich, aber nach seinem Gesicht zu urteilen, scheint mir Ben Hur eine bestimmte Absicht zu verfolgen."

„Hast du bemerkt, daß die Tiere noch ganz trocken sind, sie sind noch keine Spur ermüdet", versetzte Ilderim. „Gib wohl acht!"

Der Sidonier hieb auf sein Gespann ein, und die Pferde stürzten in Furcht und Schmerz so verzweifelt vor, daß es den Anschein hatte, als ob sie das Ziel zuerst erreichen würden. Aber dieser Versuch sowie der des Byzantiners und des Korinthers schlugen fehl.

Alle Nichtrömer schienen nun auf der Seite Ben Hurs und ermunterten ihn durch Zurufe aller Art.

„Eile dich, Jude!"

„Laß die Araber los! Haue auf sie ein!"

„Laß dem Römer nicht wieder den Vorrang! Jetzt oder nie!"

Hörte er nicht, oder konnte er nicht mehr! Jedenfalls war der halbe Gang bereits vorbei, und noch immer blieb er hinter Messala zurück.

Um einen neuen Bogen zu nehmen, zog Messala die Zügel

seiner beiden Pferde zur Linken etwas an und verminderte dadurch ihre Geschwindigkeit. Diesen Augenblick benutzte Ben Hur, um seinen Tieren die Zügel schießenzulassen, und die Peitsche über sie zu schwingen, nicht etwa, um sie damit zu berühren, sondern um sie zur Anwendung ihrer ganzen Kraft anzufeuern.

Ehe sich Messala Rechenschaft geben konnte, war Ben Hur an seiner Seite; zur gleichen Zeit ließ sich ein lauter Krach vernehmen, dann stürzte Messalas Wagen zusammen, während sich der Römer selbst in die Zügel verwickelte und dadurch zu Fall kam. Unglücklicherweise konnte der Sidonier seine Pferde nicht rechtzeitig zum Stehen bringen und fuhr in vollem Lauf über das zerbrochene Fuhrwerk und seinen Lenker hinweg mitten zwischen die ohnehin erschreckten Pferde. Der Sidonier kam unverletzt aus den Trümmern hervor; aber Messala lag unter den stampfenden Pferden. Augenscheinlich war er tot, und die allgemeine Aufmerksamkeit wandte sich Ben Hur zu, dessen Araber dahinflogen, als berührten sie nicht mehr den Boden. Als der Byzantiner und der Korinther gerade die halbe Strecke zurückgelegt hatten, erreichte Ben Hur das Ziel.

Der Konsul erhob sich, das Publikum schrie sich heiser, während der Veranstalter der Spiele den einzelnen Siegern die Preise austeilte.

Als Sieger unter den Faustkämpfern wurde ein blondhaariger Sachse gekrönt, den Ben Hur als seinen ehemaligen Fechtlehrer in Rom erkannte. Dann fiel sein Blick auf die Gruppe seiner besonderen Freunde, die ihm lebhaft zuwinkten; die Ägypterin beugte sich weit über die Brüstung vor, und ihr Lächeln ließ des Jünglings Herz höher schlagen – er ahnte nicht, daß dieselbe Gunst dem Römer zugefallen wäre, wenn dieser den Lorbeer erhalten hätte.

In feierlichem Zug ging es hierauf durch das Triumphtor, und damit war der bedeutungsvolle Tag beschlossen.

Dreizehntes Kapitel

Ben Hur und Ilderim rasteten jenseits des Ufers und wollten, wie vorher verabredet worden war, um Mitternacht aufbrechen und die Karawane einzuholen suchen, die ihnen um eine Tagesreise voraus war.

Der Scheich strahlte vor Stolz und Glück und machte seinem jungen Freund die glänzendsten Anerbieten, die dieser aber alle mit dem Bemerken ausschlug, daß die Demütigung seines Feindes ihn vollkommen befriedige.

Aber Ilderim beruhigte sich nicht so schnell dabei.

„Bedenke, was du für mich getan hast", sagte er. „Der Ruf meiner Mira und ihrer Kinder wird in jedem schwarzen Zelt bis jenseits der Ufer des Euphrat und weit übers Meer hinaus erschallen und meinen Ruhm verkünden. Man wird vergessen, daß ich alt bin, und kriegstüchtige Leute werden sich unter meine Führung scharen. Du weißt nicht, welche Machtstellung mir jetzt in der Wüste zufallen wird. Fürsten werden vor mir das Knie beugen, Könige werden mir Vergünstigungen aller Art gewähren, und – beim Schwerte Salomos – was meine Boten vom Cäsar für mich erbitten werden, werden sie empfangen. Und willst du unter diesen Umständen noch immer nichts von mir annehmen?"

„Nein, guter Scheich", erwiderte Ben Hur. „Mir genügt, daß deine Hand und dein Herz mir gehören. Deine vergrößerte Machtstellung komme dem ‚zukünftigen König' zugute. Wer weiß, ob dir dieses Glück nicht im Blick auf Ihn zuteil geworden ist! In der Arbeit, die vor mir liegt, werde ich deine Hilfe vielleicht noch dringend nötig haben; dann werde ich froh sein, wenn ich sozusagen ein Anrecht auf dich habe."

Während die beiden noch verhandelten, trafen zwei Boten ein: Malluch und ein Fremder. Malluch, der zuerst vorgelassen wurde, gab seiner Freude über das Ereignis des Tages Ausdruck, dann entledigte er sich des Auftrags seines Herrn.

„Mein Herr, Simonides, läßt dir sagen", begann er, „daß einige Römer nach Beendigung der Spiele gegen die Auszahlung des Geldpreises Einspruch erhoben haben."

„Bei der Herrlichkeit Gottes!" rief Ilderim erregt, „der Osten soll entscheiden, ob das Rennen gültig war."

„Nein, guter Scheich", versetzte Malluch, „das Geld ist bereits ausgezahlt worden. Als man sagte, Ben Hur habe Messalas Wagen angerannt, lachte der Veranstalter und erinnerte an den Schlag, den Messala den Arabern beim ersten Gang versetzt hatte."

„Und wie steht es mit dem Athener?"

„Er ist tot."

„Tot!" rief Ben Hur, „und Messala ist am Leben geblieben?"

„Am Leben ist er allerdings geblieben, aber die Ärzte versichern, daß er nie mehr wird gehen können."

Ben Hur sah stumm zum Himmel. Er stellte sich Messala an den Stuhl gebunden wie Simonides vor und wie dieser auf die Hilfe seiner Knechte angewiesen war, wenn er von einem Ort zum anderen gelangen wollte. Simonides trug seinen Zustand in Ergebung, aber wie würde sich der stolze, ehrgeizige Römer in sein Schicksal fügen?

„Simonides trug mir weiter auf, zu sagen", fuhr Malluch fort, „daß Sanballat Schwierigkeiten hat. Drusus und seine Freunde haben sich geweigert, die eingegangene Wette auszuzahlen. Sie haben sich an Konsul Maxentius gewandt, und dieser hat die Entscheidung Cäsar anheimgestellt. Auch Messala will seinen Verlust nicht anerkennen. Sanballat hat deshalb nach dem Beispiel des Drusus die Angelegenheit dem Konsul unterbreitet. Die öffentliche Meinung, ja, sogar die besser gesinnten Römer halten diese Weigerung für unzulässig; in der ganzen Stadt hört man von nichts anderem reden."

„Was sagt Simonides?" forschte Ben Hur.

„Mein Herr lacht und freut sich. Wenn der Römer zahlt, so ist er zugrunde gerichtet; zahlt er nicht, so verliert er seine Ehre. Die kaiserliche Behörde wird die Entscheidung treffen und sich dabei hüten, sich durch eine Beleidigung Ilderims mit dem ganzen Osten zu verfeinden. Simonides läßt euch bitten, euch nicht zu beunruhigen. Messala wird gewiß zahlen."

Ilderims gute Laune war mit einem Schlage wieder hergestellt.

„Lassen wir die Angelegenheit in Simonides' bewährten Händen", sagte er, indem er sich vergnügt die Hände rieb. „Ich will die Pferde satteln lassen."

„Es ist ein Bote draußen, der dich zu sprechen wünscht", erinnerte Malluch.

„Richtig, ich habe ihn vergessen", antwortete der Scheich.

Malluch zog sich zurück, dann trat ein zart aussehender Jüngling vor, ließ sich vor Ilderim auf ein Knie nieder und sagte:

„Iras, die Tochter Balthasars, hat mich mit einer Botschaft an den guten Scheich Ilderim betraut. Sie würde es für eine Ehre schätzen, wenn du ihren Glückwunsch zum Sieg deines Viererzuges annehmen wolltest."

„Die Tochter meines Freundes ist sehr gütig", entgegnete Ilderim. „Gib ihr diesen Ring zum Zeichen, daß mich ihre Botschaft gefreut hat."

„Ich werde tun, wie du gesagt hast, o Scheich", sagte der Knabe und fuhr fort: „Die Tochter des Ägypters hat mir einen weiteren Auftrag gegeben. Sie bittet den guten Scheich Ilderim, den Jüngling Ben Hur wissen zu lassen, daß ihr Vater zur Zeit im Palast Idernee Wohnung genommen hat und sie bereit ist, den Jüngling morgen von der vierten Stunde ab zu empfangen."

Der Scheich sah Ben Hur an, dessen Gesicht vor Freude strahlte.

„Was willst du tun?" fragte er.

„Wenn du es erlaubst, will ich die Ägypterin besuchen. – Sage deiner Herrin, daß ich ihrem Wunsch folgen wrde", gebot er dem Knaben, und dieser entfernte sich mit einem stummen Gruß.

Um Mitternacht brach Ilderim auf, nachdem er ein Pferd und einen Führer für Ben Hur zurückgelassen hatte.

232

Vierzehntes Kapitel

Der Palast von Idernee, zu dem sich Ben Hur verabredetermaßen am folgenden Tag begab, war einer jener Prachtbauten, wie sie sich nur die Reichsten der Welt zu leisten vermögen.

Von der Straße aus trat Ben Hur in einen Vorhof, von dem aus eine gedeckte Treppe in einen Säulengang führte. Zu beiden Seiten der Stufen ruhten prächtige Löwen; in der Mitte des Hofes spendete ein Riesenibis einen kräftigen Wasserstrahl; die Figuren, die Wände und der Fußboden waren nach ägyptischem Muster und alles, selbst das Treppengeländer, aus grauem Stein.

Der in schneeweißem Marmor ausgeführte Säulengang war so graziös angelegt, daß nur ein Grieche ihn gebaut haben konnte. Ben Hur stand entzückt still, um die formvollendeten Säulen und den tadellosen Marmor zu bewundern; dann trat er durch eine bereits geöffnete Flügeltür in eine Art hohen, aber ziemlich engen Vorraum, an dessen Mittelwand eine Tür zu sehen war. Diese öffnete sich von selbst, ohne jegliches Geräusch. Vielleicht hätte dies Ben Hur befremdet, wäre er nicht von dem Anblick, der sich ihm bot, geradezu überwältigt gewesen. Der Raum, den er vor sich sah, war das überaus kostbar ausgestattete Atrium eines römischen Hauses. Der Fußboden stellte in Mosaik Bilder aus der Mythologie dar, die Decke war gegen die Mitte zu gewölbt, wo eine Öffnung angebracht war, durch die das Sonnenlicht flutete und einen Blick auf den wolkenlosen, blauen Himmel gewährte. Vergoldete Pfeiler stützten die Decke, die Wände waren mit prächtigen Fresken bedeckt. Da und dort waren kostbare Armleuchter, Statuen und Vasen angebracht, und jedes einzelne Möbel war in seiner Art ein Kunstwerk.

Wie in einem Traum befangen, besah sich Ben Hur all die Herrlichkeiten. Die Zeit wurde ihm nicht zu lang dabei, selbst nachdem er zwei- und dreimal die Runde in dem Raum gemacht hatte. Endlich fing er an, sich zu verwundern, daß Iras ihn so lange warten ließ. Er blieb öfters stehen, um zu lauschen; die Figuren auf dem Fußboden, die er aufs neue betrachtete, hatten nicht mehr den Reiz, den sie am Anfang gehabt hatten. Allmählich überschlich ihn eine gewisse Beängstigung; die lautlose Stille, die im ganzen Hause herrschte, fing an, ihm unheimlich zu werden. Lächelnd suchte er den Druck, der sich auf ihn legte, abzuschütteln, indem er sich sagte: „Sie malt vielleicht noch ihre Augenbrauen oder windet einen Kranz für mich. Sie wird gewiß bald in ihrer vollen Schönheit erscheinen." Er suchte seine Gedanken mit den Fresken an der Wand zu beschäftigen, aber die Stille um ihn her machte ihn immer unruhiger. Es fiel ihm nun auch die geheimnisvolle Art auf, mit der sich die Tür vor ihm öffnete, ohne daß er eine menschliche Hand dabei gesehen hatte. Er ging an die Tür und versuchte sie zu öffnen, zwei-, dreimal, ohne daß das Schloß nachgab. Er schüttelte und riß mit aller Gewalt – umsonst. Einen Augenblick stand er ratlos da.

Wer mochte ihm in Antiochien übelwollen? Das fragte er sich, und sofort fiel ihm Messala ein.

Noch einmal versuchte er die verschiedenen anderen Türen; aber sie waren alle verschlossen; er war tatsächlich in dem feenhaft schönen Raum ein Gefangener. Machtlos legte er sich auf eines der Ruhebetten, wobei er sich seine Lage zu erklären suchte.

Wenn Messala die Hand im Spiel hatte, so konnte er zwar nicht selbst kommen, da er ein Krüppel war wie Simonides, aber er konnte sich andere dienstbar machen. Wo aber waren seine Helfershelfer?

Es blieb ihm nichts anderes übrig, als so geduldig wie möglich zu warten. Nach Verlauf von etwa einer weiteren halben Stunde öffnete sich die Eingangstür ebenso geräuschlos wie vorhin, so daß Ben Hur es nicht bemerkte. Erst als er einen lauten, festen Tritt hörte, schrak er leicht zusammen. Er stand auf und lehnte sich an einen der Pfeiler, so daß man ihn nicht sofort sehen konnte. Plötzlich hörte er rauhe Männerstimmen, aber was geredet wurde, konnte er nicht verstehen, da es in einer fremden Sprache geschah.

Offenbar waren die beiden Männer weder die Herren noch Bedienstete des Hauses, denn sie sahen sich verwundert in dem Raum um und nahmen bald dieses, bald jenes in die Hand, um es besser betrachten zu können. Ihre rauhe Art und ihre grobe Bekleidung paßten nicht recht hierher, und doch benahmen sie sich, als ob sie ein gewisses Recht hätten, hier zu sein. Als sie in Ben Hurs Nähe kamen, erkannte dieser in einem von ihnen den Normannen, den er in Rom kennengelernt hatte und der bei den Preiskämpfen am vorherigen Tag als Sieger hervorgegangen war. Das mit vielen Narben bedeckte Gesicht, in dem sich die wilden Leidenschaften des Barbaren spiegelten, die entblößten, sehnigen Arme, die wahrhaft herkulischen Schultern waren nicht dazu angetan, unseren Freund zu beruhigen; ja, er mußte sich sagen, daß alles auf die Ausführung eines Racheaktes angelegt schien. Hier waren die Häscher – er aber war das Opfer.

Der Gefährte des Normannen war jung und hatte etwas Jüdisches in seiner Erscheinung; beide waren mit dem bekleidet, was Leute ihres Berufs in der Arena zu tragen pflegen. Auf Grund dieser Beobachtung konnte Ben Hur nicht mehr im Zweifel sein, daß man ihn in den prächtigen Palast gelockt hatte, um ihn zu töten.

Nachdem ihm der Ernst seiner Lage klar geworden, war wie mit einem Schlage alle Ängstlichkeit gewichen, und er erwartete, was kommen sollte, wie ein Mann. Er hatte sich seines weißen, jüdischen Gewandes und der Kopfbedeckung entledigt und glich nun in seinem Anzug fast ganz seinen Feinden. Während der Normanne und sein Gefährte eine Statue betrachteten, lehnte Ben Hur an einem Pfeiler und wandte kein Auge von ihnen.

Plötzlich hatten sie ihn entdeckt, und nachdem sie einige unverständliche Worte gewechselt hatten, schritten sie auf ihn zu.

„Wer seid ihr?" fragte Ben Hur.

„Barbaren", versetzte der Normanne höhnisch lächelnd.

„Dies ist der Palast von Idernee. Wen sucht ihr hier? Antwortet!"

Erstaunt sahen sich die Fremden an; dann fragte der Normanne: „Wer bist du?"

„Ein Römer."

Der Riese schüttelte sich vor Lachen. „Selbst ein Gott brächte es nicht fertig, aus einem Juden einen Römer zu machen", rief er; dann gab er seinem Gefährten ein Zeichen, worauf beide auf Ben Hur zugingen.

„Noch ein Wort!" sagte Ben Hur.

„Rede", gebot der Barbar.

„Du bist Thord, der Normanne."

Der Riese blickte ihn erstaunt an.

„Du warst Ringkämpfer in Rom, und ich war dein Schüler."

„Nein", entgegnete Thord. „Bei dem Barte Irmins, ich habe nie einen Juden als Schüler gehabt."

„Ich kann meine Aussage beweisen."

„Womit?"

„Ihr kommt hierher, um mich zu töten."

„Ja."

„Dann laß mich mit deinem Gefährten allein kämpfen, und ich werde dir den Beweis liefern, daß ich dein Schüler bin."

Nachdem er einige Worte mit seinem Helfershelfer gewechselt hatte, erklärte sich der Normanne mit dem Vorschlag einverstanden, schob sich bedächtig ein Ruhekissen zurecht, streckte sich gemütlich darauf aus und sagte kaltblütig: „Jetzt kann es losgehen!"

Der Fremde lächelte, als sein Gegner ihm bedeutete, sich zu verteidigen. Kaum aber waren sie ins Handgemenge gekommen, so packte ihn Ben Hur mit so eisernem Griff am Handgelenk, daß an einen Widerstand nicht zu denken war. Ehe er sich's versah, hatte der Jude ihn an der Kehle gepackt und ohne einen Laut von sich zu geben sank der Barbar tot zu Boden.

Ben Hur wandte sich an Thord, der von seinem Sitz aufgesprungen war und hellauf lachte.

„Beim Barte des Irmin, ich selbst hätte es nicht besser machen können", rief er und maß dabei Ben Hur voll Bewunderung vom Kopf bis zu den Füßen. „Es ist derselbe Kunstgriff, den ich zehn Jahre lang in den Schulen zu Rom geübt habe. Du bist kein Jude. Sage, wer bist du?"

„Du kanntest Arrius, den Duumvir."

„Quintus Arrius war mein Gönner."

„Erinnerst du dich, daß er einen Sohn hatte?"

„Ja", versetzte Thord. „Ich kannte den Knaben, er hätte einen ausgezeichneten Gladiatoren abgegeben. Cäsar selbst hat ihm eine Stelle angeboten, und ich habe ihm den Kunstgriff gelehrt, den du soeben angewandt hast und den nur Hände und Arme wie die meinigen auszuführen vermögen."

„Ich bin dieser Sohn des Arrius", versetzte Ben Hur kühl.

Thord stutzte einen Augenblick, dann leuchteten seine Augen freudig auf und lachend streckte er ihm die Hand entgegen.

„Er sagte mir, daß ich einen Judenhund hier finden und den Göttern einen Dienst erweisen würde, wenn ich ihn umbringe."

„Wer sagte dir das?" forschte Ben Hur, indem er die ihm dargebotene Hand schüttelte.

„Messala."

„Wann?"

„Gestern abend."

„Ich dachte, er sei verletzt."

„Ja, er wird nie mehr gehen können und hat mir den Auftrag unter lautem Stöhnen erteilt."

Aus diesen wenigen Worten sah Ben Hur, daß Messala ihm, solange er lebte, gefährlich bleiben und ihn mit seinem Haß verfolgen werde. Die Rache sollte sein geknicktes Leben versüßen; deshalb sträubte er sich auch, Sanballat die Schuld zu zahlen, die ihn um sein ganzes Vermögen brachte. Indem er sich vergegenwärtigte, wie dieser, sein Todfeind, ihn auch in dem Werk hindern konnte, das er für den kommenden König unternommen hatte, kam ihm der Gedanke: Warum nicht dem Römer in gleicher Münze heimzahlen? Der Mann, der gedungen worden war, ihn zu töten, konnte auch gedungen werden, um zu vergelten. Es lag in seiner Macht, dem Barbaren einen höheren Lohn zu versprechen. Die Versuchung war stark, und er hätte ihr vielleicht nachgegeben, wenn sein Blick nicht gerade im entscheidenden Augenblick auf den Toten zu seinen Füßen gefallen wäre, der ihm so täuschend ähnlich sah.

„Was hat Messala dir für einen Lohn versprochen, wenn du mich tötest, Thord?" fragte er.

„Tausend Sesterzien."

„Du sollst sie trotzdem haben, und wenn du auf meinen Vorschlag eingehst, so will ich der Summe noch dreitausend hinzufügen."

Der Riese überlegte laut: „Gestern habe ich fünftausend gewonnen, vom Römer bekomme ich eintausend, und wenn du viertausend hinzufügen willst, guter Arrius, dann verbürge ich mich für dich, dann töte ich den Patrizier, wenn du es haben willst. Ich brauche nur meine Hand auf seinen Mund zu legen, und er hat seinen letzten Atemzug getan."

„Zehntausend Sesterzien ist ein Vermögen", sagte Ben Hur. „Es setzt dich instand, nach Rom zurückzukehren und dort eine Weinschänke neben dem großen Zirkus zu eröffnen."

Des Riesen Gesicht leuchtete, als dieses Bild vor ihm entrollt wurde.

„Ich will dir viertausend geben", fuhr Ben Hur fort, „und der Dienst, den ich von dir fordere, wird deine Hände nicht mit Blut beflecken. Höre mich an. Hat nicht dein Freund, der hier liegt, mir ähnlich gesehen?"

„So ähnlich, daß man hätte denken können, er sei ein Apfel vom gleichen Baum."

„Könntest du nicht, wenn ich die Kleider mit ihm tausche und mit dir zu gleicher Zeit den Palast verließe, gleichwohl deine Sesterzien von Messala erhalten? Du müßtest ihm nur die Überzeugung beibringen, daß ich tot bin."

Thord lachte, bis ihm die Tränen aus den Augen liefen.

„Einverstanden, Sohn des Arrius, und wenn du je wieder einmal nach Rom kommst, so vergiß nicht, die Weinschänke von Thord, dem Normannen, aufzusuchen. Beim Barte Irmins, du sollst den besten Tropfen bekommen, und müßte ich ihn mir von Cäsar selbst borgen."

Ben Hur verbrachte den Abend bei Simonides und erzählte ihm alles, was sich im Palast Idernee zugetragen hatte. Er wies seinen Freund an, dem Normannen die ausbedungene Summe zukommen zu lassen. Nach wenigen Tagen sollten Nachforschungen über den Verbleib des Sohnes Arrius angestellt und nötigenfalls dem Konsul Maxentius eine Anzeige gemacht werden. Wenn der wahre Sachverhalt nicht offenbar wurde, konnte man getrost annehmen, daß sich Messala und Gratus sicher fühlen würden und Ben Hur in die Stadt seiner Väter zurückkehren und Nachforschungen nach seiner Mutter und Schwester anstellen könne.

Noch in derselben Nacht überschritt Ben Hur den Fluß und traf mit dem Araber zusammen, den Ilderim ihm als Führer zurückgelassen hatte.

Als ihm sein Pferd vorgeführt wurde, merkte er, daß der Scheich ihm Aldebaran, den schnellsten und schönsten Sohn der Mira, überlassen hatte. Dieser Akt bewies ihm, wie das Herz des alten Mannes ihm zugetan war, denn gerade Aldebaran war sein Liebling gewesen.

Der Leichnam im Atrium wurde bei Nacht fortgeschafft und heimlich begraben, und zu gleicher Zeit sandte Messala einen Boten an Gratus mit der beruhigenden Mitteilung, daß Ben Hur nun endgültig aus dem Weg geschafft sei.

Kurze Zeit darauf wurde neben dem Circus Maximus in Rom eine Weinschänke eröffnet, an deren Tür die Inschrift prangte: „Thord, der Normanne".

SECHSTES BUCH

Erstes Kapitel

Dreißig Tage waren seit der Nacht verflossen, in der Ben Hur Antiochien verlassen hatte, um mit Scheich Ilderim in die Wüste zu gehen, und in dieser Zeit hatte ein für unseren Helden höchst bedeutsames Ereignis stattgefunden, denn Valerius Gratus war durch Pontius Pilatus ersetzt worden.

Das Volk der Juden versprach sich von diesem Wechsel in der Statthalterschaft keine Verbesserung seiner Lage, und es war gut, daß es sich keinen trügerischen Hoffnungen hingab. Aber wie zuweilen selbst die schlechtesten Menschen bessere Regungen haben und ihnen nachgeben, so war es auch bei Pilatus. Bald nach seinem Amtsantritt ordnete er eine genaue Untersuchung aller Gefängnisse Judäas an und verlangte eine Liste der

Gefangenen mit Angabe des Grundes, weshalb die Strafe über jeden einzelnen verhängt worden war.

Wahrscheinlich traf Pilatus diese Anordnung nur aus dem selbstsüchtigen Grund, daß er möglichst wenige Verpflichtungen seines Vorgängers übernehmen wollte; die Juden aber freuten sich über diesen Gnadenakt und zeigten sich eine Weile fügsamer. Das Ergebnis der Gefängnisuntersuchung war überraschend: Hunderte wurden entlassen, die ohne irgendwelchen Grund gefangengehalten worden waren; andere kamen ans Tageslicht, die längst für tot galten. Am erschütterndsten aber war die Entdeckung von Verliesen, die nicht nur dem Volk unbekannt gewesen waren, sondern deren Existenz sogar die Behörden vergessen hatten. So etwas entdeckte man in der Antoniaburg, einer starken Festung, deren unterirdische Kerker zur Bestrafung von Aufrührern gebraucht wurden. Wehe den Juden, die als Gefangene hinter diese Mauern eingeliefert wurden!

Der Befehl des Statthalters war auch an die Beamten der Antoniaburg gelangt und getreu ausgeführt worden. Die genaue Liste lag bereits auf dem Tisch des Kommandanten der Festung und sollte nun sofort an Pilatus abgehen, der zur Zeit im Palast des Berges Zion sein Hoflager aufgeschlagen hatte.

Unmittelbar ehe der Bote mit den Schriftstücken abgesandt wurde, erschien der oberste Gefängniswärter mit einem großen Schlüsselbund vor seinem Vorgesetzten.

„Was führt dich hierher, Gesius?" fragte der Tribun. „Bist du etwa einem Irrtum auf die Spur gekommen?"

„Wenn es nur ein Irrtum wäre, würde ich nicht vor Schrecken erbeben", erwiderte der Angeredete schaudernd.

„So handelt es sich um ein Verbrechen oder was noch schlimmer wäre – eine Pflichtverletzung? Rede!"

„Es sind nun gerade acht Jahre, daß mich Valerius Gratus als Gefängniswärter in der Burg hier einsetzte", begann Gesius. „Ich erinnere mich wohl, es war an einem Tag, nachdem in der Stadt ein großer Aufruhr gewesen war. Es hieß, man habe einen Mordversuch auf Gratus gemacht, der durch einen wuchtigen

Ziegelstein vom Pferd geschleudert worden war. Als ich vor den Tribun geführt wurde, war sein Kopf noch dick verbunden. Er gab mir als Abzeichen meines Amtes den Schlüsselbund, von dem ich mich unter keinen Umständen mehr trennen sollte. Dann zeigte er mir den Plan der verschiedenen Zellen in der Burg. Die Zellen waren in drei Stockwerken verteilt, und ich hatte den Auftrag, mich sofort nach meinen neuen Schutzbefohlenen umzusehen und nach meinem eigenen Ermessen unter ihnen zu schalten und zu walten, denn auf ausdrücklichen Wunsch des Valerius Gratus hatte ich nur ihm Rechenschaft abzulegen.

Ehe ich mich zurückzog, rief er mich noch einmal. ‚Ich vergaß‘, sagte er, ‚dir wegen der fünften Zelle im dritten Stockwerk einige Anweisungen zu geben. Dort sind drei Männer eingesperrt, die auf unerklärliche Weise in den Besitz eines Staatsgeheimnisses gekommen waren und nun für ihre Neugierde büßen. Man hat ihnen Augen und Zunge ausgerissen und sie auf Lebenszeit hinter Schloß und Riegel gesetzt. Sie bekommen täglich durch eine Öffnung ihre Nahrung, aber die Tür der Zelle darf unter keinen Umständen geöffnet werden – hörst du, Gesius‘, sagte der Tribun.

‚Und wenn sie sterben?‘ fragte ich.

‚Dann soll die Zelle ihr Grab sein‘, lautete die Antwort. ‚Höre wohl, was ich sage, denn die Zelle ist vom Aussatz verunreinigt.‘ Mit diesem Bescheid wurde ich entlassen. Hier ist der Plan, der mir damals ausgehändigt wurde. Wie du siehst, edler Tribun, sind nur fünf Zellen angegeben.“

„Ich sehe“, antwortete der Tribun, „und man sagte dir, die fünfte Zelle sei vom Aussatz verunreinigt.“

„Darf ich eine Frage an dich richten, edler Tribun?“

„Gewiß.“

„War ich nicht berechtigt anzunehmen, daß der Plan richtig sei?“

„Du konntest nicht anders.“

„Aber der Plan war falsch“, sagte der Gefängniswärter mit

Nachdruck. „Im dritten Stockwerk sind nicht fünf, sondern sechs Zellen."

„Gut, dann werde ich den Plan ändern lassen, und du kannst ihn dir morgen holen", erwiderte der Tribun, der die Angelegenheit nun für erledigt hielt.

„Höre weiter, edler Tribun", sagte Gesius.

„Morgen, Gesius, morgen."

„Was ich zu sagen habe, verträgt keinen Aufschub."

Gutmütig setzte sich der Tribun abermals und ließ den Gefängniswärter weiter berichten.

„Der Befehl, daß die Tür der Zelle Nummer 5 niemals geöffnet werden solle, ist in den acht Jahren streng befolgt worden, und vorschriftsmäßig ist Nahrung für drei Männer täglich durch das bestimmte Loch geschoben worden. Gestern öffnete ich mit großer Anstrengung die Tür und fand einen alten, blinden, vollständig nackten Mann, der seiner Zunge beraubt war. Sein Haar fiel in langen Strähnen über den Rücken, seine Haut war wie Pergament und seine Fingernägel wie die Krallen eines Vogels. Auf meine Frage, wo seine Gefährten seien, schüttelte er den Kopf. Wir durchsuchten die Zelle, fanden aber keine Spur der beiden anderen, selbst nicht ihre Gebeine, die doch hätten vorhanden sein müssen."

„Deshalb vermutest du –"

„Daß während der acht Jahre nur ein Gefangener in der Zelle war."

Der Vorgesetzte blickte den Wärter scharf an und sagte streng: „Bedenke wohl, was du sagst. Du beschuldigst Valerius mehr als einer Lüge."

„Er mag sich geirrt haben", sagte Gesius, indem er sich demütig verneigte.

„Nein, er hatte recht", versetzte der Tribun. „Du berichtetest selbst, daß acht Jahre lang Nahrung für drei Gefangene verabreicht wurde."

Gesius ließ sich indes nicht aus der Fassung bringen. „Höre weiter, edler Tribun", sagte er, „und du wirst mir beistimmen.

Ich habe den Mann baden, scheren und kleiden lassen und ihn dann freigegeben. Heute ist er zurückgekehrt und mir vorgeführt worden. Durch Zeichen und Tränen gab er mir zu verstehen, daß er in seine Zelle zurück wolle, und ich gab Befehl, daß man seinen Wunsch erfüllen solle. Unterwegs machte er sich von seinem Führer los, lief zu mir zurück, umschlang meine Füße und sah mich so flehend an, als ob er mich bitten wolle, ihn zu begleiten. Endlich ging ich mit ihm, da das Rätsel von den drei Gefangenen für mich noch nicht aufgeklärt war.

Sobald wir die Zelle erreicht hatten, nahm mich der Alte bei der Hand und führte mich an eine Öffnung, ähnlich derjenigen, durch die er täglich seine Nahrung bekommen hatte. Dann legte er sein Gesicht an die Öffnung und stieß einen tierähnlichen Laut hervor, worauf wir zu unserem Erstaunen eine matte Frauenstimme entgegnen hörten: ‚Gelobt sei Gott!' Ich fragte: ‚Wer seid ihr?' und die Antwort lautete: ‚Eine Frau Israels, die hier mit ihrer Tochter eingemauert ist. Helft uns rasch, sonst sterben wir.' Ich sprach ihnen Mut zu und eilte hierher, um deine Befehle zu hören."

Der Tribun erhob sich rasch.

„Du hattest recht, Gesius", erklärte er. „Ich sehe jetzt, daß der Plan falsch und die Geschichte der drei Männer unwahr war. Es hat bessere Römer gegeben, als Valerius Gratus war!" Dann wandte er sich an seine Umgebung und sagte: „Kommt alle mit, wir wollen die Frauen retten."

Binnen kurzem waren Werkleute zur Stelle und fingen an, eine Öffnung in die Mauer zu schlagen.

Zweites Kapitel

„Eine Frau Israels, die hier mit ihrer Tochter eingemauert ist." Wer von unseren Lesern, als er dies las, hätte nicht erraten, daß die Unglücklichen keine anderen waren, als Ben Hurs Mutter und seine Schwester Tirzah.

Vor acht Jahren waren sie am Tage ihrer Gefangennahme in die Antoniaburg geschleppt worden, wo sie unter Gratus' direkter Aufsicht nicht nur in sicherem Gewahrsam gehalten werden konnten, sondern auch in der durch Aussatz verunreinigten Zelle einem langsamen, aber sicheren Tode verfallen waren. Heimlich waren sie von Sklaven im Dunkel der Nacht in die Zelle geführt worden, deren Tür vermauert wurde. Die Sklaven selbst wurden bei Tagesanbruch voneinander getrennt und in entgegengesetzte Himmelsrichtungen verschickt, so daß sie nie mehr voneinander hören konnten. Um das Leben der Unglücklichen zu fristen, wurde ein blinder und der Zunge beraubter Sträfling in die Nachbarzelle gesperrt, der sie mit der nötigen Nahrung versorgen mußte. Damit jede Möglichkeit einer Entdeckung ausgeschlossen war, wurde der bisherige Gefängniswärter durch einen neuen ersetzt, dem ein neuer Plan, auf dem die sechste Zelle nicht angegeben war, ausgehändigt wurde. Mit Messalas Hilfe hatte der Römer diesen schlauen Plan erdacht, um unter dem Deckmantel, daß eine Aufrührerbrut ausgerottet werden müsse, den großen Besitz der Hurs zu konfiszieren und dadurch nicht etwa den kaiserlichen Schatz, sondern den eigenen zu vergrößern.

Wer könnte sich eine Vorstellung machen von dem Leben, das Mutter und Tochter während dieser acht Jahre hinter den Gefängnismauern führten? Je gebildeter die Menschen sind, um so qualvoller müssen ihre Leiden unter solchen Umständen sein. Wir haben zu Beginn unserer Erzählung versucht, die Lebensweise und Lebensanschauung, die im Hause Hur herrschte, zu schildern; in Erinnerung daran kann sich der Leser einen kleinen Begriff machen von dem entsetzlichen Dasein, das die hochgebildete Frau mit ihrer Tochter im Kerker der Antoniaburg führen mußte.

Aber gerade in dieser jammervollen Lage zeigten sich der starke Geist, die Glaubenszuversicht und die selbstvergessende Liebe der edlen Dulderin. Von Tag zu Tag tröstete die Mutter ihr Kind mit der Hoffnung auf baldige Befreiung. Sie vertrieben sich die langen Stunden, indem sie des fernen Sohnes und Bruders gedachten, dessen Schicksal sie nicht kannten.

Wer vermag aber das Weh zu schildern, das der Mutter Herz durchzog, als sie zum ersten Male an sich die Anzeichen des Aussatzes gewahrte und sich dieselben Spuren am Körper der geliebten Tochter zeigten! Eine Zeitlang sah die arme Frau in starrem Brüten vor sich hin, dann aber ermannte sie sich und brachte ihrem Kind ein Opfer, das nur die Mutterliebe zu bringen vermag. Sie behielt das schreckliche Geheimnis für sich und suchte auf alle erdenkliche Weise dem armen Kind ihre entsetzliche Lage, so lange es ging, zu verschweigen. Mit unermüdlicher Geduld und immer neuem Erfindungseifer vertrieb sie Tirzah die Zeit und lenkte deren Aufmerksamkeit von sich ab. Wie oft ließ sie sich von ihr vorsingen – oder erbaute sich daran, mit schwacher Stimme die Psalmen des königlichen Sängers ihres Volkes zu wiederholen und den Gott zu loben, der ihrer vergessen zu haben schien.

Langsam aber sicher vollführte der Aussatz sein Zerstörungswerk. Die Haare wurden weiß, Löcher fielen in Lippen und Augenlider, ihr Körper war mit Narben bedeckt; dann wurde auch die Kehle von der entsetzlichen Krankheit ergriffen, so daß die Stimmen einen hohlen, schrillen Klang annahmen. Schon waren die Lunge und die Knochen angefressen, und die arme Mutter wußte, daß sie und ihr Kind einem langsamen, aber sicheren Tod verfallen waren.

O die entsetzliche Stunde, in der sie ihrem Liebling die ganze schreckliche Wahrheit entdecken mußte, und in der die beiden dann gemeinsam um einen baldigen Tod zu Gott flehten. Mit der Zeit aber lernten sie sich in ihre entsetzliche Lage schicken, und obwohl sie sich die beständige Veränderung, die mit ihnen vorging, nicht verhehlten, klammerten sie sich ans Leben. In ihrer gänzlichen Abgeschlossenheit von der Außenwelt blieb der Gedanke an Ben Hur der goldene Faden, der sich durch ihr trostloses armes Leben zog. Die Möglichkeit, daß er sie vergessen haben könnte, kam ihnen nie in den Sinn; um seinetwillen wollten sie leben, und sie warteten geduldig auf den Tag ihrer Befreiung.

War dieser langersehnte Tag nun endlich angebrochen? Brachten sie die Hammerschläge, die sie hörten, der Freiheit entgegen, nachdem sie, damit das Maß ihrer Leiden voll wurde, während mehr als vierundzwanzig Stunden die Qualen des Hungers hatten erdulden müssen?

Endlich drang das Licht der Fackeln in die düstere Zelle, und mit dem Ruf „Gott ist gut!" fiel die Frau auf die Knie.

Als erster trat der Tribun in die Zelle. Die armen Gefangenen hatten sich in eine Ecke gekauert, von woher sie, eingedenk ihrer traurigen Pflicht, das furchtbare Wort: „Unrein, unrein!" ertönen ließen. In der Freude der baldigen Befreiung vergaß die tapfere Frau keinen Augenblick ihren Zustand; aber nie vorher war ihr so klar geworden wie heute, daß das frühere glückliche Leben für sie nie mehr wiederkehren konnte. Nie mehr durfte sie ihr ehemaliges Heim wieder betreten, nie mehr sich ihrem heißgeliebten Sohn nahen. Wenn er ihr die Hände entgegenstreckte und den süßen Mutternamen rief, mußte sie ihn aus Liebe zu ihm mit dem Ruf: „Unrein, unrein!" von sich weisen.

Trotz allem beugte sich die tapfere Frau unter ihr schweres Los. Mit ihren Haaren die Tochter den Blicken aller verhüllend, rief sie den Gruß, den sie fortan einem jeden Nahenden zuzurufen hatte: „Unrein, unrein!"

Der Tribun hörte es mit Schaudern und blieb stehen.

„Wer seid ihr?" fragte er.

„Zwei Frauen, die dem Verhungern und Verdursten nahe sind."

„Sage deinen Namen, Frau! Wer bist du? Wer hat dich hierhergebracht und weshalb?"

„In dieser Stadt Jerusalem lebte einst ein Fürst Ben Hur, ein Freund aller edlen Römer und des Cäsars. Ich bin seine Witwe, dieses hier ist seine Tochter. Weshalb wir hier eingemauert worden sind, kann ich dir nicht sagen, weil ich es selbst nicht weiß. Valerius Gratus kann dir den Namen unseres Feindes nennen und sagen, wie lange schon unsere Gefangenschaft dauert; ich vermag es nicht. Sieh, in welchem Zustand wir uns befinden, und habe Erbarmen mit uns!"

Der Tribun hatte einen Fackelträger an seine Seite befohlen und die Aussage der Frau wörtlich niedergeschrieben. Wie konnte er anders als dieser so kurzgefaßten, aber gerade in ihrer Einfachheit so erschütternden Erklärung Glauben schenken?

„Es soll dir geholfen werden, Frau", sagte er. „Ich will dir Speise und Trank schicken."

„Und Kleidung und reinigendes Wasser, edler Römer", bat die Unglückliche.

„Deine Wünsche sollen erfüllt werden."

„Gott ist gut!" rief die Witwe schluchzend, „möge sein Friede dich begleiten!"

„Ich kann dich nicht wiedersehen", fuhr der Tribun fort. „Richte dich, denn heute nacht will ich euch an das Tor der Burg bringen und in Freiheit setzen lassen. Ihr kennt das Gesetz. Lebt wohl!"

Kurz nachdem sich der Tribun zurückgezogen hatte, kamen Sklaven mit Wasser, Handtüchern, Frauenkleidern und einem Brett mit Brot und Fleisch, setzen alles in den Bereich der Gefangenen und eilten davon.

In der ersten Nachtwache wurden die beiden vor das Tor geführt und somit wieder in der Stadt ihrer Väter auf freien Fuß gesetzt.

Aber was nun tun? Und wohin die Schritte wenden?

Drittes Kapitel

Es war schon fast dunkel, als Ben Hur durch das Fischtor die Heilige Stadt betrat. Die Straßen, durch die er ging, waren schlecht gepflastert, die Häuser niedrig und düster; hin und wieder drang aus einem von ihnen Kindergeschrei, sonst aber war alles öde und still. Sank schon unter diesem Eindruck des Jünglings Hoffnungsfreudigkeit, so schien sie völlig zu erlahmen, als er an den Bethesdateich kam und ihm von dort aus die festen Mauern der Antoniaburg entgegenstarrten. Wenn seine Mutter hier vergraben war, dann konnte Menschenkraft ihr nicht helfen. Diese Mauern würden einer ganzen Armee Trotz bieten.

Schweren Herzens ging Ben Hur weiter, die Straße, die zur Burg führte, entlang, bog dann nach links ab und stand endlich vor seines Vaters Haus.

Der Leser, der selbst nach langen Jahren an den Ort zurückkehrt, wo er eine glückliche Kindheit verlebt hat, die nie wiederkommen wird, mag vielleicht nachfühlen, welche Empfindungen Ben Hur in diesem Augenblick bewegten.

Vor dem Eingang an der Nordseite des alten Hauses blieb er stehen. Das Wachs des kaiserlichen Siegels war noch deutlich zu erkennen, und quer über der Eingangstür war eine Tafel angebracht mit der Inschrift

Eigentum des Kaisers

Seit jenem entsetzlichen Tag, an dem ein glückliches Familienleben auf so schauerliche Weise aufgelöst worden war, hatte kein menschlicher Fuß die Schwelle dieses Hauses überschritten. Obwohl sich Ben Hur sagte, daß ein Klopfen an der Tür nutzlos war, konnte er doch nicht anders – er mußte, wie er es früher getan hatte, dreimal klopfen. Er wartete eine Weile, und als sich nichts rührte, wandte er sich wie träumend nach der Westseite und starrte zu den Fenstern hinauf, ohne eine Menschengestalt zu entdecken. Auch auf der Südseite war das Tor versiegelt und mit einer Inschrift versehen, die beim klaren Mondlicht leicht zu entziffern war. In ohnmächtiger Wut riß Ben Hur die Tafel herunter und schleuderte sie in den nächsten Graben. Dann setzte er sich auf die Steinstufen und flehte zu Gott, daß der verheißene König bald kommen und Sein Reich aufrichten möge. Nachdem er sich etwas beruhigt hatte, übermannte ihn die Müdigkeit, und er schlief ein.

Um diese Zeit kamen zwei Frauen aus der Richtung der Antoniaburg langsam die Straße entlang und näherten sich zögernd dem Hause Hur. Mehr als einmal blieben sie stehen und blickten sich scheu um, als fürchteten sie, verfolgt zu werden. Als sie an der Ecke des Gebäudes angekommen waren, flüsterte die eine:

„Dieses hier ist es, Tirzah!" worauf Tirzah schluchzend die Hand ihrer Mutter ergriff und sich an sie schmiegte. „Wir müssen weiter, Kind", mahnte die Mutter endlich, „denn wenn der Morgen graut, werden wir aus der Stadt gejagt, um nie mehr dorthin zurückzukehren."

„Ach, ich hatte es fast vergessen", schluchzte das Mädchen. „Mir war, als kämen wir endlich nach Hause. Aber wir sind ja Aussätzige, die kein Heim haben und zu den Toten gehören."

Liebevoll beugte sich die Mutter über ihr Kind, richtete es mit zarter Hand auf und sagte ermunternd:

„Komm, Kind, wir haben nichts zu fürchten."

Und in der Tat, sie brauchten nur ihre leeren Hände in die Höhe zu heben, um eine Legion in die Flucht zu jagen. Wie Geister glitten sie an der Mauer entlang, bis sie das Eingangstor erreichten und auch ihnen die Inschrift auf der Tafel entgegenstarrte.

„Was ist nun?" fragte Tirzah ängstlich, als sie die Mutter in namenlosem Weh die Hände ringen sah.

„O Tirzah, mein armer Sohn."

„Was ist mit ihm?"

„Sie haben ihm alles genommen – selbst dieses Haus. Und er wird uns niemals helfen können. So bleibt uns nichts übrig, als morgen, wie die anderen Aussätzigen, am Wegesrand zu sitzen, um zu betteln, wenn wir nicht Hungers sterben wollen."

„Mutter, laß uns – laß uns sterben", flüsterte Tirzah.

Die Mutter antwortete mit einem entschiedenen „Nein, Gott, der Allmächtige, hat uns unsere Zeit zugemessen. Wir glauben an Ihn und wollen auch in diesem Stück Seiner harren."

Wieder nahm sie ihr schwaches Kind an der Hand und indem sie das Auge kaum von den Fenstern nahm, eilte sie von der Westseite zur Südseite des Hauses. Nirgends regte sich sonst ein menschliches Wesen. Wer vermag zu beschreiben, welche Qualen dieses Mutterherz durchmachte, während sie, die Heimatlose, mit ihrem Kind um ihr ehemaliges Heim herumging.

Plötzlich blieb sie wie angewurzelt stehen.

„Dort liegt ein Mann auf den Stufen, Tirzah", sagte sie leise. „Er scheint zu schlafen."

Behutsam trat sie näher und betrachtete einen Augenblick das vom Mondschein beleuchtete Gesicht des Schläfers. Sie starrte auf ihn, als ob sie ihren Augen nicht traute, dann lief sie zu Tirzah zurück und flüsterte: „So wahr der Herr lebt, es ist mein Sohn, dein Bruder! Komm, laß uns ihn gemeinsam noch einmal ansehen, und dann, dann helfe uns der Herr!"

Nun standen die Jammergestalten vor dem in Jugendkraft und Schönheit strotzenden Schläfer. Seine Hand war ausgestreckt, und Tirzah war eben im Begriffe sie zu küssen – da riß die Mutter sie gerade noch zur rechten Zeit zurück und flüsterte ihr in der Angst ihres Herzens zu: „Was tust du, Kind? Unrein, unrein!" Nicht um alle Reichtümer der Welt, nicht um ihr eigenes Leben zu retten, hätte das tapfere Weib dem Drang ihres Herzens folgen und den geliebten Sohn in die Arme schließen mögen. In dem Augenblick, da sie ihn wiedergefunden hatte, mußte sie ihm auf immer entsagen. Anrühren durfte sie ihn um keinen Preis, aber sie kroch an ihn heran und preßte die Lippen an die Sohlen seiner Sandalen. Die Sohlen waren staubig; aber was tat es?

Ben Hur bewegte sich im Schlaf, worauf die Gestalten scheu

zurückwichen, doch hörten sie ihn deutlich die Namen „Mutter!" und „Amrah!" aussprechen.

Die Mutter preßte den Mund in den Staub, um zu verhüten, daß sich ein Laut ihrem gequälten Herzen entrang. Sie wußte nun wenigstens, daß er sie nicht vergessen hatte und daß er sogar im Schlaf an sie dachte.

Noch einmal warfen sie einen langen, sehnsüchtigen Blick auf ihn, und dann schritten sie Hand in Hand über die Straße, um ihn von dort aus weiter zu beobachten – sie wußten selbst nicht, worauf sie noch warteten.

Nach einer Weile, während Ben Hur noch schlief, tauchte eine andere Gestalt an der Ecke des Palastes auf. Die im Schatten der Mauer Versteckten konnten beim Schein des Mondes erkennen, daß es eine kleine, gebeugte Frau von dunkler Hautfarbe war. Sie trug Dienstbotenkleidung und war mit einem Korb voll Gemüse beladen.

Beim Anblick des Schläfers blieb sie stehen, ging kurz entschlossen um ihn herum, öffnete mit Leichtigkeit und geräuschlos den einen Torflügel und schob ihren Korb hinein. Dann drehte sie sich um, um noch einmal nach dem Fremden zu sehen. Plötzlich stieß sie sie einen leichten Schrei aus, rieb sich die Augen, klatschte in die Hände und ergriff dann die ausgestreckte Hand, um sie mit Küssen zu bedecken. Der Schläfer fuhr in die Höhe und starrte einen Augenblick in das Gesicht der Alten, dann schlang er seine Arme um sie und rief: „O Amrah, Amrah! Bist du es? Weißt du etwas von meiner Mutter und Tirzah?"

Amrah brach in Tränen aus.

„Sag, wo sie sind?" bat er flehentlich. „Du hast sie gesehen. Sind sie im Haus?"

Tirzah machte eine Bewegung, aber mit aller Kraft hielt die Mutter sie zurück und flüsterte: „Um alles in der Welt bleibe hier! Unrein, unrein!"

Wenn auch ihr Herz dabei brach, eins mußte sie vermeiden: er durfte nicht werden, was sie waren.

Ben Hur verschwand mit der alten Amme im Haus, und sie, die mit Schmerzen gesucht wurden, standen wenige Schritte von ihnen entfernt und kauerten dicht aneinandergeschmiegt im Staub.

Sie hatten ihre Pflicht getan und die Größe ihrer Liebe und Selbstverleugnung bewiesen.

Als man sie am nächsten Morgen fand, wurden sie unter Steinwürfen aus der Stadt gejagt.

Viertes Kapitel

Die Fremden, die heutzutage das Heilige Land bereisen, pflegen unter anderem den alten Brunnen En-Rogel zu besuchen, um dort das köstliche, süße Wasser zu versuchen. Sie lächeln dabei wohl über die primitive Art, in der das perlende Naß gewonnen wird, fragen etwa nach der Tiefe der Quelle und wenden dann ihr Augenmerk auf die nahen Berge Morijah und Zion. Nicht weit von diesem Brunnen liegt ein anderer Berg, dem sich aber nur die Ärmsten unter den Armen, die Aussätzigen, zu nahen pflegen. Dort haben sich die vielen Unglücklichen angesiedelt und fristen ihr jämmerliches Dasein, so gut es eben möglich ist.

Am zweiten Morgen nach den im letzten Kapitel geschilderten Ereignisssen finden wir Amrah in der Nähe des Brunnens En-Rogel auf einem Stein sitzen. Neben ihr stehen eine Wasserkanne und ein mit einem weißen Tuch bedeckter Korb. Sie hat die Hände auf den Knien gefaltet und hält den Blick unverwandt auf den gegenüberliegenden Hügel gerichtet, als ob sie von dorther jemanden erwarte.

Nach und nach wird es lebendig auf dem Platz. Scharen kommen aus dem Tor der Stadt, um ihren Wasserbedarf zu schöpfen, ehe die Hitze des Tages unerträglich wird. Aber warum regt sich unsere Amrah nicht? Das hat seine besondere Bewandtnis.

Sie pflegte sich nach Eintritt der Dunkelheit aus ihrem Haus zu stehlen, ihre Bedürfnisse an Fleisch und Gemüse auf dem Markt einzukaufen und sich dann wieder einzuschließen.

Die Rückkehr Ben Hurs war ihr eine unaussprechliche Freude; von seiner Mutter und Tirzah konnte sie ihm allerdings nichts sagen, aber sie durften doch wenigstens miteinander von den alten Zeiten reden. Am liebsten wäre es ihr gewesen, wenn er seine alten Zimmer wieder bezogen hätte, aber er hielt es geratener, in einem ihm bekannten Khan zu wohnen, um vor Entdeckung sicher zu sein. Er wollte die treue Dienerin so oft wie möglich besuchen, aber nur des Nachts zu ihr kommen und vor Tagesanbruch das Haus wieder verlassen. Amrah mußte sich damit wohl oder übel zufrieden geben und bemühte sich nun, ihm auf ihre Art Liebe zu erweisen, wenn sie auch dabei zuweilen vergaß, daß aus dem Knaben von ehedem ein junger Mann geworden war, dessen Bedürfnisse und Liebhabereien mit den Jahren gewechselt haben konnten. So war es ihr auch ein besonderes Anliegen, daß ihr Herr bei seinen nächtlichen Besuchen gerade das Backwerk vorfand, das er in früheren Jahren besonders gern gegessen hatte.

Mit großer Vorsicht machte sie am Abend ihre Einkäufe, und während sie sich nach dem besten Honig umsah, hörte sie einen Mann etwas erzählen, was ihre ganze Aufmerksamkeit fesselte.

Der Leser wird erraten, worum es sich handelte, wenn er hört, daß der Erzähler einer der Männer war, die dem Kommandanten der Antoniaburg die Fackel in der Zelle hatten halten müssen, als die Hurs aufgefunden worden waren.

Es läßt sich denken, wie die treue Magd lauschte und wie sie vor Freude halb lachte und halb weinte, bis ihr plötzlich klar wurde, daß Tirzah und ihre Mutter für den Sohn und Bruder so gut wie verloren blieben. Und kam dadurch nicht Ben Hur selbst in die größte Gefahr? Es sah ihm ähnlich, daß er unter den Aussätzigen suchte, bis er seine Angehörigen gefunden hatte und damit dem gleichen schrecklichen Lose verfiel.

Händeringend ging sie in dem öden Haus umher, bis sie endlich zu dem Entschluß kam, Ben Hur nichts von dem zu sagen, was sie gehört hatte. Sie selbst aber wollte am nächsten Morgen am Brunnen En-Rogel warten, bis der traurige Zug der Aussätzigen ihre Krüge hatten mit Wasser füllen lassen. Hunger und Durst zwangen ja auch die beiden unglücklichen Frauen, gleich ihren Leidensgenossen die Gefäße an den Rand des Weges zu stellen und zu warten, bis jemand sie ihnen füllte. Vielleicht gelang es der Dienerin, ihre Herrin wiederzuerkennen.

Wie gedacht, so getan, und das war auch der Grund, weshalb

Amrahs Blicke unverwandt auf den jenseitigen Hügel gerichtet
blieben. Sie sah, wie die einzelnen Jammergestalten aus ihren
Höhlen wankten, manche mußten sich an Krücken oder Stök-
ken vorwärtshelfen, andere sogar auf Bahren getragen werden,
und es wurde dadurch offenbar, wie die Liebe auch da durch-
bricht, wo Unglück, Jammer und Not aufs engste zusammengedrängt und keins davon ausgeschlossen ist.

Bald hatten zwei weibliche Gestalten Amrahs Aufmerksamkeit gefesselt. Offenbar waren sie noch nicht mit den Gepflogenheiten der Aussätzigen vertraut, denn sie blieben von Zeit zu Zeit zögernd stehen und schienen offenbar von dem traurigen Anblick, der sich um sie herum entfaltete, überwältigt. Beide hatten weiße Haare und sahen alt aus, aber ihre Kleider waren nicht zerrissen wie die ihrer Leidensgefährten. Als sie der Quelle nahten, wurden sie durch zornige Zurufe der Menge am Weitervordringen gehindert, und vom Berge herunter erscholl in schrillen Tönen der Ruf: „Unrein, unrein!"

Amrah stand auf und ging den beiden Unglücklichen so weit entgegen, daß sie die Gesichtszüge möglicherweise hätte erkennen können.

Aber nein – sagte sie sich – das konnte nimmermehr ihre einst so schöne gütige Herrin sein, deren Hände sie so oft geküßt hatte, und noch weniger war es möglich, daß die zweite Gestalt ihre liebliche Tirzah war, der ehemalige Sonnenschein des Hauses Hur.

Schon wandte sie ihnen wieder den Rücken, als eine der Aussätzigen sie beim Namen rief.

Amrah ließ ihre Kanne fallen und schaute erschrocken um sich.

„Amrah!" tönte es noch einmal.

„Wer bist du?" fragte Amrah, am ganzen Körper zitternd.

„Wir sind diejenigen, die du suchst."

Die alte Dienerin fiel schluchzend auf die Knie.

„O Herrin"; rief sie. „Gelobt sei der Gott, den du mich hast kennenlernen! Er ist's, der mich zu dir geführt hat", und auf ihren Knien rutschte die treue Alte ihrer Herrin entgegen.

„Komm mir nicht näher", gebot die edle Frau. „Unrein, unrein!"

Die Worte genügten. Amrah fiel auf ihr Angesicht und schluchzte so laut, daß die Leute an der Quelle sie hörten. Dann stand sie plötzlich auf und fragte:

„Und wo ist Tirzah, edle Herrin?"

„Ich bin hier, Amrah", sagte die andere Jammergestalt. „Willst du mir nicht etwas Wasser bringen?"

So schnell sie ihre alten Füße trugen, eilte Amrah an den Brunnen, und die Umstehenden hatten solches Mitleid mit ihrem Schmerz, daß sie ihr behilflich waren, den Krug zu füllen.

„Wer sind die beiden?" fragte eine Frau, worauf Amrah sanft erwiderte: „Frühere Wohltäter von mir."

In ihrem Eifer wäre sie auf ihre Herrin zugeeilt, wenn diese nicht abermals den schrecklichen Warnruf hätte ertönen lassen. So stellte Amrah den Krug und den mit Brot und Fleisch gefüllten Korb in den Bereich der armen Ausgestoßenen.

„Danke, Amrah", sagte sie. „Du hast für heute alles getan, was du uns tun kannst. Nun aber höre noch, was ich dir zu sagen habe", fuhr die ältere der beiden fort. „Ich weiß, daß Juda heimgekommen ist. Wir haben ihn gesehen, als er vorgestern schlafend auf den Steinstufen lag. Wir sahen auch, wie du ihn wecktest."

„Das sahst du, edle Herrin, und hast dich nicht gezeigt?" rief Amrah aufs tiefste bewegt.

„Es wäre sein Tod gewesen. Ich darf ihn nie mehr in die Arme schließen, ihm nie mehr einen Kuß geben. Ich weiß, daß du ihn lieb hast, Amrah, aber ich möchte, daß du mir dieses auch durch die Tat beweist. Willst du das tun?"

„Sag an, Herrin. Gott weiß, daß ich mit Freuden für ihn sterben würde."

„Dann versprich mir, daß du ihm niemals verrätst, wo wir sind, und daß du uns gesehen hast."

„Aber er ist von weither gekommen, um euch zu suchen", wandte Amrah ein.

„Er darf uns nicht finden, sonst ereilt ihn das gleiche Schicksal, das uns betroffen hat. Wenn du uns helfen willst, so komm jeden Morgen und Abend hierher, versorge uns mit Speise und Trank, und erzähle uns von ihm. Doch merke wohl – von uns darfst du ihm nichts sagen!"

„Aber wenn er von euch redet und euch sucht, wenn ich sehe,

wie er euch liebt – darf ich ihm dann nicht wenigstens sagen, daß ihr lebt?"

„Nein, Amrah, denn was du ihm von uns erzählen könntest, würde seinen Kummer nur vergrößern. Komme heute abend wieder, wir erwarten dich. Bis dahin lebe wohl!"

Mit diesen Worten gab die Mutter Tirzah den Korb, nahm selbst den Krug, und dann gingen beide langsam nach ihrer Höhle zurück.

Amrah sah ihnen kniend nach, bis sie verschwunden waren; dann trat auch sie schweren Herzens den Heimweg an.

Von da ab kam sie regelmäßig jeden Morgen und Abend zur Quelle und versorgte ihre unglücklichen Herrinnen mit allem, was sie brauchten. Die Höhle war zwar öde und schaurig, doch lange nicht so schrecklich wie die Gefängniszelle in der Antoniaburg. So lange man den freien Himmel über sich sehen kann, läßt sich das Leben leichter ertragen.

Fünftes Kapitel

Es war am Morgen des ersten Tages des siebenten Monats –
nach der hebräischen Benennung Tischri, nach der unseren der
Monat Oktober.

Ben Hur war in trüber Stimmung von seinem Lager im Khan
aufgestanden. Sobald Malluch in Jerusalem eingetroffen war,
hatte er auf Ben Hurs Wunsch seine Nachforschungen in der
Antoniaburg begonnen. Kühn hatte der treue Diener eine Un-
terredung mit dem Kommandanten der Burg begehrt und ihm
die Geschichte der Hurs und alle Einzelheiten bei dem Unfall
des Prokurators Gratus kurz und wahrheitsgetreu vorgetragen.
Der Zweck seines Kommens sei, zu ermitteln, ob etwa noch ein
Mitglied der unglücklichen Familie am Leben sei. Die Freunde
hätten dann im Sinn, eine Eingabe an den Kaiser einzureichen
und um Rückerstattung sowohl der Güter als auch der bürgerli-
chen Rechte für die Familie zu bitten.

Als Antwort erzählte der Tribun, welche Entdeckung in der
Burg gemacht worden war und gestattete Malluch sogar, eine
Abschrift von der Erklärung zu nehmen, die die unglückliche
Frau selbst gegeben hatte.

Mit dieser wichtigen Erklärung eilte Malluch zu seinem Gebieter zurück.

Es wäre nutzlos, den Eindruck zu beschreiben, den die entsetzliche Geschichte auf den jungen Mann machte. In dumpfem
Schmerz blieb er regungslos sitzen, keine Träne, kein Seufzer
erleichterte die Qual seines Herzens. Nur von Zeit zu Zeit stieß
er die Worte hervor: „Aussätzig! Meine Mutter und Tirzah! O
Gott, wie lange, wie lange!"

Endlich ermannte er sich und stand auf.

„Ich muß mich nach ihnen umsehen", sagte er. „Möglicherweise sterben sie Hungers."

„Wo willst du sie suchen, Herr?" fragte Malluch.

„Es gibt nur einen Ort, wo sie haben hingehen können."

Malluch suchte dem jungen Mann den Plan auszureden, und es gelang ihm schließlich, daß ihm die weiteren Nachforschungen überlassen blieben.

Sie gingen zusammen an das Tor, das den Behausungen der armen Aussätzigen am nächsten lag. Hier war der Ort, wo seit undenklichen Zeiten tagaus, tagein die Aussätzigen bettelten. Ben Hur und Malluch teilten Almosen aus, erkundigten sich nach den beiden Frauen und versprachen dem eine hohe Belohnung, der irgendwelche Kunde von ihnen bringen konnte. Den ganzen Monat und den folgenden hindurch setzten die beiden Männer auf diese Weise ihre Nachforschungen fort, und im Lager der Aussätzigen war man, angelockt durch die ausgesetzte Belohnung, eifrig am Suchen nach den Vermißten. Mehr als einmal war man auch in die Höhle nahe der Quelle gedrungen und hatte deren Bewohner ausgefragt. Aber die beiden tapferen Frauen bewahrten ihr Geheimnis.

Auch alle sonstigen Schritte, die Malluch zur Auffindung der Unglücklichen tat, blieben erfolglos, bis man endlich am ersten Tage des siebenten Monats in Erfahrung brachte, daß vor nicht langer Zeit zwei aussätzige Frauen in der Stadt aufgefunden und unter Steinwürfen zum Tor hinausgejagt worden waren. Durch einen Vergleich der Daten blieb schließlich kein Zweifel mehr darüber, daß die Unglücklichen die beiden Hurs waren. Wo sie sich jetzt aber befanden und was aus ihnen geworden, wußte niemand.

„Nicht genug, daß man meine Angehörigen zu Aussätzigen gemacht hat", rief der junge Mann voll Bitterkeit, „nein, man hat sie auch noch aus ihrer Heimatstadt mit Steinwürfen gejagt. Meine Mutter tot! Meine Schwester tot! O Gott meiner Väter, wie lang soll dein Volk noch unter der unerträglichen Herrschaft der Römer schmachten?"

Voll bitterer Rachegedanken betrat er den Hof des Khans und fand ihn angefüllt mit Leuten, die im Lauf der Nacht gekommen waren. Während Ben Hur sein Frühstück verzehrte, beobachtete er das Treiben um sich herum. Bald zog ihn eine

Gruppe junger, kräftiger Leute an, die ihrer Sprache und ihrem Benehmen nach offenbar aus der Provinz gekommen waren. Es dauerte nicht lange, so hatte er erfahren, daß es Galiläer waren, die zur Feier des Posaunenfestes in die Heilige Stadt gekommen waren.

Während er im stillen überlegte, was sich mit einer Legion solcher Leute ausrichten ließe, wenn sie nach römischen Muster geschult wären, lief ein Mann in großer Erregung in den Hof.

„Was tut ihr hier?" rief er den Galiläern zu. „Die Rabbiner und Ältesten ziehen vom Tempel aus zu Pilatus. Kommt, schließen wir uns ihnen an!"

Im Nu war der Bote umringt.

„Zu Pilatus! Warum?" fragte man.

„Sie haben einen geheimen Plan entdeckt. Es heißt, daß die Kosten der neuen Wasserleitung, die Pilatus hat bauen lassen, mit dem Geld des Tempels gedeckt werden sollen."

„Was, mit dem heiligen Schatz?" riefen alle, und ihre Augen funkelten. „Wehe, wenn er auch nur einen Sekel aus dem Schatze Gottes angreift!"

Ohne sich weiter zu besinnen, warfen die Leute ihre Überkleider ab, gürteten sich fester, und dann riefen sie wie aus einem Mund: „Auf, Brüder, laßt uns gehen!"

„Männer von Galiläa", rief ihnen Ben Hur zu, „ich bin ein Sohn aus dem Hause Juda. Darf ich mich euch anschließen?"

„Möglich, daß wir kämpfen müssen", wurde ihm entgegnet.

„Dann werde ich nicht der erste sein, der davonläuft", versetzte Ben Hur.

Die Antwort schien den Galiläern zu gefallen. „Gut, so komm mit", sagten sie.

Während Ben Hur seinerseits sein wallendes Obergewand ablegte, fragte er: „Ihr denkt, daß es zum Kämpfen kommen kann?"

„Ja."

„Mit wem?"

„Mit der Wache."

„Sind es Legionäre?"

„Natürlich."

„Womit wollt ihr kämpfen?"

Sie sahen ihn verwundert an.

„Nun, wir müssen eben unser Bestes tun. Aber sollten wir nicht einen Führer wählen? Die Legionäre haben immer einen und gehen darum einmütig vor."

Den Galiläern schien der Gedanke neu, und sie sahen bald einander, bald den Fremden erstaunt an.

„Auf alle Fälle wird es gut sein, wenn wir zusammenzubleiben suchen", fuhr Ben Hur fort. „Ich bin bereit."

Um von dem Khan zum Prätorium – wie die Römer den Palast des Herodes auf dem Berge Zion nannten – zu gelangen, mußten sie einen weiten Weg zurücklegen. Bald stießen sie auf andere Gruppen, die in großer Aufregung demselben Ziel zusteuerten. Als sie endlich das Tor des Prätoriums erreichten, war der Zug der Rabbis und Ältesten bereits angelangt, und eine große Volksmenge stand in und vor dem Hof.

Ein Zenturio hielt an der Spitze einer kleinen bewaffneten Abteilung vor dem inneren Portal Wache.

„Wie steht es?" fragte einer der Galiläer.

„Die Rabbis stehen vor der Türe und begehren Pilatus zu sehen, aber er weigert sich, zu ihnen herauszukommen, obwohl sie ihm haben sagen lassen, daß sie nicht eher von der Stelle weichen werden, bis er ihnen Gehör geschenkt hat."

„Wir wollen sehen, in den Hof zu kommen", sagte Ben Hur ruhig. Die Sache schien ihm nicht so einfach zu sein, wie die Leute meinten. Auf dem Hof waren eine Reihe Laubbäume gepflanzt, in deren Schatten Bänke angebracht waren. Die Menge, die auf und ab wogte, vermied geflissentlich diese Anpflanzung, denn nach einer rabbinischen Verordnung durfte innerhalb der Mauern Jerusalems nichts Grünes wachsen. Es hieß, daß selbst König Salomo, als er für seine ägyptische Gemahlin einen Garten zu haben wünschte, diesen außerhalb Jerusalems anlegen lassen mußte.

Das Gedränge war so groß, daß unsere Freunde nicht weit vordringen konnten; aber auch aus der Entfernung waren sie aufmerksame Beobachter.

In der Nähe des Portals konnte man die hohen Turbane der Rabbis sehen, und von Zeit zu Zeit hörte man rufen: „Wenn du der Statthalter bist, Pilatus, so zeige dich uns!"

Dazwischen machte sich der Unwille des Volkes in lauten Rufen Luft.

Eine Stunde verrann, ohne daß sich die Lage verändert hätte. Pilatus ließ sich nicht sehen – und weder die Rabbis noch das Volk wichen von der Stelle, selbst dann nicht, als gegen Mittag ein Regenschauer losbrach. Das Gedränge wurde größer, die Stimmung immer feindseliger. Unterdessen hielt Ben Hur sein Häuflein Galiläer zusammen, um im entscheidenden Augenblick bereit zu sein. Er vermutete, daß Pilatus nur auf eine Herausforderung des Volkes wartete, um einen Grund zu einer Gewaltmaßregel zu haben.

Plötzlich entstand in der Menge ein Tumult. Keulenschläge wurden vernommen, denen Jammergeschrei und Weinen folgte. Die ehrwürdigen Männer vor dem Portal wandten sich voll Entsetzen um, und die Menge stob nach allen Seiten auseinander.

Ben Hur bewahrte seine Geistesgegenwart.

„Kannst du sehen, was vorsichgeht?" fragte er einen Galiläer. „Nein."

„Ich will dich in die Höhe heben", damit umfing er ihn und hob ihn hoch.

„Was siehst du jetzt?"

„Ich sehe Leute, die wie Juden gekleidet sind, mit Keulen auf die Menge einhauen."

„Wer sind sie?"

„So wahr der Herr lebt, es sind verkleidete Römer. Ihre Keulen sausen nieder wie Dreschflegel! Nun sinkt ein ehrwürdiger weißhaariger Rabbi zu Boden! Sie schonen niemanden."

Ben Hur ließ den Galiläer zur Erde nieder.

„Freunde", sagte er, „Pilatus hat sich einer List bedient. Wenn ihr mir folgen wollt, so können wir es mit den Keulenschlägern aufnehmen."

„Ja, ja", riefen die Galiläer, deren Kampfeslust erwacht war, einstimmig.

„Zurück zu den Bäumen am Eingang des Hofes", gebot der jugendliche Führer. „So gesetzwidrig die Bäume hier auch sind, so können sie uns doch gute Dienste leisten."

Mit vereinter Kraft gelang es ihnen, dicke Äste von den Bäumen abzureißen. Auf diese Weise bewaffnet, mischten sie sich unter die schreiende Volksmenge.

„Bleibt dicht an der Mauer, und laßt die Leute an euch vorbeiziehen", befahl Ben Hur. „Nun folgt mir!"

Und geradewegs ging er an der Spitze seiner kleinen Schar auf die Feinde los, die über diesen unerwarteten Angriff nicht wenig erstaunt waren. Der Kampf war erbittert, die Knüttel sausten auf beiden Seiten. Keiner schlug kräftiger ein als Ben Hur selbst, dem seine römische Schulung trefflich zustatten kam. Über dem eigenen Kämpfen verlor er seine Genossen nicht aus dem Auge und war zur Stelle, wo Gefahr drohte. In seinem Schlachtruf lag sowohl eine Aufmunterung für seine Freunde als auch eine Drohung für die Feinde. Auf diese Weise überrumpelt, blieb den Römern nichts übrig, als sich zurückzuziehen. Schließlich kehrten sie sogar um und flohen. Die waghalsigen Galiläer hätten sie verfolgt, wenn Ben Hur nicht so weise gewesen wäre, sie zurückzuhalten. „Haltet ein, Freunde", mahnte er. „Dort kommt der Zenturio mit einer bewaffneten Abteilung, und wir können uns nicht in einen Kampf mit ihnen einlassen. Begnügen wir uns für dieses Mal, und machen wir, daß wir zum Tor hinauskommen."

Die äußere Wache ließ sie ungehindert an sich vorbeiziehen, kaum aber waren sie außerhalb des Tores, so erschien der Zenturio der Portalwache und rief Ben Hur an.

„Sag, du Unverschämter, bist du ein Römer oder ein Jude?"

„Ich bin ein Sohn aus dem Stamme Juda und hier geboren",

antwortete Ben Hur gelassen. „Was willst du von mir?"

„Bleibe und kämpfe."

„Allein?"

„Wie du willst!"

Ben Hur lachte spöttisch:

„O tapferer Römer, siehst du nicht, daß ich keine Waffen habe?"

„Du sollst die meinen haben, und ich leihe mir von der Wache, was ich brauche."

Ben Hur zögerte keinen Augenblick, und während die Umstehenden in atemloser Spannung verharrten, sagte er einfach:

„Ich bin bereit. Leihe mir deinen Schild und dein Schwert."

„Willst du nicht auch meinen Helm und den Brustharnisch?"

„Nein, behalte diese lieber. Sie könnten mir nicht passen."

So standen sich die beiden Gegner gegenüber; innerhalb des Hoftores hielt regungslos eine Abteilung Soldaten, während außerhalb die Volksmenge verharrte.

Die Überlegenheit der Römer im Kampf beruhte auf dreierlei: erstens auf der unbedingten Disziplin der Truppen, zweitens auf ihrer legionären Schlachtverordnung, drittens auf ihrer eigenartigen Handhabung des kurzen Schwertes. Im Kampfe schlugen sie nie, sondern stachen stets mit der Waffe, und zwar zielten sie dabei immer auf das Gesicht des Feindes. Ben Hur war diese Kampfesart wohl bekannt.

„Ehe wir beginnen, will ich dir noch etwas mitteilen", sagte er. „Du weißt, daß ich ein Sohn Judas bin, aber ich verschwieg dir, daß ich mit der Kampfesweise der Römer wohl vertraut bin. Nun verteidige dich."

Die Schwerter der einander ebenbürtigen Gegner hieben aufeinander, keiner blieb dem anderen etwas schuldig, bis plötzlich der Römer zu Tode getroffen mit dem Gesicht zu Boden sank.

Mit dem Fuß auf dem Nacken des überwundenen Gegners, erhob Ben Hur nach der Sitte der Gladiatoren als Zeichen des Sieges den Schild über sein Haupt und grüßte die noch immer unbeweglich dastehenden Soldaten.

Das Volk gebärdete sich, als ob es von Sinnen wäre. Von allen Häusern der Umgebung wehten Tücher und Schals, und ein Jubelschrei löste den anderen ab. Die Galiläer hätten Ben Hur, wenn er es erlaubt hätte, am liebsten auf ihren Schultern durch die Straßen getragen.

Ehe sich der Held des Tages entfernte, sagte er zu dem Offizier der Wache: „Dein Kamerad starb wie ein Soldat. Ich lasse seine Leiche unberührt, nur den Schild und das Schwert nehme ich als Siegesbeute mit."

Als die Galiläer ihm weiter folgten, sagte er ihnen: „Brüder, ihr habt euch gut gehalten. Für den Augenblick ist es besser, daß wir uns trennen, falls man uns verfolgen sollte. Aber ich schlage euch für heute abend eine Zusammenkunft im Khan zu Bethanien vor. Ich möchte eine Angelegenheit mit euch besprechen, die von der größten Wichtigkeit für ganz Israel ist."

„Wer bist du?" fragten sie ihn.

„Ein Sohn aus dem Hause Juda", lautete die schlichte Antwort.

„Wollt ihr nach Bethanien kommen?" fragte er nochmals.

„Ja", entgegneten die Galiläer.

„Gut. Dann bringt des Römers Schild und Schwert mit, damit ich euch daran erkenne."

Mit diesen Worten bahnte er sich durch die anwachsende Menge einen Weg und war bald den Blicken seiner neuen Freunde entschwunden.

Auf die dringende Aufforderung des Pilatus trugen die Leute ihre Toten und Verwundeten hinweg. Die Klage um sie war groß, aber der Schmerz wurde durch die Siegestat des unbekannten Helden gemildert, der überall gesucht und besungen wurde. Der sinkende Mut der Nation wurde durch die Tat des Israeliten neu belebt. Auf den Straßen, ja, sogar im Tempel konnte man die alten Geschichten der Makkabäer erzählen hören, und Tausende nickten bedächtig und sagten:

„Noch ein kurze Spanne Zeit, Brüder, und dann wird Israel

wieder zu seinem Recht kommen. Habt Glauben an Gott und Geduld!"

Auf diese Weise faßte Ben Hur in Galiläa Fuß und ebnete den Weg für den König, „der da kommen sollte".

Wie weit ihm dies gelang, werden wir im Laufe der Erzählung sehen.

SIEBENTES BUCH

Erstes Kapitel

Die Zusammenkunft fand im Khan zu Bethanien statt, wie verabredet worden war, und danach begleitete Ben Hur die Galiläer in ihre Heimat. Vor Schluß des Winters hatte er bereits drei
Legionen gesammelt und sie nach römischem Muster eingeteilt.
Um nicht die Aufmerksamkeit der Römer oder des Herodes
Antipas auf sich zu lenken, ging er mit einer Anzahl der fähig-
sten Leute in die Ebene von Trachonitis, lehrte sie dort den Gebrauch der Waffen, hauptsächlich des Schwertes und des Wurf-
spießes, sowie überhaupt die römische Kampfesart und sandte
sie dann als Lehrer in ihre Heimat zurück.

Wie man sich denken kann, erforderte diese Aufgabe Geduld, Geschicklichkeit, Eifer, Vertrauen und Hingabe von sei-

ten Ben Hurs, Eigenschaften, aus denen die Macht hervorgeht, andere in schwierigen Lagen beeinflussen zu können. Ben Hur besaß diese für einen Führer so notwendigen Eigenschaften in hohem Maße, und er widmete sich der Sache mit seiner ganzen Persönlichkeit. Trotzdem hätte er keinen Erfolg gehabt, wenn Simonides ihn nicht mit Waffen und Geld versorgt, Ilderim nicht Wache gehalten hätte und der kriegerische Geist der Galiläer nicht erwacht wäre.

Unter dem Namen Galiläer versteht man die vier Stämme Isaschar, Sebulon, Naphtali und Asser in den ihnen ursprünglich zugewiesenen Gebieten. Der Jude, der in der Umgebung Jerusalems geboren war, verachtete diese Brüder aus dem Norden, aber der Talmud selbst sagte: „Der Galiläer liebt die Ehre, aber der Jude das Geld."

So glühend sie ihre Heimat liebten, so glühend haßten sie die Römer, und bei jedem Aufstand waren sie die ersten auf dem Plan und die letzten, die den Kampfplatz verließen. Bei dem letzten Kampf gegen die Römer verloren hundertfünfzigtausend galiläische Männer das Leben.

Wenn sie zu den großen Festen nach Jerusalem zogen, lagerten sie sich stets wie eine Heeresabteilung. In ihrer Gesinnung waren sie edel und sogar dem Heidentum gegenüber tolerant. Sie waren stolz auf die schönen Städte Sepphoris und Tiberias, die Herodes hatte bauen lassen, und leisteten dabei ausgiebige Hilfe. Eine große Anzahl Fremder hatte sich in ihren Städten niedergelassen, und sie lebten im Frieden mit ihnen. Aus ihrer Mitte gingen Poeten hervor, und der Prophet Hosea stammte aus ihrer Gegend.

Es war nicht zu verwundern, daß bei einem so aufgeweckten, tapferen und hingebenden Volk die Kunde eines kommenden Königs eine begeisterte Aufnahme fand, um so mehr, wenn dieser König die Macht Roms vernichten wollte. Die Leute lauschten, und ihre Augen leuchteten, als ihnen Ben Hur erzählte, daß dieser König mächtiger als Cäsar und weiser als Salomo sein werde und daß sein Reich in Ewigkeit bestehen solle.

272

Sie fragten ihren Führer, wer es ihm gesagt habe und gaben sich vollkommen zufrieden, als er ihnen die Propheten anführte und von Balthasar erzählte, der in Antiochien auf das Erscheinen des Königs wartete – war es ja doch die alte, geliebte Legende von dem Messias, der ihnen fast ebenso bekannt war wie der Name Gottes des Herrn.

Demnach sollte der König also nicht nur in der Ferne der Zeiten zu erwarten sein, sondern Sein Kommen sollte unmittelbar bevorstehen, und sie waren bereit, sich Ihm mit Leib und Seele zur Verfügung zu stellen.

Als der Frühling anbrach, konnte Ben Hur sich und seinen Genossen die Versicherung geben, daß sie bereit seien. Der König brauche nur zu sagen, wo Er Sein Reich aufrichten wolle, so seien die waffengeübten Leute zur Stelle, um es gegen jeden Feind zu schützen.

Eines Abends, als Ben Hur mit einigen seiner Galiläer am Eingang einer Höhle in Trachonitis saß, überbrachte ihm ein arabischer Reiter einen Brief folgenden Inhalts:

Jerusalem, Nisan, am 4. Tage
Es ist ein Mann aufgetreten, der sich Elias nennt. Er hat jahrelang in der Wüste gelebt, scheint also ein Prophet zu sein. Auch was er sagt, deutet darauf hin. Der Hauptinhalt seiner Botschaft bezieht sich auf einen, der viel größer ist als er, der jetzt kommen soll, und auf den er am östlichen Jordanufer wartet. Ich habe ihn gesehen und gehört und bin überzeugt, daß der, auf den er wartet, der König ist, nach dem du ausschaust. Komm, und urteile selbst.

Ganz Jerusalem geht zu dem Propheten hinaus, und das Ufer, wo er sich aufhält, ist der Sammelplatz einer großen Menschenmenge geworden.

Malluch

Ben Hurs Gesicht strahlte vor Freude.

„Nach diesem Briefe, o meine Freunde", rief er, „ist unsere Wartezeit beendet. Der Herold des Königs ist erschienen und hat Ihn angekündigt. Macht euch fertig, und richtet morgen eure Angesichter heimwärts. Sendet Botschaft an eure Genossen, damit sie bereit seien, meinem Ruf zu folgen. Unterdessen will ich mich selbst überzeugen, ob der König wirklich in Sicht ist, und euch dann benachrichtigen."

Hierauf sandte er einen Brief an Ilderim und einen an Simonides, worin er ihnen die enthaltene Nachricht und seinen Plan, sofort nach Jerusalem zu gehen, mitteilte.

Als die Sterne am Himmel leuchteten, brach Ben Hur mit einem zuverlässigen arabischen Führer zum Jordan auf. Der Führer war gut und Aldebaran flink, so daß die Reise so schnell als möglich vonstatten ging.

Zweites Kapitel

Ben Hur hatte die Absicht gehabt, bei Tagesanbruch einen sicheren Ort aufzusuchen, um zu rasten. Aber die Morgendämmerung zeigte sich, als sie noch in der Wüste waren, und der Führer versprach ihm, ihn bald in ein von hohen Felsen eingeschlossenes Tal zu bringen, wo eine Quelle, einige Maulbeerbäume und Weide für die Pferde zu finden waren.

Als er weiterritt und seine Gedanken sich dabei mit den wunderbaren Veränderungen beschäftigten, die bevorstanden, meldete der Führer das Nahen von Fremden. Ringsum, soweit das Auge sehen konnte, dehnte sich die gelbe Sandfläche aus ohne den kleinsten grünen Strauch; nur linker Hand sah man in der Ferne eine niedere Bergkette. In dieser einförmigen Gegend konnte ein sich fortbewegender Gegenstand nicht lange verborgen bleiben.

„Es ist ein Dromedar", sagte der Führer, „und daneben offenbar ein Reiter zu Pferd."

Nach einer Weile konnte Ben Hur selbst erkennen, daß das Dromedar weiß und ungewöhnlich groß war. Es erinnerte ihn an das Prachttier, das damals Balthasar und Iras an den Hain Daphne gebracht hatte. Ein zweites solches Exemplar konnte es so leicht nicht geben. Unwillkürlich verlangsamte er den Schritt seines Pferdes, bis er schließlich einen Sitz auf dem Dromedar sowie zwei Personen entdeckte, die er zu seinem großen Erstaunen als Balthasar und Iras erkannte.

„Der Segen des wahren Gottes sei auf dir!" sagte Balthasar mit zitternder Stimme.

„Und mit dir und den Deinigen sei der Friede Gottes", erwiderte Ben Hur.

„Meine Augen sind schwach vom Alter, aber wenn sie mich nicht sehr täuschen, so bist du der Sohn Hurs, den ich kürzlich als geehrten Gast im Zelte Ilderims des Großmütigen traf."

„Und du bist Balthasar, der weise Ägypter, dessen Reden

über gewisse heiligeDinge viel dazu beitragen, daß du mich hier in dieser wüsten Gegend triffst. Was tust du hier?"

„Wir hatten uns einer Karawane, die nach Alexandrien zieht, angeschlossen, um bis zur Heiligen Stadt, dem Ziel unserer Reise, eine Begleitung zu haben", sagte Balthasar. „Da wir Eile haben und die Karawane nur sehr langsam reist, haben wir uns heute morgen von ihr getrennt. Gegen Räuber sind wir durch ein Schreiben des Scheichs Ilderim geschützt, und vor wilden Tieren ist Gott unser bester Schutz."

Ben Hur verneigte sich, indem er erwiderte: „Des guten Scheichs Geleitbrief ist allerdings ein ausgezeichneter Schutz wenigstens so weit die Wüste reicht, und ein Löwe wird sich nicht leicht an diesen König seines Geschlechts wagen." Dabei streichelte er den Nacken des Dromedars.

„Aber auch Königen ist nicht wohl zumute, wenn der Hunger sie quält", wandte Iras lächelnd ein. „Ich wäre dir dankbar, wenn du uns den nächsten Weg zu einer Quelle zeigen wolltest, damit wir unser Morgenmahl einnehmen könnten."

Ben Hur war voll Freude bereit, den Reisenden mit Hilfe seines Führers zu dienen. Bald kamen sie an das ausgetrocknete Bett eines Flusses, das sich allmählich erweiterte und schließlich an ein liebliches Tal führte, das unseren Wüstenwanderern nach der langen, eintönigen Sandgegend wie das Paradies erschien. Ein kleiner, heller Wasserfaden schlängelte sich durch das saftige Grün der Wiesen; einige vorwitzige Oleanderbäume hatten sich aus der Jordangegend hierhergewagt und belebten mit ihren großen Blüten das reizende Bild. Eine prächtige Palme erhob sich majestätisch, und nicht weit davon war eine Maulbeerbaumanpflanzung, welche die so sehnlichst gesuchte Quelle umgab.

Das Wasser sprudelte aus einem Felsenriß, den eine mitleidige Hand zum Besten der nachkommenden Reisenden erweitert hatte. Über der Felsenhöhle war in hebräischen Schriftzügen das Wort „Gott" eingegraben. Offenbar hatte vor langer Zeit ein Wanderer hier seinen Durst gelöscht und mehrere Tage hier verweilt, um dem Geber aller guten Gaben auf diese Weise seinen Dank zu zollen.

Es dauerte nicht lange, so waren die Pferde beim Grasen, das Dromedar aber ließ sich auf die Knie nieder und ermöglichte es Balthasar und seiner Tochter, mit Hilfe des Äthiopiers abzusteigen.

Iras ließ sich von ihrem Diener einen Kristallbecher reichen und schritt mit Ben Hur an die Quelle. Unser junger Freund hätte der schönen Ägypterin gern den ersten Trunk gereicht, aber sie ließ es sich nicht nehmen, den Becher selbst zu füllen und ihn ihm darzubieten, indem sie sagte: „In meiner Heimat pflegt man zu sagen: Lieber der Mundschenk eines Glücklichen als der Minister eines Königs."

„Eines Glücklichen?" wiederholte Ben Hur erstaunt.

„Die Götter geben uns Erfolg als ein Zeichen, daß sie auf unserer Seite sind. Warst du nicht der Sieger im Zirkus, und hast du nicht im Zweikampf einen Römer überwunden und getötet?"

Ben Hur errötete. Im ersten Augenblick war es ihm eine Freude, daß das schöne Weib sein Leben mit Interesse zu verfolgen schien, dann aber beschämte ihn die Frage: Wie kam sie dazu, den Namen des Siegers im Zweikampf zu wissen, den seines Wissens nur Simonides, Ilderim und Malluch kannten? War es möglich, daß sie eine Frau ins Geheimnis eingeweiht hatten?

Iras merkte, was im Innern ihres Begleiters vorging; sie füllte den Becher aufs neue und indem sie die Hälfte zur Erde goß, sagte sie: „Ihr Götter Ägyptens, ich danke euch, daß das Opfer im Palast von Idernee nicht der edle Sieger war, dessen Taten in aller Munde sind! Nun, Ben Hur, nimm den Becher und sieh, ob du keinen Spruch für mich findest."

„Ein Sohn Israels hat keine Götter, denen er ein Trankopfer darbringen kann", entgegnete er, indem er ihr den gefüllten Becher reichte. „Möge der Gott meiner Väter dir geben, was dein Herz begehrt!"

Die Reden der Ägypterin hatten ihn mißtrauisch gemacht.

Offenbar hatte jemand seine Geheimnisse verraten. Wer war der Verräter, und wieviel wußte die schöne Iras? Kannte sie seine Beziehungen zu Simonides und hatte sie von seinem Bündnis mit Ilderim gehört? Diese und ähnliche Fragen beschäftigten ihn so sehr, daß er nur mit Mühe auf Iras Geplauder eingehen konnte. Plötzlich erinnerte er sich, daß Esther zugegen gewesen war, als er Simonides seine Erlebnisse im Palast Idernee erzählt hatte. Wie leicht konnte sich das arglose Kind von der schlauen, weltgewandten Ägypterin zu Mitteilungen hinreißen lassen, deren Tragweite sie nicht kannte? Ben Hur wollte Esther nicht beschuldigen, aber der Verdacht war geweckt, und wir wissen, wie unbemerkt sich dieses Unkraut verbreitet und da Wurzel schlägt, wo man es am wenigsten haben will.

Ehe Ben Hur seinen Gleichmut wieder erlangt hatte, trat Balthasar an die Quelle.

„Wir sind dir zu großem Dank verpflichtet, Sohn Hurs", sagte er in seiner ernsten Weise. „Dieses Tal ist sehr schön, das Gras, die Bäume und der Schatten laden uns zum Rasten ein, und die liebliche Quelle singt mir das Lob eines fürsorglichen Gottes. Setze dich zu uns, und teile unser Mahl."

Drittes Kapitel

Am dritten Tag rasteten sie um die Mittagszeit am Flusse Jab-
bock, wo sich schon etwa hundert Männer mit ihren Tieren niedergelassen hatten. Einer von ihnen war den Neuankommen-
den beim Absteigen behilflich und reichte ihnen zur Begrüßung
eine Schale Wasser, indem er sagte: „Ich komme vom Jordan,
wo gerade jetzt viele Leute aus fernen Landen versammelt sind,
die ebenso reisen wie du, edler Herr. Aber keiner reitet auf einem so prächtigen Tier wie das deine. Darf ich fragen, woher es
stammt?"

Balthasar antwortete kurz auf die ihm gestellte Frage, Ben
Hur aber ließ sich in ein weiteres Gespräch mit dem diensteifri-
gen Fremden ein.

„An welcher Stelle des Flusses sind die Leute?" fragte er.

„Bei Bethabara."

„Sonst war das eine unbedeutende Stätte", erwiderte Ben
Hur. „Ich verstehe nicht, was die Leute plötzlich dorthin zieht."

„Dann hast du, scheint es, noch nicht die gute Botschaft vernommen?"

„Welche Botschaft?"

„Ein heiliger Mann aus der Wüste ist aufgetreten und verkündet seltsame Dinge, die seine sämtlichen Zuhörer fesseln.
Er nennt sich Johannes, der Sohn Zacharias, einen Vorläufer
des Messias. Es heißt, dieser Johannes habe von Kindheit an in
einer Höhle bei En-Gedi gewohnt und dort strenger gelebt als
unsere strengste Sekte. Scharen strömen herbei, um ihn zu hören, und ich schloß mich einem Zuge an."

„Was predigt er?"

„Eine neue Lehre, die bisher nie in Israel verkündet worden
ist, die sogenannte Lehre von Buße und Taufe. Die Rabbiner
wissen nicht, was sie von ihm halten sollen. Viele haben ihn
schon gefragt, ob er Christus, andere, ob er Elias sei; aber allen
gibt er die gleiche Antwort: ‚Ich bin die Stimme eines Predigers

in der Wüste; bereitet dem Herrn den Weg!'"

„Guter Fremder", sagte Balthasar mit zitternder Stimme, „sage uns, wo war der Prediger, als du ihn verließest, und werden wir ihn dort noch treffen?"

Auf die Antwort, daß der Prediger noch in Bethabara sei, stand der Greis auf und mahnte zu baldigem Aufbruch. Als der Abend dämmerte, wurde das Zelt in der Nähe von Ramoth-Gilead aufgeschlagen, aber ehe sich Balthasar zur Ruhe begab, sagte er: „Laßt uns morgen beizeiten aufbrechen, Sohn Hurs. Der Erlöser kann kommen, und wir sind am Ende noch unterwegs."

Am folgenden Tag erreichten sie die unfruchtbare Steppe östlich des heiligen Flusses. Vor ihnen lag die äußere Grenze des alten Palmenlandes von Jericho, das sich bis an die Hügelkette Judäas erstreckt.

„Freue dich, guter Balthasar", rief Ben Hur, „jetzt sind wir sogleich am Ziel." Der Äthiopier trieb das Dromedar an, so daß sie bald die ersten Zelte erreichten. Nachdem sie erfahren hatten, daß der Prediger soeben sprach, beeilten sie sich noch mehr. Als sie aber ankamen, bemerkten sie, daß die Menge anfing, sich aufzulösen.

„Wir kommen zu spät", sagte Balthasar händeringend.

„Bleiben wir hier", riet Ben Hur. „Vielleicht kommt der Nazarener dieses Weges."

Die Leute waren zu sehr eingenommen von dem, was sie gehört hatten, um die Neuangekommenen zu beachten. Als Hunderte an ihnen vorübergezogen waren und keine Aussicht mehr schien, den Prediger auch nur zu sehen, entdeckten sie einen Mann, dessen eigentümliches Aussehen sie alles um sich her vergessen ließ.

Sein hageres, pergamentartiges Gesicht war von langen, sonnenverbrannten Haaren eingerahmt, die ihm bis über den halben Rücken herabfielen. Seine Augen leuchteten wie Feuer. Seine ganze rechte Seite war entblößt und ebenso mager wie sein Gesicht. Ein Hemd aus rauhem Kamelhaar bedeckte den übrigen Teil des Körpers bis zu den Knien und war über den Hüften mit einem ungegerbten Ledergürtel zusammengehalten. In der Hand hatte er einen knorrigen Stock. Seine Bewegungen waren schnell und entschieden. Von Zeit zu Zeit schüttelte er sich das wirre Haar aus den Augen und schaute umher, als ob er nach jemandem suche.

Die schöne Ägypterin betrachtete den Sohn der Wüste mit Erstaunen, um nicht zu sagen mit Verachtung. Endlich beugte sie sich zu Ben Hur herab und fragte: „Ist das der Vorläufer deines Königs?"

„Es ist der Nasiräer", entgegnete er, ohne aufzuschauen.

Obwohl er schon mehr als einen der asketischen Kolonisten von En-Gedin gesehen hatte und ihre Weltabgeschiedenheit, ihre dürftige Kleidung und primitive Lebensweise kannte, und obwohl er wußte, daß sich der Nasiräer nicht anders als „eine Stimme in der Wüste" nannte, war er doch tief enttäuscht. Unwillkürlich verglich er die unvorteilhafte Erscheinung mit den Hofbeamten, die er in den Gängen des kaiserlichen Palastes in Rom gesehen hatte, und es überkam ihn ein Gefühl der Scham.

Balthasar hingegen schien ganz zufrieden zu sein. Er hatte schon längst gelernt, daß Gottes Wege anders sind als die Menschen zu denken pflegen. Er hatte den Erlöser der Welt als kleines Kind in einer Krippe liegen sehen und machte sich darauf gefaßt, daß Er sich auch bei Seinem öffentlichen Auftreten des Kleinen, Unscheinbaren bedienen werde. So kreuzte er die Hände über der Brust und verharrte in stillem Gebet.

Während die Herzen unserer Freunde von so verschiedenartigen Gefühlen bewegt wurden, saß ein anderer Mann auf einem Stein am Ufer des Flusses und dachte offenbar über die soeben gehörte Predigt nach. Jetzt aber stand er auf und nahm einen Weg, auf dem er den Pfad des Nasiräers gerade kreuzen mußte.

Als der Prediger und der Fremde ungefähr zwanzig Meter von dem Ort entfernt waren, wo der Ägypter mit seinem Dromedar stand, blieb ersterer stehen, sah den Fremden an und winkte der Menge zu, so daß eine plötzliche Stille eintrat. Dann erhob er den Stab in der rechten Hand, deutete auf den Fremden und rief mit lauter Stimme:

„Siehe, das ist Gottes Lamm, welches der Welt Sünde trägt!"

Die atemlos Lauschenden schienen von den seltsamen, für sie so unverständlichenWorten wie versteinert zu sein, Balthasar aber war geradezu überwältigt. Aller Blicke richteten sich auf den Fremden, der in völliger Ruhe seinen Weg verfolgte.

Ben Hur, hoch zu Roß und mit dem Speer in der Hand, hätte wohl die Aufmerksamkeit eines Königs auf sich lenken können, aber die Augen des Fremden waren auf einen höheren Gegenstand gerichtet – nicht auf die schöne Iras –, nein, sondern auf Balthasar, den Alten und Unbrauchbaren. Der Greis beugte sich nur noch tiefer herab und erwartete glaubensvoll, daß etwas geschehen werde, um ihm volle Gewißheit über die Persönlichkeit des Fremden zu geben, und dieser Wunsch wurde ihm erfüllt, denn gerade in diesem Augenblick wiederholte der Nasiräer seinen Ruf:

„Siehe, das ist Gottes Lamm, welches der Welt Sünde trägt!"

Nun unterlag es für Balthasar keinem Zweifel mehr; er fiel auf die Knie und, als ob der Nasiräer dies wüßte, wandte er sich zu den Näherstehenden und fuhr fort: „Dieser ist's, von dem ich gesagt habe: Nach mir kommt ein Mann, welcher vor mir gewesen ist, denn er war eher als ich. Und ich kannte ihn nicht, sondern auf daß er offenbar würde in Israel, darum bin ich gekommen zu taufen mit Wasser. Ich sah, daß der Geist herabfuhr wie eine Taube vom Himmel und blieb auf ihm. Und ich kannte ihn nicht; aber der mich sandte zu taufen mit Wasser, der sprach zu mir: ‚Über welchen du sehen wirst den Geist herabfahren und auf ihm bleiben, dieser ist's, der mit dem Heiligen Geist tauft. Und ich sah es und zeuge, daß dieser ist' – dabei deutete er nochmals auf den Fremden im weißen Gewand – daß dieser ist Gottes Sohn!"

„Er ist es, Er ist es!" rief Balthasar mit tränenerstickter Stimme und sank dann bewußtlos zusammen.

Unterdessen hatte Ben Hur keinen Blick von dem Fremden gelassen. Niemals war eine Erscheinung weniger königlich gewesen, ja, er mußte sich sagen, daß es fast ein Frevel war, in Verbindung mit dieser friedeausstrahlenden Erscheinung von Krieg, Eroberung und Herrscherlust zu sprechen. Ganz unwillkürlich drängte sich ihm der Gedanke auf: Balthasar hat recht, Simonides sich aber getäuscht. Dieser Mann ist nicht gekommen, um den Thron Salomos wieder aufzurichten, denn er hat weder die Natur noch die Geistesrichtung eines Herodes.

Es war dies noch keine feste Überzeugung, zu der sich Ben Hur durchgerungen hatte, nur ein bloßer Eindruck, und während er sich weiter in den Gegenstand seiner Betrachtung vertiefte, regte sich sein Gedächtnis, und er fragte sich plötzlich: „Ich habe dieses Gesicht schon einmal gesehen, aber wo? Und wann?" Dieser milde, erbarmungsvolle und liebende Blick hatte schon einmal auf ihm geruht, wie er soeben auf Balthasar ruhte. Allmählich tauchte die Szene am Brunnen von Nazareth in seiner Erinnerung auf, als die römischen Soldaten ihn zu den Galeeren schleppten. Ja, diese Hände hatten sich ihm helfend entgegengestreckt, als er dem Verschmachten nahe war. Dieses Gesicht hatte sich so in sein Gedächtnis eingegraben, daß es ihn in den langen Jahren begleitet hatte. In seiner tiefen Bewegung hatte er die Erklärung des Predigers überhört, mit Ausnahme der letzten Worte, die so wunderbar waren, daß sie noch heute in der Welt widerklingen:

„Dieser ist Gottes Sohn!"

Ben Hur sprang vom Pferd, um seinem Wohltäter zu huldigen, als Iras ihm zurief: „Hilf, Sohn Hurs, oder mein Vater stirbt!"

Er sah sich um und eilte an den Fluß, um Wasser zu holen. Als er zurückkam, war der Fremde verschwunden.

Endlich kam Balthasar wieder zur Besinnung, und seine erste Frage lautete: „Wo ist er?"

„Wer?" fragte Iras.

„Er, der Erlöser, der Sohn Gottes, den ich wiedergesehen

habe", sagte der Greis leuchtenden Auges.

„Bist du derselben Ansicht wie mein Vater?" flüsterte Iras Ben Hur zu.

„Wir leben in einer wunderbaren Zeit", entgegnete Hur. „Laß uns warten."

Als unsere Freunde am nächsten Tag der Predigt des Nasiräers lauschten, hielt dieser plötzlich in seiner Rede inne und sagte ehrfurchtsvoll: „Siehe, das ist Gottes Lamm!"

Und als sie der Richtung seines Blickes folgten, gewahrten sie abermals den Fremden. Wiederum beobachtete ihn Ben Hur, und angesichts der heiligen, schönen Erscheinung blitzte ein neuer Gedanke in ihm auf: „Konnten nicht beide, Balthasar und Simonides, recht haben? War es nicht denkbar, daß der Erlöser zu gleicher Zeit auch König war?" Er fragte seinen Nachbarn: „Wer ist der Mann, der dort geht?" und erhielt die mit höhnischem Lachen gegebene Antwort:

„Er ist der Sohn eines Zimmermanns aus Nazareth."

ACHTES BUCH

Erstes Kapitel

„Esther! Esther! Laß mir durch den Diener ein Glas Wasser bringen."

„Willst du nicht lieber Wein haben, Vater?"

„Dann laß ihn beides bringen."

Diese Worte wurden auf dem Dach des alten Palastes Hur in Jerusalem zwischen Esther und ihrem Vater Simonides gewechselt, und während Esther einem Diener die oben erwähnte Anweisung gab, erschien ein anderer und überbrachte einen versiegelten Brief.

Um den Leser zu orientieren, erwähnen wir hier, daß sich dieser Vorgang am einundzwanzigsten Tag des Monats März abspielte, etwa drei Jahre nach der Verkündigung Christi zu Bethabara.

Unterdessen hatte Malluch in Ben Hurs Auftrag das Vaterhaus der Hurs von Pontius Pilatus gekauft und wieder instand setzen lassen. Nicht nur war alles verschwunden, was an die so tragischen Erlebnisse der Familie Hur erinnerte, sondern die neue Einrichtung war bedeutend kostbarer als die frühere. Überall trat dem Besucher der feine Geschmack des jungen Eigentümers entgegen, der nicht umsonst jahrelang in der Villa zu Misenum und der römischen Hauptstadt gelebt hatte. Damit soll aber nicht gesagt sein, daß Ben Hur seinen Besitz öffentlich angetreten habe. Seiner Meinung nach war hierfür der Augenblick noch nicht gekommen. Selbst seinen eigenen Namen hatte er noch nicht wieder angenommen. Während er geduldig in Galiläa seine Vorbereitungen fortsetzte, verfolgte er aufmerksam den Nazarener, der ihm mehr und mehr ein Rätsel wurde. Von Zeit zu Zeit kam er in die Heilige Stadt und wohnte als Fremder und Gast in seinem elterlichen Hause.

Diese Besuche Ben Hurs waren nicht allein als Erholung nach den Mühseligkeiten seines Berufes anzusehen.

Seitdem Balthasar und Iras im Palast ihre Wohnung aufgeschlagen hatten, fühlte sich der junge Jude häufig dorthin gezogen. Während der Greis ihm durch seine reichen Lebenserfahrungen und seine besonderen Ansichten über den aufgetretenen Wundertäter manchen wertvollen Wink gab, fesselte ihn die schöne Ägypterin noch immer durch ihre Reize.

Simonides und Esther waren indes erst seit wenigen Tagen Gäste im Palast Hurs. Der Kaufmann hatte sehr unter den Beschwerden der Reise gelitten, da er diese in einer zwischen zwei Dromedaren hängenden Bahre hatte zurücklegen müssen. Nun da er in der Heiligen Stadt angelangt war, vergaß er alle ausgestandenen Strapazen und konnte sich nicht satt an seinem Heimatland sehen. Am liebsten verweilte er auf dem Dach des Palastes, von wo aus er einen prächtigen Überblick über die ganze liebliche Umgebung hatte. Doch auch von hier aus überwachte er das Geschäft, das unter Sanballats bewährter Führung seinen guten Fortgang nahm. Täglich trafen lange Berichte aus Antiochien ein, und täglich sandte Simonides einen Boten an Sanballat mit so genauen Anweisungen, daß er im Grunde nach wie vor die Seele des großen Geschäftshauses blieb.

Esther war in den letzten Jahren zur lieblichen Jungfrau her-angewachsen, die mehr und mehr der Sonnenstrahl im Leben ihres Vaters war. Liebevollen Blickes folgte er ihr, und ein Aus-druck tiefer Zufriedenheit verklärte sein Gesicht, wenn sie an seiner Seite war.

Sie brachte das ihr von dem Diener übergebene Schreiben ih-rem Vater, der das Siegel erbrach und die Rolle ihr zum Vorle-sen reichte.

„Weißt du, von wem das Schreiben ist, Esther?" fragte er, in-dem er seine Tochter forschend ansah.

„Ja, Vater; es ist von – von unserem Herrn", antwortete sie errötend.

„Du liebst ihn, Kind?" fragte der Vater ruhig.

„Ja, Vater", erwiderte sie.

„Hast du auch bedacht, was du tust?"

„Ich habe mir alle Mühe gegeben, nicht anders an ihn zu den-ken als an unseren Herrn und Gebieter, dem ich gesetzlich ver-pflichtet bin, Vater. Aber meine Bemühungen haben mir keine Widerstandskraft gegeben."

„Wer weiß, ob deine Liebe verschmäht worden wäre, wenn ich das, was ich hatte, festgehalten hätte. Das Geld ist solch eine Macht."

„Für mich wäre dann die Lage nur noch schlimmer, Vater. Ich wäre nicht nur seines Blickes nicht würdig, sondern hätte auch nicht stolz auf meinen Vater sein können. Soll ich dir das Schreiben vorlesen, Vater?"

„Sogleich", sagte er. „Ich halte es am besten für dich, wenn du die volle Wahrheit erfährst. Weißt du, Kind, daß seine Liebe vergeben ist?"

„Ich weiß es", erwiderte sie ruhig.

„Die Ägypterin hat ihn in ihrem Netz gefangen", fuhr er fort. „Sie besitzt die Schlauheit ihrer Rasse, und ihre Schönheit kommt ihr zu Hilfe – aber sie hat kein Herz. Eine Tochter, die ihren Vater verachtet, wird ihrem Gatten Herzeleid bringen."

„Tut sie das, Vater?"

„Balthasar ist ein weiser Mann", sagte Simonides, „den Gott vor allen Heiden wunderbar ausgezeichnet hat, und sein Glaube ist einzig in seiner Art. Trotzdem macht seine Tochter ihn lächerlich. Ich habe sie gestern sagen hören: ‚Die Torheiten der Jugend sind verzeihlich, und nichts steht dem Greis besser an als Weisheit. Besitzt er diese nicht mehr, dann ist es Zeit, daß er stirbt.' Eine grausame Rede, fürwahr würdig einer Römerin! Ich sagte mir, daß auch mich einmal eine Schwäche befallen kann, wie die ihres Vaters. Aber, Esther, du würdest nie von mir sagen, es wäre Zeit, daß dein Vater stürbe. Nein, deine Mutter war eine Tochter Judas!"

„Und ich bin meiner Mutter Kind", versetzte Esther, indem sie einen Kuß auf ihres Vaters Stirn hauchte.

„Ja, und meine Tochter, die mir alles ist, was der Tempel dem König Salomo war."

Nach einer kleinen Weile legte er die Hand auf ihre Schulter und begann aufs neue: „Wenn er die Ägypterin zur Frau genommen hat, Esther, so wird er mit Reue deiner gedenken; denn er wird zu dem Bewußtsein erwachen, daß er nichts anderes als ein Mittel für sie war, um ihrem Ehrgeiz zu frönen. Rom ist das Ziel ihrer Träume, und in ihren Augen ist er der Sohn des Duumvirs Arrius, nicht aber der Sohn Hurs, eines Fürsten von Jerusalem."

„Oh, Vater, rette ihn vor diesem Schicksal, ehe es zu spät ist!" bat sie flehend.

„Ein dem Ertrinken naher Mann kann eher gerettet werden als ein in Liebesketten gefangener", erwidert Simonides lächelnd.

„Aber du hast Einfluß auf ihn, Vater, und er steht allein auf der Welt. Zeig ihm, in welcher Gefahr er sich befindet und was für eine Frau die Ägypterin ist."

„Das mag ihn von ihr losmachen, aber darum gehört er dir noch nicht, Kind. Ich bin ein Knecht, wie meine Väter seit Generationen waren, aber ich könnte meinen Stolz nicht soweit überwinden, daß ich ihm sagte: ‚Hier ist meine Tochter, die schöner ist als die Ägypterin und dich mit einer reineren Liebe liebt!' Bei den Patriarchen, Esther, lieber möchte ich uns beide neben deine Mutter ins Grab legen, als daß solche Worte über meine Lippen kämen."

Purpurne Röte übergoß Esthers Gesicht bei den Worten ihres Vaters.

„Ich habe nicht gemeint, daß du ihm das sagen solltest", versetzte sie leise, aber entschieden. „Ich dachte nur an sein Glück, nicht an das meine, und nun laß mich bitte seinen Brief lesen."

„Tue das, mein Kind!" Und sie begann sofort, gleichsam als ob sie sich möglichst schnell einer unangenehmen Aufgabe entledigen wollte.

Nisan, am 8. Tage

Auf dem Wege von Galiläa nach Jerusalem. Der Nazarener ist auch unterwegs. In seinem Gefolge, aber ohne daß er es weiß, bringe ich eine Legion meiner Leute. Eine zweite folgt. Wegen des Passahfestes wird die große Anzahl Galiläer nicht auffallen. In Bezug auf die Reise sagte der Nazarener: „Wir gehen hinauf nach Jerusalem, und es wird alles vollendet werden, was geschrieben ist durch die Propheten von des Menschen Sohn."

Unsere Wartezeit geht zu Ende.
In Eile.
Friede dir, o Simonides.

Ben Hur

Esther gab ihrem Vater den Brief, ohne ein Wort hinzuzufügen und ohne sich anmerken zu lassen, wie weh es ihr tat, daß Ben Hur nicht einmal einen Gruß an sie aufgetragen hatte.

„Der achte Tag!" sagte Simonides, „und den wievielten haben wir heute, Kind?"

„Den neunten", antwortete sie.

„Dann kann er jetzt in Bethanien und möglicherweise heute abend schon bei uns sein", rief der Vater erfreut. „Gewiß wird er morgen das Fest der ungesäuerten Brote hier begehen wollen, und der Nazarener wird auch dazu in die Heilige Stadt kommen. Dann können wir sie beide sehen!"

In dem Augenblick brachte der Diener Wasser und Wein, und während Esther ihren Vater bediente, erschien Iras auf dem Dach.

„Friede sei mit dir, Simonides, und mit dir, schöne Esther!" sagte die Ägypterin. „Du erinnerst mich, guter Herr, an die persischen Priester, die beim Sonnenuntergang auf die Dächer ihrer Tempel steigen, um der scheidenden Sonne ihre Gebete nachzusenden. Solltest du in den gottesdienstlichen Verrichtungen nicht genauen Bescheid wissen, so erlaube mir, meinen Vater zu rufen, er ist sternkundig."

„Schöne Ägypterin", erwiderte der Kaufmann mit ernster Höflichkeit, „dein Vater ist ein guter Mann, der es gewiß nicht übelnehmen würde, wenn er hörte, daß mir seine persischen Kenntnisse als der geringste Teil seiner Weisheit erscheinen."

Iras' Lippen kräuselten sich.

„Wenn du von dem ‚geringsten Teil' redest, so setzt du einen größeren voraus", fuhr sie fort. „Darf ich fragen, was du als den höheren Teil seiner Weisheit gelten läßt?"

„Wahre Weisheit beschäftigt sich direkt mit Gott. Sie besteht in der Erkenntnis Gottes", entgegnete Simonides ernst, „und keiner in meiner Bekanntschaft besitzt diese Weisheit in höherem Grade und bekundet sie in Wort und Tat mehr als der gute Balthasar."

Um das Gespräch nicht weiter verfolgen zu müssen, erhob er seinen Becher und trank.

Zweites Kapitel

Etwa eine Stunde nach dem Vorgang auf dem Dach besprachen sich Balthasar und Simonides im großen Gemach des Palastes, während Esther neben ihrem Vater saß. Plötzlich betraten Iras und Ben Hur den Raum; dieser eilte sofort auf Balthasar zu, um ihn zu begrüßen, dann wandte er sich an Simonides, blieb aber überrascht stehen, als er Esther sah.

Durch die verschiedenen Eindrücke, die in den letzten Jahren auf ihn einstürmten, waren seine früheren Wünsche und Ziele in den Hintergrund getreten, und es darf uns nicht wundern, wenn seine eigenen Leiden der Vergangenheit und der Schatten, der über dem Schicksal seiner Familie lag, ihn weniger bedrückten, je näher er sich der Erfüllung seiner neuen Pläne fühlte.

So hatte er auch Esther ganz aus dem Auge und Gedächtnis verloren, und als er sie jetzt in ihrer edlen Jungfräulichkeit vor sich sah, mochte ihm wohl in Erinnerung an gebrochene Gelübde und unerfüllte Pflichten das Gewissen schlagen.

Er ging auf das Mädchen zu und reichte ihr die Hand, indem er sagte: „Friede sei mit dir, liebliche Esther, und mit dir, o Simonides, bleibe der Segen Gottes, schon um dir zu vergelten, daß du dem Vaterlosen solch ein guter Vater warst."

Esther hörte gesenkten Hauptes zu, während Simonides erwiderte:

„Ich grüße dich im Namen unseres Gottes, Sohn Hurs, im Hause deines Vaters. Setze dich, und erzähl uns von deinen Reisen, deiner Arbeit und dem wunderbaren Nazarener."

Esther holte rasch einen Stuhl herbei, wofür ihr Ben Hur herzlich dankte.

„Ich bin gekommen, um euch hauptsächlich von dem Nazarener zu erzählen. Seit langer Zeit bin ich Ihm gefolgt und habe Ihn genau beobachtet. Ich habe Ihn in den verschiedensten Lebenslagen gesehen und kann einerseits sagen, daß Er ein Mann ist wie unsereins. Andererseits aber bin ich ebenso fest überzeugt, daß Er mehr ist."

„Inwiefern?" fragte Simonides.

Ehe Ben Hur fortfahren konnte, betrat jemand das Zimmer, und unser junger Freund stand eilends auf und rief, indem er beide Hände der Eintretenden entgegenstreckte:

„Amrah! Meine liebe, alte Amrah!"

Die alte Wärterin seiner Kindheit fiel ihm zu Füßen, umschlang seine Knie und bedeckte seine Hände mit Küssen, Ben Hur aber hob sie sanft auf, strich ihr die grauen Haare aus dem Gesicht und küßte sie auf die runzligen, eingefallenen Wangen.

„Sag, gute Amrah, hast du gar nichts von ihnen gehört – kein Wort – kein Zeichen?" fragte er leise.

Statt aller Antwort brach Amrah in Tränen aus, die deutlicher als Worte sprachen.

„Gottes Wille geschehe", sagte er in einem Ton, der allen Anwesenden den Eindruck machte, als ob er jede Hoffnung verloren habe, seine Angehörigen wiederzufinden. In seinen Augen standen Tränen, die er zu verbergen suchte, weil er ein Mann war.

„Komm, Amrah, setze dich neben mich", sagte er endlich. „Nein? Zu meinen Füßen? Ich habe diesen guten Freunden viel von einem wunderbaren Mann zu erzählen, der aufgetreten ist."

Amrah schlich sich an die Wand, umschlang ihre Knie mit den Händen und schien vollkommen glücklich zu sein, daß sie in dieser Stellung ihren geliebten Herrn ungestört beobachten konnte.

Ben Hur verneigte sich vor den Greisen und nahm das frühere Gespräch wieder auf.

„Ehe ich deine Frage beantworte, o Simonides, möchte ich euch einige der Taten erzählen, die ich Ihn habe vollbringen sehen. Ich tue dies um so lieber, Freunde, als Er morgen in die Stadt kommen und in den Tempel gehen will, den Er ‚Seines Vaters Haus' nennt. Dort, heißt es, will Er sich offenbaren, und demnach werden wir und ganz Israel morgen erfahren, wer von euch beiden recht hat, du, Balthasar, oder du, Simonides."

Balthasar rieb seine zitternden Hände und fragte: „Von wo aus kann ich Ihn sehen?"

„Das Gedränge wird groß werden. So wäre es wohl am besten, wenn ihr alle auf das Dach des Salomonischen Tores gehen würdet."

„Kannst du uns begleiten?"

„Nein, denn meine Freunde werden mich möglicherweise im Zuge brauchen."

„Im Zuge!" rief Simonides. „Reist Er denn mit großem Gefolge?"

„Er bringt zwölf Männer mit, teils Fischer, teils Bauern. Einer ist sogar ein Zöllner – kurz, alles Angehörige der niederen Klassen. Er macht mit ihnen Seine Reisen zu Fuß, unbekümmert um Wind, Kälte, Regen oder Sonnenhitze. Wenn sie des Abends am Wegesrand lagern und ihre spärliche Mahlzeit einnehmen oder sich zur Ruhe legen, dann könnte man sie eher für Hirten halten, die vom Markt zu ihren Herden zurückkehren, denn für Edelleute und Könige. Hat man aber Gelegenheit, den Nazarener zu beobachten, wenn Er mit Seinen Begleitern spricht, so fällt einem sofort die unbeschreibliche Hoheit auf, die in Seinem ganzen Auftreten liegt. Was würdet ihr denn von einem Mann sagen, der die Gewalt besitzt, Steine in Gold zu verwandeln, und trotzdem aus eigener Wahl arm bleibt?"

„Die Griechen würden ihn einen Philosophen nennen", versetzte Iras.

„Nein, Tochter", entgegnete Balthasar, „kein Philosoph hat je die Macht gehabt, dergleichen zu tun."

„Woher weißt du, daß dieser Mann die Macht dazu hat?"

„Ich habe Ihn Wasser in Wein verwandeln sehen", sagte Ben Hur.

„Seltsam, sehr seltsam!" rief Simonides.

„Am meisten befremdet mich aber, daß Er in so ärmlichen Verhältnissen lebt, wenn Er doch reich sein könnte."

„Er besitzt nichts und bedauert sogar die Reichen. Was würdet ihr sagen, wenn ihr sehen könntet, daß ein Mann sieben Brote und zwei Fische, seinen ganzen Vorrat, so vermehrt, daß nicht nur fünftausend Menschen davon gespeist werden, sondern daß zwölf volle Körbe übrigbleiben? Ich sah den Nazerener dies tun."

„Du sahst es mit eigenen Augen?" fragte Simonides erstaunt.

„Ich sah es und habe selbst von dem Brot und den Fischen gegessen."

„Aber hört weiter", fuhr Ben Hur fort: „Was sagt ihr von einem Mann, der eine solche Heilkraft besitzt, daß Kranke nur den Saum seines Gewandes zu berühren oder von fern ihm zuzurufen brauchen, um geheilt zu werden? Auch davon war ich nicht einmal, sondern mehrmals Zeuge. Als wir aus Jericho kamen, riefen Ihn zwei am Wegrand sitzende Blinde an, und nachdem Er ihre Augen berührt hatte, konnten sie sehen. Ein anderes Mal brachte man einen Gichtbrüchigen zu Ihm; Er sagte nur: ‚Stehe auf, hebe dein Bett auf, und gehe heim', und der Mann stand auf und ging heim. Was sagt ihr dazu?

Und wenn ihr wie andere meint, die Dinge, die ich euch erzählt habe, beruhten auf einer Art Taschenspielerei, so hört, was ich Ihn weiter habe tun sehen. Denkt an die Unglücklichen, die nur durch den Tod von dem auf ihnen liegenden Fluch erlöst werden können – denkt an die Aussätzigen."

Bei diesen Worten ließ Amrah die Hände zur Erde sinken und richtete sich voll Spannung auf.

„Was würdet ihr sagen", fuhr Ben Hur fort, „wenn ihr hättet sehen können, wie dort in Galiläa ein Aussätziger auf den Nazarener zukam, während ich mit Ihm redete und sagte: ‚Herr, willst du, so kannst Du mich reinigen'; im gleichen Augenblick war der Mann rein, und so gesund wie wir alle sind."

Es war gut, daß Ben Hur so sehr von seinen wunderbaren Erlebnissen erfüllt war, daß er Amrah nicht beachtete, sonst hätte ihm die merkwürdige plötzliche Aufregung seiner alten Kinderfrau auffallen müssen.

„Kurze Zeit darauf", erzählte Ben Hur weiter, „traten zehn Aussätzige miteinander vor den Wundertäter, fielen Ihm zu Füßen und riefen – ich habe es selbst gesehen und gehört –: ,Meister, erbarme Dich unser!' Er sagte ihnen: ,Geht hin und zeigt euch den Priestern, wie das Gesetz es fordert!' Und während sie hingingen, wurden sie rein."

„Solche Dinge sind noch niemals in Israel geschehen", rief Simonides. Amrah aber benutzte die allgemeine Aufregung über das Gehörte und schlich leise zum Zimmer hinaus.

„Wie ihr euch denken könnt, haben schon diese Wunder, die ich miterleben durfte, einen tiefen Eindruck auf mich gemacht; aber ich habe noch Wunderbareres erlebt. Die Leute von Galiläa sind, wie ihr wißt, stürmischer Natur, und nachdem sie jahrelang gewartet hatten, brannte ihnen nun das Schwert in den Händen, und sie waren nicht mehr zurückzuhalten, ja, ich muß gestehen, daß auch ich ungeduldig wurde.

Als er darum einmal am Ufer des Sees predigte, wollten wir Ihn um jeden Preis zum König krönen, aber Er verschwand, und wir sahen Ihn erst wieder, als Er in einem Schiff vom Ufer abfuhr. Guter Simonides, die Sucht nach Reichtümern, Ehren, ja sogar Königskronen, über der andere zuweilen den Verstand verlieren, ist diesem Mann fremd. Doch ich bin noch nicht zu Ende mit meinem Bericht. Sagt mir, wißt ihr von irgend jemandem, der dem Tod seine Beute entreißen, der einem Verstorbenen neues Leben geben kann, wenn nicht . . ."

„Gott", ergänzte Balthasar ehrerbietig.

„O weiser Ägypter, ich kann das Wort, mit dem du meinen Satz vollendet hast, nicht zurückweisen. Was würdet ihr sagen, wenn ihr mit mir hättet sehen können, wie Er mit wenigen Worten einen Toten zum Leben erweckte. Dort in Nain trat Er an den Sarg des einzigen Sohnes einer Witwe und rief dem Leichnam zu: ,Ich sage dir, Jüngling, stehe auf!' Und der Tote richtete sich auf und fing an zu reden.

Merkt wohl, liebe Freunde, ich erzähle euch nur Dinge, die ich persönlich erlebt habe. Auf dem Weg hierher war ich Zeuge einer noch größeren Tat. In Bethanien starb ein Mann namens Lazarus und wurde begraben, und nachdem er schon vier Tage im Grab gelegen hatte, führte man den Nazerener zu der Stelle, die mit einem großen Stein verschlossen war. Als man diesen fortgewälzt hatte, sahen wir den schon verwesenden Mann, in Leinwand gehüllt, liegen. Eine Menge Leute standen um den Meister, und wir hörten Ihn alle mit lauter Stimme rufen: ‚Lazarus, komm heraus!‘ Ich kann euch meine Gefühle nicht beschreiben, als der Mann auf diese Aufforderung hin aufstand und mit all seinen Grabtüchern auf uns zuging. ‚Löset die Binden, und lasset ihn gehen‘, gebot der Nazarener, und der Mann war wie unsereins. Er lebt, und ihr könnt ihn morgen im Gefolge seines Meisters sehen.“

Noch lange nach Mitternacht redeten unsere Freunde über diesen Bericht Ben Hurs, denn Simonides konnte sich noch nicht entschließen, seine Ansicht über die auf den Messias deutenden Stellen der Propheten zu ändern.

Ben Hur hingegen nahm an, daß Simonides und Balthasar recht hatten und daß der Nazarener sowohl der Erlöser als der erwartete König sei.

Endlich trennten sie sich, und Ben Hur kehrte nach Bethanien zurück.

Drittes Kapitel

Die erste Person, die am nächsten Morgen, sobald das Schaftor geöffnet wurde, zur Stadt hinausging, war Amrah mit einem Korb am Arm. Sie tat das so regelmäßig Tag für Tag, daß die Hüter ihr keinerlei Fragen stellten. Es genügte ihnen zu wissen, daß sie irgend jemandes treue Dienerin war.

Sie hatte es offenbar eilig, denn sie gönnte sich nicht wie sonst Zeit, dann und wann einmal am Weg niederzusitzen und Atem zu schöpfen, obwohl man ihr ansah, daß ihr der Gang schwer wurde. Erst als die Stadt der Aussätzigen in Sicht kam, mäßigte sie ihren Schritt.

Wie der Leser bereits vermutet haben wird, war sie auf dem Weg zu ihrer Herrin, deren Höhle sich bekanntlich oberhalb des Brunnens En-Rogel befand.

So früh es noch war, saß die unglückliche Frau schon vor der Höhle, während Tirzah noch schlief.

Die Krankheit hatte in den letzten drei Jahren schreckliche Fortschritte gemacht. Das schneeweiße Haar fiel in dicken Strähnen störrisch wie Silberdraht über Rücken und Schultern. Augenbrauen, Lippen, Nasenlöcher waren entweder überhaupt oder zum Teil nicht mehr vorhanden, während von den Wangen das Fleisch weggefallen war. Kopf, Gesicht, Hals und Hände bekundeten nur zu deutlich, in welchem Zustand der ganze übrige Körper sein mußte. Ein Blick auf sie – und man begriff wohl, warum die früher so schöne Witwe des Fürsten Hur die lange Zeit hindurch ihr Geheimnis hatte bewahren können.

Sie wußte, sobald die Sonne den Gipfel des Ölbergs mit goldenem Licht überflutete, kam Amrah mit Speise und Trank und stellte beides auf einen halbwegs zwischen dem Brunnen und dem Hügel gelegenen Stein. Dieser kurze tägliche Besuch war alles, was der Ärmsten von ihrem früheren Glück geblieben war. Sie erfuhr dann wenigstens die spärlichen Nachrichten, die

die Botin hier und da von ihrem Sohn bringen konnte. Hörte sie, daß er daheim war, so pflegte sie in ihrem weißen Gewand von Sonnenaufgang bis Sonnenuntergang regungslos an ein und derselben Stelle unter freiem Himmel zu sitzen und unverwandt auf den Punkt zu starren, wo das alte, ihr so unaussprechlich teure Haus stand. Tirzah war kaum mehr unter die Lebenden zu rechnen, und sie selbst wußte, daß jede Stunde, die sie noch lebte, eine Sterbestunde für sie war.

Wohin sie blickte, sah sie nichts als Gräber – Gräber über, unter, neben ihrem eigenen Grab, ringsum dasselbe und ihm gegenüber – , alle zur Zeit frisch geweißt zur Warnung für die Pilger. Selbst die freundliche Sonne, die alles in der Natur so lieblich machte, zeigte ihr nur ihre Häßlichkeit. Ohne sie wäre sie sich nicht selbst ein Greuel gewesen, noch wäre sie aus ihren Träumen über Tirzah aufgerüttelt worden.

Fragt jemand: „Warum machte sie denn ihren Leiden nicht ein Ende?" so war die Antwort: „Das Gesetz verbot es ihr." Ein Heide mag sich darüber hinwegsetzen, nicht aber ein Sohn oder eine Tochter Israels.

Während sie so dasaß und ihren traurigen Gedanken nachhing, sah sie plötzlich eine allem Anschein nach todmüde Frau den Hügel heraufwanken.

Hastig stand sie auf, bedeckte sich den Kopf und rief: „Unrein! Unrein!"

Im nächsten Augenblick lag ihr Amrah zu ihren Füßen und netzte ihr Gewand mit Tränen. Alle Bemühungen, sich von ihr loszureißen, waren vergeblich.

„Was hast du getan, Amrah?" sagte sie endlich. „Beweist du so deine Liebe zu uns? Unglückliches Weib – nicht nur, daß du dich selbst ins Verderben gestürzt hast, du kannst jetzt auch nicht mehr zu deinem Herrn zurückkehren. Und auch uns kannst du fortan nicht mit Nahrungsmitteln versorgen, denn du darfst nicht mehr nach Jerusalem hinein. O böse, böse Amrah! Wer wird uns nun Brot bringen? Jetzt ist es mit uns allen aus."

„Erbarmen! Erbarmen!" flehte Amrah, die immer noch vor

ihrer Herrin auf den Knien lag.

„Du hättest Erbarmen haben sollen – mit dir selbst und uns. Wohin sollen wir nun fliehen? Es ist niemand, der uns helfen könnte. O treulose Dienerin! Hat die Hand des Herrn nicht schon schwer genug auf uns gelegen?"

Von dem Lärm geweckt, erschien nun Tirzah am Eingang der Höhle und fragte wehmütig: „Ist Amrah da, Mutter? Es war mir, als habe ich ihre Stimme gehört."

Die Dienerin wollte sich ihr nahen, aber die Witwe rief ihr in gebieterischem Ton zu: „Bleibe, wo du bist, Amrah! Ich verbiete dir, sie anzurühren. Steh auf und geh, ehe dich jemand vom Brunnen aus bei uns gesehen hat. Doch nein – es ist schon zu spät! Du mußt jetzt hierbleiben und unser Schicksal teilen. Steh auf, sage ich dir!"

Amrah erhob sich und erwiderte mit flehender Stimme: „O liebe Herrin, ich bin nicht treulos wie du meinst – ich bin nicht böse. Ich bringe dir frohe Botschaft."

„Von Juda?" entgegnete die Witwe, indem sie das Tuch ein wenig beiseite schob.

„Von einem wunderbaren Mann, der die Macht hat, euch zu heilen", fuhr Amrah fort. „Auf ein Wort von ihm werden die Kranken gesund, und sogar die Toten stehen auf. Ich bin gekommen, euch zu ihm zu führen."

„Arme Amrah!" sagte Tirzah mitleidig.

„Nein", erwiderte Amrah, die fühlen mochte, daß der Zweifel ihrer jungen Herrin den Ausruf in den Mund gelegt hatte, „nein, so wahr Jehovah lebt, der Gott Israels, mein Gott, so gut wie der eurige, ich spreche die Wahrheit. Geht mit mir, aber ohne einen Augenblick zu verlieren. Auf dem Weg in die Stadt wird Er heute vormittag hier vorüberkommen. Seht, schon bricht der Tag an! Eßt, und dann kommt mit mir!"

Die Mutter hörte aufmerksam zu. Möglicherweise hatte sie schon von dem merkwürdigen Mann gehört, denn das Gerücht von ihm war mittlerweile in alle Winkel des Landes gedrungen.

„Wer ist Er?" fragte sie.

„Ein Nazarener."

„Wer hat dir von Ihm erzählt?"

„Juda."

„Juda?" wiederholte die Witwe. „Ist er zu Hause?"

„Er ist gestern nacht heimgekommen."

Die Mutter suchte ihr lautpochendes Herz zu beruhigen. Nachdem sie eine Weile geschwiegen hatte, fragte sie: „Hat Juda dich mit der Botschaft zu uns gesandt?"

„Nein, er hält euch für tot."

„Es gab seinerzeit einen Propheten, der vom Aussatz heilen konnte", sagte die Mutter nachdenklich zu Tirzah, „aber er hatte die Macht von Gott empfangen." Sich zu Amrah wendend, fügte sie hinzu: „Woher kennt mein Sohn den Mann, von dem du sprichst?"

„Er ist mit Ihm gereist und hat mit eigenen Augen gesehen, wie die Aussätzigen, die ihn um Erbarmen anriefen, geheilt von Ihm gingen. Zehn Menschen sind rein geworden."

Die Witwe schwieg eine geraume Weile, dann sagte sie feierlich: „Es sollte mich nicht wundern, wenn das der Messias wäre."

Sie sagte es nicht kalt wie jemand, der noch geheimen Zweifeln im Herzen Raum gibt, sondern wie eine Israelitin, welche die Verheißungen kennt, die Gott ihrem Volk gegeben hat und sich freut über das kleinste Zeichen, daß die betreffenden Verheißungen in Erfüllung gehen.

„Seinerzeit hieß es in Jerusalem und ganz Judäa, daß Er zur Welt gekommen sei", fuhr sie fort. „Ich erinnere mich dessen wohl. Jetzt müßte er erwachsen sein. Er ist es – es ist nicht anders möglich. Ja, Amrah, wir wollen mit dir gehen. Wir wollen schnell essen und uns dann aufmachen."

Eine Viertelstunde später waren die drei Frauen unterwegs. „Es ist Festtag heute", sagte die Mutter. „Um nicht zu vielen Leuten zu begegnen, werden wir am besten tun, über die Schädelstätte zu gehen."

Als Amrah sah, welche Mühe Tirzah hatte, vorwärtszukommen, legte sie trotz der Gefahr der Ansteckung den Arm um sie und flüsterte ihr zu: „Stütze dich auf mich. Wenn ich auch alt bin, bin ich doch kräftig, und der Weg ist nicht weit." Auch die Mutter sprach ihr Mut zu.

„Sieh Kind, wie die Zinnen des Tempels in der Sonne glänzen!" sagte sie. „Weißt du noch, wie oft wir da hinaufgingen? Denke, welche Freude, wenn wir das wieder könnten! Von da ist es gar nicht mehr weit nach Hause. Was wird das für eine Überraschung für Juda sein, wenn er uns in der alten, lieben Heimat begrüßen kann!"

Vom Abhang des mit Myrten- und Olivenbäumen bepflanzten mittleren Hügels aus sah man schon leichte Rauchwölkchen in der Stadt aufsteigen, eine Mahnung, daß Eile not tat.

Obwohl die treue Amrah alles aufbot, um ihrer jungen Herrin das Hinabsteigen so sehr als möglich zu erleichtern, stöhnte diese bei jedem Schritt, ja schrie zuweilen laut auf.

„Mut, mein Kind!" rief die Mutter dem zu Tode erschöpften Mädchen zu. „Dort sehe ich einen Mann nahen, der uns sicher Kunde vom Nazarener geben kann."

Amrah half Tirzah zu einem Stein und stützte sie; diese aber sagte wehmütig: „Ach Mutter, du vergißt, wer wir sind! Der Fremde wird einen weiten Umweg um uns herum machen und, wenn er uns nicht mit Steinen bewirft, zumindest verfluchen."

„Wir wollen sehen", erwiderte die Mutter. Was hätte sie auch sonst antworten sollen? Wußte sie doch zu gut, daß das die Behandlung war, die ihre Landsleute ihresgleichen zuteil werden ließen.

Blieb der Fremde auf der von ihm eingeschlagenen Straße, so mußte er den am Weg sitzenden Frauen begegnen. Er war in Gedanken versunken und bemerkte sie gar nicht, bis die Mutter nach Vorschrift des Gesetzes ihr Haupt entblößte und ihm zurief: „Unrein! Unrein!"

Zu ihrem Erstaunen trat der Mann auf sie zu, anstatt auszuweichen, und fragte: „Was willst du?"

„Du siehst uns", antwortete die Witwe mit einfacher Würde.

„Nimm dich in acht!"

„Frau", erwiderte der Fremde, „ich bin ein Vorläufer dessen, der nur ein Wort zu sprechen braucht, so bist du geheilt. Ich fürchte mich nicht."

„Meinst du den Nazarener?"

„Den Messias."

„Ist es wahr, daß Er heute in die Stadt kommt?"

„Er ist schon in Bethphage."

„Welchen Weg nimmt Er?"

„Diesen hier."

Sie faltete die Hände und erhob dankerfüllt den Blick zum Himmel.

„Für wen hältst du Ihn?" fragte der Mann mitleidig.

„Für den Sohn Gottes", antwortete sie.

„Dann rate ich dir, stelle dich an jenen weißen Felsen unter dem Baum, und wenn er vorübergeht, rufe ihn an. Rufe, und wenn er eine Spur wahren Glaubens in deinem Herzen sieht, so wird Er dich hören. Ich gehe, den in und um die Stadt befindlichen Israeliten Seine Ankunft zu verkündigen, damit sie sich zu Seinem Empfang bereitmachen. Friede dir und den Deinen, Frau!"

Nach diesen Worten ging der Fremde weiter. Die Mutter aber rief der Tochter zu: „Hast du es gehört? Der Nazarener wird hier vorüberkommen und uns hören, wenn wir rufen. Wage nur noch die wenigen Schritte dort zu dem Felsen hin!"

Ermutigt nahm Tirzah die ihr dargebotene Hand und stand auf. Schon waren sie dem Baum nahe, da sah Amrah den Fremden wieder zurückkommen und blieb stehen.

„Ich bitte um Entschuldigung", sagte der Mann als er sie eingeholt hatte. „Es ist mir eingefallen, daß es heiß werden wird, ehe der Nazarener kommt, darum dachte ich, ihr könntet das Wasser hier im Schlauche nötiger brauchen als ich, der ich in die Stadt gehe und mir dort leicht eine Erfrischung verschaffen kann. Nehmt ihn getrost und versäumt ja nicht, den Nazarener anzurufen, wenn Er vorübergeht."

Anstatt den Schlauch auf den Boden zu stellen, gab er ihn Amrah in die Hand.

„Bist du ein Jude?" fragte deren Herrin erstaunt.

„Ja", erwiderte er, „und was noch viel besser ist, ich bin ein Jünger jenes Christus, der Seine Nachfolger Tag für Tag durch Wort und Beispiel lehrt, wie ich es bei euch soeben getan habe. Die Welt weiß längst dem Buchstaben nach, was unter dem Wort ,Liebe' zu verstehen ist, aber das Wesen der Liebe kennt sie nicht. Noch einmal, Friede dir und den Deinen, und seid guten Mutes!"

Hierauf ging der Fremde seines Wegs. Die Frauen aber legten sich im Schatten des Baumes nieder, den er ihnen gezeigt hatte, und bald war Tirzah fest eingeschlafen.

Viertes Kapitel

Um die vierte Nachmittagsstunde sahen die gespannt ausschauenden Frauen einen langen Zug Menschen nach Bethphage gehen. Es mochten mehrere Tausend sein, und alle trugen Palmzweige in den Händen. Während sie sich Rechenschaft zu geben suchten, was das bedeuten mochte, zog eine aus der entgegengesetzten Richtung kommende Volksmenge ihre Aufmerksamkeit auf sich. Da weckte die Mutter Tirzah.

„Was gibt es?" fragte diese.

„Er naht", antwortete die Mutter. „Die Leute, die dort aus der Stadt kommen, gehen Ihm offenbar entgegen, die anderen sind ohne Zweifel Freunde und Anhänger, die Ihm das Geleit geben. Wer weiß, ob die beiden Züge nicht gerade hier dicht vor unseren Augen zusammentreffen. Erinnerst du dich, Amrah, was die zehn Aussätzigen, von deren Heilung dir Juda erzählte, dem Nazarener zuriefen? Ich wüßte so gern die genauen Worte."

„Entweder sagten sie: ‚Herr, erbarme dich unser!' oder nur ‚Meister, erbarme dich!'"

„Nur das?"

„Mehr hörte ich nicht."

„Nur diese wenigen Worte – und doch genügten sie!" sagte die Mutter leise vor sich hin.

„Ja", bemerkte Amrah, „Juda sah sie mit eigenen Augen geheilt weggehen."

Mittlerweile kam die Prozession immer näher, und die Aussätzigen sahen, daß in deren Mitte – barhäuptig und in weißem Gewand – ein Mann ritt, dessen edle, von kastanienbraunem Haar umrahmten Gesichtszüge den Ausdruck tiefen Ernstes trugen. Das Jubelgeschrei der Ihn umgebenden Menge schien Ihm wenig Eindruck zu machen. Niemand brauchte den Frauen zu sagen, daß das der Nazarener war.

„Da ist Er, Tirzah!" sagte die Mutter. „Komm, mein Kind!"

Mit diesen Worten sank sie auf die Knie, und Amrah und Tirzah folgten ihrem Beispiel. Mittlerweile war die aus der Stadt kommende Menschenmenge der Prozession ansichtig geworden und schrie: „Gelobt sei, der da kommt in dem Namen des Herrn! Hosianna in der Höhe!"

Begeistert stimmten die Tausende rings um den Reiter her in den Jubelgesang ein, so daß die Rufe der armen Aussätzigen vor Lärm kaum gehört wurden.

„Näher hin, mein Kind! Laß uns ein paar Schritte näher zu Ihm hingehen! Hier hört Er uns nicht", sagte die Mutter und wankte auf die Menge zu. Bei ihrem Anblick blieben die Menschen wie gebannt stehen. Erschrocken und zu Tode erschöpft sank Tirzah zu Boden.

„Die Aussätzigen! Die Aussätzigen!" schrien die Leute bunt durcheinander.

„Steinigt sie!"

„Verfluchte Gottes! Tötet sie!" hieß es von allen Seiten. Es waren ihrer jedoch etliche, die wußten, was für ein Mann das war, den die Unglücklichen um Hilfe baten – einige wenige, auf die durch langen Umgang mit Ihm etwas von dem göttlichen Erbarmen übergegangen war, das Ihn beseelte. Diese blickten ihm schweigend nach, während Er angesichts aller den Abhang hinabritt und vor den Frauen hielt, so daß diese das wunderbar schöne Antlitz aus der Nähe sehen und Ihm in die großen, von Liebe strahlenden Augen blicken konnten.

Daraufhin entspann sich folgendes Gespräch zwischen Ihm und der Witwe:

„O Meister, lieber Meister! Du siehst meine Not. Du kannst uns reinigen. Erbarme dich unser!"

„Glaubst du, daß ich es tun kann?" fragte Er.

„Du bist der, von dem die Propheten geweissagt haben – du bist der Messias!" erwiderte sie.

Seine Augen glänzten, und Er sagte mit vertrauensvoller Miene: „Weib, dein Glaube ist groß, dir geschehe, wie du willst!"

Noch einen Augenblick – dann war Er weitergeritten.

Wie mußte Seinem nach Glauben und Liebe so heiß verlangenden Herzen der Abschiedsruf der dankbaren Frauen wohl tun: „Ehre sei Gott in der Höhe! Lob, Preis und Anbetung dem Sohne, den Er uns gegeben hat!"

Wenige Sekunden später war Er im Gedränge den Blicken der Aussätzigen entschwunden. Die Mutter bedeckte sich wieder das Haupt, eilte auf Tirzah zu, schloß sie in die Arme und rief bewegt: „Blicke auf, Tochter! Wir haben Sein Versprechen! Wir sind gerettet – gerettet!" Dankerfüllten Herzens fielen sie auf die Knie nieder, und ehe noch das Hosiannarufen der Menge in der Ferne verklungen war, begann die wunderbare Heilung.

Das Herzblut der Aussätzigen erneuerte sich und durchströmte lebensfrisch die abgezehrten Körper mit der wonnigen Empfindung wiederkehrender Gesundheit. Sie fühlten, jede in ihrem Teil, die Plage weichen, die Kräfte zurückkommen. Mit der Reinigung des Körpers ging Hand in Hand die Neubelebung des Geistes, und die Heilung war so vollkommen, daß nichts, aber auch nicht die geringste Spur der Krankheit zurückblieb und deren zerstörende Folgen wie mit einem Schlage aufgehoben waren.

Augenzeuge der wunderbaren Wandlung – denn es war eigentlich mehr als nur eine bloße Heilung – war noch jemand außer Amrah. Ben Hur, der dem Nazarener so viel wie möglich auf Schritt und Tritt folgte, war zugegen gewesen, als die Aussätzigen den Meister um Erbarmen anriefen. Er hatte die Antwort des Herrn gehört und hatte noch nicht so viele Wunder persönlich miterlebt, daß sie ihr Interesse für ihn verloren hätten. Überdies lag es ihm am Herzen, sich über die Mission des geheimnisvollen Mannes klar zu werden, und das um so mehr, als allgemein angenommen wurde, dieser werde noch vor Sonnenuntergang mit einer öffentlichen Erklärung hervortreten.

Er hatte sich daher vor Schluß des Auftritts mit den Aussätzigen von der Prozession zurückgezogen und auf einen Stein gesetzt, an dem sie vorüberkommen mußte.

Von diesem Beobachtungsposten aus nickte er dem einen und anderen aus der Volksmenge zu – meist Galiläern, die unter ihren langen Gewändern kurze Schwerter trugen. Nach einer Weile winkte er einem Araber, der zwei Pferde führte. „Bleibe hier", befahl er ihm, als alle vorüber waren und sogar die Nachzügler ihn nicht mehr hören konnten. „Ich brauche Aldebaran, denn ich muß so schnell wie möglich in der Stadt sein."

Nachdem er das schöne Tier gestreichelt hatte, ging er quer über die Straße auf die Frauen zu.

Diese waren ihm fremd – das dürfen wir nicht vergessen –, vielleicht hoffte er nur, sie könnten ihm irgendwie auf die Spur des Geheimnisses helfen, das ihn so sehr beschäftigte. Da fiel sein Blick zufällig auf die etwas im Hintergrund stehende Dienerin, und er sagte sich: „So wahr Jehovah lebt, das ist ja Amrah!"

An Mutter und Schwester vorübereilend, ohne sie zu erkennen, trat er auf die treue Hüterin seiner Kindheit zu und sagte: „Bist du es wirklich, Amrah? Was tust du hier?"

Sie sank vor ihm in die Knie und rief, indem ihr die heißen Dankestränen über die Wangen stürzten: „O Herr, lieber Herr! Wie gut ist unser Gott!"

Instinktiv fühlte der junge Mann in ihrem ganzen Wesen, las es in ihrer Miene, daß sie in irgendeiner nahen Beziehung zu den beiden Frauen stehen mußte, die Gegenstand einer so besonderen Beachtung des Nazareners gewesen waren, und eine Ahnung flog blitzartig durch seine Seele. Das Herz stand ihm beinahe still, er konnte kein Glied regen, und die Zunge war ihm wie gelähmt.

Die ältere der Frauen stand da mit gefalteten Händen, die tränenströmenden Augen zum Himmel gerichtet. Die Veränderung, die mit ihr vorgegangen war, war noch das wenigste. War es möglich, daß er sich täuschte? Nie hatte er eine Frau gesehen, die so seiner Mutter glich, und zwar seiner Mutter, wie sie an dem Tag war, an dem sie von ihm gerissen wurde. Und wer anderes war das Mädchen an ihrer Seite, wenn nicht Tirzah? Zwar etwas gereifter als da er mit ihr über dem Terrassengeländer lehnte und den Legionären nachsah, aber ebenso schön und anmutig wie damals . . .

Kaum seinen Augen trauend, legte er die Hand auf die Schulter der treuen Dienerin und fragte mit bebender Stimme: „Amrah, sehe ich recht – meine Mutter – Tirzah?"

„Sprich mit ihnen, Herr!" erwiderte Amrah. „Sprich mit ihnen!"

Da zögerte er keinen Augenblick mehr, sondern stürzte ihnen mit ausgestreckten Armen entgegen und rief: „Mutter, Mutter! Tirzah! Hier bin ich!"

Die Mutter wollte ihm entgegeneilen, besann sich aber und stammelte, von namenlosem Weh übermannt: „Komm mir nicht nahe, Juda, mein Sohn. Unrein! Unrein!"

Es war nicht nur die Macht der Gewohnheit, die sie zu dem Schrei veranlaßte, sondern auch die Furcht, daß sich die Ansteckung noch durch ihre Kleider mitteilen könnte. Der Gedanke lag ihm hingegen fern. Er hatte sie bei ihrem Namen gerufen, und sie hatten ihm geantwortet. Was sollte ihn nun noch von ihnen trennen? Im nächsten Augenblick lagen sich die drei in den Armen und weinten miteinander.

Nachdem der erste Jubel vorüber war, sagte die Mutter: „Wir wollen in unserem großen Glück nicht undankbar sein, Kinder, sondern unsere Herzen zu dem erheben, dem wir unaussprechlichen Dank schuldig sind."

Sie fielen auf die Knie nieder, Amrah natürlich mit ihnen, und aus der Mutter überströmendem Herzen erscholl ein kaum endenwollender Lobgesang.

Tirzah wiederholte ihn Wort für Wort – so auch Ben Hur, aber nicht mit dem gleichen kindlichen Vertrauen, denn als sie von den Knien aufgestanden waren, fragte er: „Wer ist der geheimnisvolle Fremde? In Nazareth, wo er geboren ist, nennt

man ihn allgemein den Sohn des Zimmermanns."

Ihre Augen ruhten mit derselben Zärtlichkeit auf ihm wie früher, und sie antwortete, wie sie dem Nazarener selbst geantwortet hatte: „Er ist der Messias."

„Und woher hat Er seine Macht?"

„Das wird sich am besten daraus ersehen lassen, welchen Gebrauch Er davon macht. Kannst du mir irgend etwas Unrechtes nennen, was Er getan hat?"

„Nein."

„Das ist mir ein deutlicher Beweis, daß Er Seine Macht von Gott hat."

Natürlich war es die Mutter, die zuerst an das Nächstliegende dachte. „Was ist nun zu tun, mein Sohn?" fragte sie. „Wohin sollen wir?"

Da erst bemerkte Ben Hur, wie vollständig der Aussatz von den Seinen geschwunden war, daß es ihnen buchstäblich ergangen war wie dem Syrer Naeman, nämlich, daß ihr Fleisch dem eines neugeborenen Kindes entsprach. Er nahm seinen Mantel ab, warf ihn Tirzah über die Schultern und sagte: „Kein fremdes Auge soll dich belästigen."

Dabei wurde das Schwert sichtbar, das er um die Hüfte geschnallt hatte, so daß die Mutter besorgt ausrief: „Ist es Kriegszeit?"

„Nein", antwortete Ben Hur.

„Warum bist du dann bewaffnet?"

„Weil es möglicherweise nötig sein wird, den Nazarener zu verteidigen", sagte der junge Mann ausweichend.

„Hat Er Feinde? Wer sind sie?"

„Ach Mutter, leider sind es nicht nur Römer."

„Ist er nicht Israelit und ein Mann des Friedens?"

„Nie hat es noch Seinesgleichen gegeben", antwortete Ben Hur, „aber nach Ansicht der Schriftgelehrten und Pharisäer hat er ein großes Verbrechen begangen."

„Welches?"

„Er stellt den unbeschnittenen Heiden auf eine Stufe mit dem

310

strengsten Gesetzesjuden. Mit einem Wort, Er verkündigt eine neue Lehre."

Die Mutter schwieg, und sie setzten sich unter den Schatten des Baumes am Felsen, um zu überlegen, was nun am besten zu tun sei. Bald waren sie übereingekommen, daß sie außerhalb der Stadt bleiben mußten, bis sie sich den Priestern gezeigt hatten und von ihnen für rein erklärt worden waren. Ben Hur brachte sie einstweilen in einer Höhle unter und eilte dann davon, um die geeigneten Vorkehrungen für eine bessere Unterkunft zu treffen.

Fünftes Kapitel

Nachdem Ben Hur am oberen Kidron östlich von den Gräbern der Könige zwei Zelte hatte aufschlagen und mit allen ihm zu Gebote stehenden Bequemlichkeiten einrichten lassen, führte er ohne Verzug seine Mutter und Schwester dahin, damit sie dort geborgen wären, bis der Priester ihre vollständige Heilung bestätigt hatte.

Er selbst hatte sich so sehr verunreinigt, daß keine Rede von seiner Teilnahme am bevorstehenden Fest sein konnte. Er durfte nicht einmal den äußersten Tempelvorhof betreten, so daß er notgedrungen ebenfalls im Zelt bleiben mußte.

Dies gab den so lange voneinander Getrennten Gelegenheit, sich gegenseitig ihre Erlebnisse zu erzählen.

Während der junge Mann scheinbar geduldig dem Bericht von Mutter und Schwester lauschte, kochte es innerlich in ihm, und sein Verlangen, sich an Rom und den Römern zu rächen, nahm von Augenblick zu Augenblick zu. Durch die rings um die Stadtmauer lagernden Pilger ließ er sich über die Bewegungen des Nazareners und die Pläne Seiner Feinde auf dem laufenden halten. Daß den Fremden Gefahr drohte, wußte er wohl, doch konnte er sich nicht denken, daß sich Seine Gegner schon jetzt an Sein Leben wagen würden. Dafür bürgte ihm die Gunst, die Er sich beim Volk erworben hatte, und der Ruf, der Ihm allenthalben vorausging. Überdies vertraute Ben Hur unbedingt der Wundermacht Christi, denn daß einer, der unumschränkte Gewalt über Leben und Tod besaß und zum Wohle anderer davon Gebrauch machte, sie nicht für seine eigene Person in Anspruch nehmen werde, kam ihm gar nicht in den Sinn.

Am Abend des vierundzwanzigsten März hielt es Ben Hur vor Ungeduld nicht mehr aus. Er sattelte sein Pferd und ritt in die Stadt. In seinem Vaterhaus angelangt, rief er zunächst Malluch, und als er hörte, daß dieser fort war, schickte er seinen Freunden, dem Kaufmann und dem Ägypter, seinen Gruß, wodurch Balthasars Tochter von seiner Ankunft unterrichtet wurde. Während der Diener Ben Hur meldete, daß seine Gäste noch nicht aus der Stadt zurückgekehrt waren, wurde der Vorhang beiseite geschoben, und die junge Ägypterin schwebte ins Zimmer.

In den vielen Gemütsbewegungen, die Ben Hur in den letzten Tagen erfüllt hatten, war das Bild des schönen Mädchens in den Hintergrund gedrängt worden. Bei ihrem Anblick lebte nun aber ihr Einfluß über ihn wieder mit Macht auf. Er wollte auf sie zueilen, blieb aber plötzlich verdutzt stehen, eine solche Veränderung nahm er in ihr wahr. Bisher hatte sie von ihrer ersten Begegnung an alles aufgeboten, ihn zu gewinnen, nun zeigte sie plötzlich ihre eigentliche Natur.

„Du kommst gerade zur rechten Zeit, o Sohn des Hur", sagte sie mit verächtlicher Miene, „ich möchte dir für deine Gastfreundschaft danken. Übermorgen habe ich möglicherweise keine Gelegenheit mehr, es zu tun. Sage mir, o Fürst von Jerusalem, wo ist des Zimmermanns von Nazareth Sohn, der sich für Gottes Sohn ausgibt und von dem in der letzten Zeit so gewaltige Dinge erwartet werden?"

Ben Hur machte eine abwehrende Bewegung und erwiderte: „Ich bin nicht Sein Hüter."

„Hat Er Rom zugrunde gerichtet?" fragte sie spöttisch. „Wo hat Er Seinen Herrschersitz aufgeschlagen? Für Ihn, der Macht hat, Tote aufzuerwecken, muß das doch eine Kleinigkeit sein. Und wie kommt es, daß ich dich in diesem Gewand sehe? Ich fürchte, du bist noch nicht im Besitz des Königreichs, das ich mit dir teilen sollte."

„Die Tochter meines weisen Gastes erzeigt mir einen größeren Gefallen, als sie ahnt", versetzte Ben Hur kalt. „Sie lehrt mich, daß Isis ein Herz küssen kann, ohne daß es dadurch besser wird."

„Für einen Juden ist der Sohn Hurs klug", entgegnete Iras, indem sie mit ihrem Halsband spielte. „Ich sah deinen erträumten Cäsar in Jerusalem einziehen. Du hast gesagt, Er werde sich

heute von den Tempelstufen aus als König der Juden prokla-
mieren, aber anstatt einen Fürsten von Jerusalem und eine Kohorte von galiläischen Legionären zu erblicken, sah ich einen
auf einem Eselfüllen reitenden Mann, dem die Tränen über die
Wangen liefen. Ein schöner König, ein schöner Weltenerlöser
ist das!"

Unwillkürlich zuckte Ben Hur zusammen, die Ägypterin
aber fuhr fort: „Ich verließ meinen Platz nicht, sondern gab ihm
Zeit, sich zu sammeln. Ich lachte nicht einmal, sondern sagte
mir: ‚Nur Geduld!' Im Tempel wird Er sich verherrlichen, wie
es einem zukünftigen Weltenbeherrscher geziemt. Millionen
innerhalb und außerhalb des Tempels warteten, daß Er das
Wort ergreife.

Es herrschte Totenstille ringsum, und mir war es schon, als
hörte ich das Römische Reich in seinen Fugen krachen. Hahaha! O Fürst, da hüllte sich der Weltenkönig fester in Sein Gewand und ging, ohne ein Wort zu sagen, zum Tempel hinaus –
die alte Römerherrschaft aber besteht ruhig weiter!"

Nie war der vielumstrittene Charakter des Nazareners klarer
vor Ben Hurs Augen gemalt worden. Es gibt im Grunde kein
besseres Mittel zum Verständnis des Göttlichen als das Studium
des Menschlichen. In dem über dem Menschlichen Erhabenen
finden wir Gott. Dies war der Fall mit dem Bild, das die Ägypterin von dem Nazarener zeichnete, indem sie schilderte, wie Er
zum Tempel hinausschritt und damit dem gleichnisliebenden
Volke zu verstehen gab, was Er so oft versicherte, nämlich daß
seine Mission nicht politischer Art war. Es war nicht der geeig-
nete Augenblick für längere Betrachtungen, doch der Gedanke
drängte sich Ben Hur mit solcher Macht auf, daß seine Rachepläne in den Hintergrund traten und der Mann mit dem tränen-
überströmten Antlitz ihm nahe genug kam, um etwas von Seinem Geiste auf ihn zu übertragen.

ten, und dann wollen wir jeder seinen Weg gehen, als wären wir einander niemals begegnet. Sprich!"

Die Ägypterin stampfte mit dem Fuße auf und erwiderte mit verhaltener Wut: „Es war ein Jude, ein entsprungener Galeerensklave, der im Palast von Idernee einen Menschen tötete."

Ben Hur erschrak.

„Der gleiche Jude erschlug auf dem Marktplatz hier in Jerusalem einen römischen Soldaten und hat drei Legionen Galiläer bereit, die heute nacht den römischen Statthalter umbringen sollen. Der gleiche Jude hat mit Hilfe des Scheichs Ilderim Bündnisse gegen Rom geschlossen."

Näher auf den jungen Mann zutretend, flüsterte sie ihm ins Ohr: „Du hast in Rom gelebt. Denke dir, Sejanus würde diese Dinge erfahren, und man berichtete ihm zugleich, der betreffende Jude sei der reichste Mann des Kaiserreichs! Was würden die Fische des Tiber da für ein Festmahl bekommen!"

Ben Hur hatte Mühe, seine Selbstbeherrschung zu behaupten, faßte sich aber rasch und sagte: „Ich erkenne sowohl deine Schlauheit an, Tochter Balthasars, wie auch, daß ich in deiner Gewalt bin und kein Erbarmen von dir zu erwarten habe. Ich könnte dich töten – da du aber ein Weib bist, sehe ich davon ab. Die Wüste liegt offen vor mir, und so gut sich Rom auf die Menschenjagd versteht, kann es dort lange vergeblich nach mir suchen. Ich bin törichterweise in das Netz gegangen, das du mir gelegt hast. Nun muß ich die Folgen tragen."

Mit diesen Worten wand Ben Hur das Tuch, das er bei seiner Heimkehr über den Arm gehängt hatte, um den Kopf und schickte sich zum Gehen an. Sie aber hielt ihn mit einer Handbewegung zurück.

„Bleibe", sagte sie weich. „O Sohn Hurs, nicht umsonst hat dich der edle Arrius zu seinem Erben eingesetzt! Ich schwöre dir, ich zittere beim Gedanken, daß du dem erbarmungslosen Sejanus in die Hände fallen könntest. Oh, ich habe Mitleid mit dir! Tu, was ich dir vorschlage, so will ich dich retten. Wie die Frau nur in der Liebe ihr Leben findet, so gibt es kein höheres

Glück für den Mann als die Selbstüberwindung. Diese ist es, die ich von dir verlangen muß, o Fürst."

Sie sprach mit ungewöhnlicher Lebhaftigkeit, und nie war sie ihm anziehender erschienen.

„Du hattest in deiner Kindheit einen Freund", fuhr sie fort. „Später wurdet ihr Feinde. Er tat dir ein großes Unrecht an. Kürzlich trafet ihr euch im Zirkus zu Antiochien wieder."

„Messala!" rief Ben Hur erstaunt.

„Ja, Messala", erwiderte die Ägypterin. „Du bist sein Gläubiger. Vergib die Vergangenheit, und nimm ihn wieder als Freund an. Gib ihm das verlorene Vermögen zurück! Rette ihn! Die sechs Talente sind für dich eine Kleinigkeit, für ihn hingegen . . . Bedenke, wie sehr er am Leibe geschlagen ist! O Ben Hur, edler Fürst, für einen Römer von vornehmer Herkunft ist Armut schlimmer noch als der Tod. Rette ihn vom Bettelstab!"

Als Iras endlich innehielt, um zu hören, was Ben Hur antworten werde, war es dem jungen Mann, als sehe er Messala ihr über die Schulter blicken und zwar ganz mit dem alten, hochmütigen, spöttischen Ausdruck.

„Hat dich Messala mit dieser Bitte zu mir geschickt, Tochter Balthasars?" fragte er kalt.

„Er hat einen hochherzigen Charakter", antwortete die Ägypterin. „Danach hat er dich beurteilt."

Ben Hur schüttelte ihre Hand von seinem Arm ab und sagte: „Da du ihn so genau kennst, schöne Ägypterin, beantworte mir vor allem die Frage, ob er tun würde, was er von mir verlangt, wenn er in meinen Schuhen steckte und ich in den seinen?"

„Oh!" begann sie zögernd, „er ist . . ."

„Ein Römer, willst du sagen", vollendete Ben Hur den Satz. „Du meinst, weil ich Jude bin, müsse ich ihm, als einem Römer, meinen Gewinn überlassen. Hast du noch etwas zu erwähnen, Tochter Balthasars, so sprich schnell, denn beim Gott Israels, wenn mein Blut noch heißer wallt, vergesse ich vielleicht, daß du ein Weib bist und sehe nur noch den Spion eines verhaßten Römers in dir."

Sie trat einen Schritt zurück, und aus ihrer Miene sprach unbegrenzter Haß, der in den Worten Ausdruck fand: „Statt der sechs Talente, mit denen sich Messala begnügt hätte, sollst du noch zwanzig hinzufügen, du niedriggesinnter Jude. Deinesgleichen ist dazu geboren, ihm zu dienen. Wenn der Kaufmann, den du beherbergst, nicht bis morgen einen auf sechsundzwanzig Talente lautenden Wechsel für Messala ausgestellt hat, so bekommst du es mit Sejanus zu tun. Also sei klug – und gehab dich wohl!"

Sie ging auf die Tür zu, er aber verstellte ihr den Weg und sagte: „Ob du Messala morgen oder übermorgen, hier oder in Rom siehst, sage ihm in meinem Namen: Ich habe das Geld zurückerhalten, dessen er mich seinerzeit beraubt hat. Ich habe den Frondienst auf den Galeeren überlebt, wohin er mich gesandt, und freue mich in meiner Kraft seiner Armut und Schande. Sage ihm, ich sei überzeugt, das körperliche Leiden, das ihm durch meine Hand zugefügt worden ist, sei der Fluch Jehovahs, des Gottes Israels, die gerechte Strafe für seine an Hilflosen begangenen Verbrechen. Sage ihm ferner, meine Mutter und Schwester, die er in eine Zelle der Antoniaburg hatte sperren lassen, damit sie dort am Aussatz stürben, seien am Leben und gesund, dank dem verachteten Nazarener. Sage ihm, wenn Sejanus kommt, um meine Besitztümer an sich zu reißen, so wird er nichts finden, denn das Erbe, das mir der Duumvir hinterlassen hat, ist verkauft, und der daraus gewonnene Erlös außerhalb seines Bereichs, während meine hiesigen Güter unter kaiserlichem Schutz stehen, sämtliche Kapitalien aber in Wechseln angelegt und über die ganze Welt verteilt sind. Nun geh!"

Er führte sie an die Tür und hielt mit zeremoniöser Höflichkeit den Vorhang zurück, bis sie verschwunden war.

Sechstes Kapitel

Als sich Ben Hur den Auftritt mit der Ägypterin überlegte, drängte sich ihm ganz natürlich die Frage auf: „Kann Balthasar um die Rolle gewußt haben, die seine Tochter gespielt hatte?" Aber je länger er darüber nachdachte, um so klarer wurde ihm, daß das nicht gut möglich sein konnte. Sobald er zu diesem Schluß gekommen war, wurde er ruhiger und dankte Gott, daß Er seine Füße rechtzeitig aus dem Netz der Ägypterin gezogen hatte.

Er stieg auf das Dach und blickte hinauf zum Sternenhimmel, während von den Straßen und öffentlichen Plätzen der Stadt Psalmenklänge zu ihm drangen, die plötzlich die Gestalt des Nazareners vor seinem geistigen Auge auftauchen ließen und ihn wiederum vor die Frage stellten: „Was hat es mit dem Mann für eine Bewandtnis?"

Nach einem flüchtigen Blick über das Geländer drehte er sich um und lenkte seine Schritte mechanisch dem Sommerhaus zu, indem er leise vor sich hin sagte: „Mögen sie ihr Schlimmstes tun! Ich will dem Römer nicht verzeihen. Ich will weder mein Vermögen mit ihm teilen, noch aus meiner Vaterstadt fliehen. Ich will die Galiläer um mich sammeln und hier mit dem Kampf beginnen. Der den Moses seinerzeit erweckte, wird auch uns den geeigneten Führer zu geben wissen – wenn nicht den Nazarener, so einen anderen."

Das Innere des Sommerhauses war schwach erleuchtet, und der Armstuhl, auf dem Simonides sonst zu sitzen pflegte, stand an einer Stelle, von der man bequem den Marktplatz übersehen konnte.

„Der gute Mann ist zurückgekehrt", sagte er sich. „Wenn er nicht schläft, will ich mit ihm reden."

Er trat ins Gemach und näherte sich leise dem Stuhl. Da lag zu seinem Erstaunen, fest eingeschlafen, des Kaufmanns Tochter. Dann und wann entschlüpfte ein Seufzer den halbgeöffneten Lippen, und Ben Hur gewann den Eindruck – er wußte selbst nicht warum –, als habe sie mehr der Kummer als die Müdigkeit übermannt.

„Ich will sie nicht wecken", sagte er sich. „Habe ich ihr doch nichts mitzuteilen, es sei denn, es sei denn – daß ich sie liebhabe! Sie ist eine Tochter Judas und schön – dabei so ganz anders als die Ägypterin. Bei jener ist alles Eitelkeit, bei ihr alles Wahrheit; jene ist die verkörperte Selbstsucht, sie die verkörperte Selbstlosigkeit . . . Die Frage ist nicht, ob ich sie liebe, sondern ob sie mich liebt. Sie war mir von Anfang an freundlich gesinnt. Wie kindlich bat sie mich an jenem ersten Abend in Antiochien, ich solle mich doch nicht mit Rom verfeinden! Wie wird sie sich freuen, wenn ich ihr erzähle, daß ich meine Lieben wiedergefunden habe! Sie wird meiner Mutter eine zweite Tochter und meiner Tirzah eine Schwester sein. Am liebsten würde ich sie wecken und ihr alles sagen – aber es ist besser, ich warte noch ein wenig. Lebe wohl, liebliche Esther, du echte Tochter Judas!"

Und leise, wie er gekommen war, ging er wieder fort.

Siebentes Kapitel

In den Straßen herrschte reges Leben. Die Leute kamen und gingen oder saßen in Gruppen beieinander ums Feuer versammelt, aßen oder sangen. Der Geruch von verbranntem Fleisch vermengte sich mit dem Duft von brennendem Zedernholz, und Ben Hur wurde – wie es bei Gelegenheit des Passahfestes unter den echten Söhnen Israels Brauch war – auf Schritt und Tritt aufgefordert: „Bleib und iß mit uns! Sind wir doch eins in der Liebe zu Jehovah!" Er aber eilte dankend weiter, denn er wollte sein Pferd im Khan holen und so schnell wie möglich in die Zelte am Kidron zurückkehren.

Um dorthin zu gelangen, mußte er den Weg machen, der bald eine so traurige Berühmtheit bekommen sollte. Auch hier war das Fest auf seinem Höhepunkt. Am oberen Ende der Straße brannten Fackeln, und zu seinem nicht geringen Erstaunen bemerkte Ben Hur mitten im Rauch und den sprühenden Funken das Glitzern von Lanzenspitzen römischer Soldaten. Was taten die spöttischen Legionäre in einer jüdischen Prozession? So etwas war noch nie dagewesen. Er blieb daher stehen, um zu sehen, was es bedeute.

Der junge Mann trat so nahe an den Zug heran wie möglich, um die Gesichter der einzelnen Teilnehmer deutlich sehen zu können. Bewaffnete Diener trugen Fackeln und Laternen voraus und hatten offenbar den Auftrag, Bahn für die in der Prozession befindlichen Würdenträger zu machen – Priester und Älteste, Rabbiner mit langen Bärten, dichten Augenbrauen und gebogenen Nasen, Mitglieder des Hohen Rates. Wo mochten sie nur hingehen? Jedenfalls nicht in den Tempel, denn der Weg, den sie nahmen, führte nicht dahin. Und wenn sie Gutes im Sinne hatten, warum dann die Soldaten?

Als die Prozession bei Ben Hur anlangte, zogen besonders drei Personen seine Aufmerksamkeit an. Sie gingen nebeneinander her, zur Linken der Erste Hüter des Tempels, zur Rechten ein Priester, zwischen den beiden ein Mann, der ganz den Eindruck eines Gefangenen machte, der den Schrecken der Verhaftung noch nicht überwunden hatte oder dem Tod oder der Folter entgegenging. Die Aufmerksamkeit, die ihm seine Begleiter widmeten, deutete an, daß, wenn er nicht selbst Veranlassung zu dem Zuge war, er wenigstens eine der Hauptrollen darin spielte. In der sehr richtigen Annahme, daß sich durch Feststellung der Identität des Mannes am besten klären lassen werde, um was es sich handelte, drängte sich Ben Hur in die Nähe des Priesters und ging neben diesem her. Da hob der Mann den Kopf empor, und Ben Hur erkannte in dem bleichen, schreckentstellten Gesicht mit dem zerrauften Bart und dem verzweiflungsvollen Blick, den tief eingesunkenen, trüben Augen einen der Galiläer, die er als Jünger des Nazareners kennengelernt hatte.

„Der Ischariot!" rief er verwundert aus.

Der Mann richtete wie fragend den Blick auf ihn, seine Lippen bewegten sich, als wolle er etwas sagen, aber der Priester schob Ben Hur beiseite, indem er barsch fragte: „Wer bist du? Mach, daß du weiterkommst!"

Der Jüngling ließ es sich gutmütig gefallen und blieb ein wenig zurück. Der Zug bewegte sich langsam weiter und schritt durch das Schaftor hindurch. Während sich Ben Hur noch fragte, welchen Weg er nun einschlagen werde, wurde er von der Menge in die Richtung des Ölbergs mit fortgerissen. Mit lautem Getrampel ging's über die über den Kidron führende Brücke und dann links ab auf einen von einer Steinmauer umgebenen Olivenhain zu, der etwas abseits von der Straße lag. Plötzlich kam der Zug zum Stehen; vorne wurden erregte Stimmen laut. Ein Gefühl des Schreckens lief durch die Menge, einer stolperte über den anderen – nur die Soldaten blieben in Reih und Glied.

Ben Hur bahnte sich hastig einen Weg durch die scheu Zurückgebliebenen. Am Eingang des Gartens blieb er stehen und suchte sich Rechenschaft zu geben, was vorsichging. Da sah er einen Mann in weißem Gewand und barhäuptig am Tor stehen und erkannte in der schmächtigen, etwas gebeugten Gestalt mit dem langen Haar und dem eingefallenen Gesicht – den Nazarener. Dahinter die Gruppe Seiner Jünger, in deren Mienen und Haltung Schrecken und tiefe Erregung zu lesen war. Der Meister hingegen war vollkommen ruhig – so ruhig, wie man überhaupt sein kann. Sein Gesicht trug wie gewöhnlich den Ausdruck der Milde und des Erbarmens.

Ein Blick von Ihm auf die gaffende Menge und den Judas Ischariot inmitten der bewaffneten Dienerschar – und Ben Hur wußte, was die nächtliche Prozession bedeutete. Hier war der Verräter, dort der Verratene, und die Diener des Hohen Rates und die Legionäre waren gekommen, den Herrn zu verhaften.

Keiner kann sagen, was er tun wird, bis der entscheidende Augenblick da ist. Das war der kritische Moment, für den Ben Hur seit Jahren Vorkehrungen getroffen hatte. Der Mann, dessen Beschützung er sein Leben geweiht und auf den er so große Hoffnungen gesetzt hatte, war in äußerster Lebensgefahr; dennoch rührte er sich nicht. Solche Widersprüche gibt es im menschlichen Leben.

Um die Wahrheit zu gestehen, Ben Hur stand noch einigermaßen unter dem Eindruck des Bildes, das ihm die Ägypterin von Christus gezeichnet hatte, und überdies hielt ihn die majestätische Ruhe, mit der die geheimnisvolle Persönlichkeit der Menge gegenüberstand, in Zaum. Friede und Wohlwollen, Liebe und Ergebung hatten die Lehren des Nazareners bisher geatmet – würde Er nun danach handeln? Er war Herr des Lebens. Er konnte sogar aus dem Tode erwecken, nach eigenem Belieben Sein Leben niederlegen und es wieder nehmen. Welchen Gebrauch machte er nun wohl von dieser Macht? Würde er sich verteidigen? Und wie? Ein Wort genügte. Ben Hur glaubte fest, daß Seine Gewalt in irgendeiner übernatürlichen Weise zutage treten werde, darum wartete er. In dem allen aber bemaß er den Nazarener immer noch nach sich selbst – legte einen menschlichen Maßstab an Ihn an.

Plötzlich fragte Christus mit klarer Stimme: „Wen suchet ihr?"

„Jesus von Nazareth", erwiderte der Priester.

„Ich bin es."

Bei diesen einfachen, ohne eine Spur von Leidenschaftlichkeit oder Bestürzung gesprochenen Worten wichen die Angreifer mehrere Schritte zurück, ja, die furchtsameren unter ihnen fielen zu Boden. Sie hätten ihn vielleicht gehen lassen und wären unverrichteter Sache umgekehrt, wenn Judas nicht auf Ihn zugegangen wäre und zu Ihm gesagt hätte: „Gegrüßt seist du, Rabbi!" indem er Ihn küßte.

„Judas", fragte der Meister sanft, „verrätst du des Menschen Sohn mit einem Kuß? Warum bist du gekommen?"

Als Er keine Antwort erhielt, wiederholte Er, zur Menge gewandt: „Wen sucht ihr?"

„Jesus von Nazareth."

„Ich habe es euch gesagt, daß ich es bin. Sucht ihr denn mich, so laßt diese gehen."

Auf diese Worte hin nahten sich Ihm die Rabbiner, und als die Jünger ihre Absicht merkten, traten etliche hinzu, und einer von ihnen hieb einem der Diener ein Ohr ab, ohne jedoch damit die Gefangennahme des geliebten Meisters zu verhüten.

Ben Hur stand wie festgebannt.

Während die Diener Anstalten trafen, den Nazarener zu binden, tat dieser eines Seiner größten Liebeswerke – ein Werk, das deutlich bekundete, wie weit Seine Langmut die des besten Menschen überragte.

„Laßt sie doch so weitermachen", sagte Er, rührte des Verwundeten Ohr an und heilte ihn.

Seine Freunde sowohl wie Seine Feinde waren in gleicher Weise erstaunt einerseits, daß er imstande war, so etwas zu tun, und andererseits, daß Er es unter diesen Umständen tun mochte.

Sicherlich wird Er sich doch nicht binden lassen, dachte Ben Hur bei sich.

In demselben Augenblick sagte der Nazarener vorwurfsvoll zu dem, der das Schwert gezogen hatte: „Stecke dein Schwert in die Scheide! Soll ich den Kelch nicht trinken, den mir mein Vater gegeben hat?" Hierauf fügte er, zu den Häschern gewandt, hinzu: „Ihr seid wie zu einem Mörder mit Schwertern und mit Stangen ausgegangen. Ich bin täglich bei euch im Tempel gewesen, und ihr habt keine Hand an mich gelegt. Aber dies ist eure

Stunde und die Macht der Finsternis."

Die Diener faßten Mut und umringten Ihn. Ben Hur sah sich nach den Anhängern des Nazareners um – aber sie hatten sich alle aus dem Staube gemacht. Nicht einer war geblieben.

Die Menge ringsum zeigte sich sehr geschäftig. Über ihre Köpfe hinweg erspähte Ben Hur durch den Rauch der Fackeln hindurch dann und wann flüchtig den Gefangenen. Nie hatte ihn etwas wehmütiger berührt, als der Anblick des von allen verlassenen Mannes. Und doch, dachte er bei sich, Er hätte sich verteidigen, hätte mit einem Hauch Seines Mundes Seine Feinde zu Boden werfen können, wenn Er gewollt hätte. Was war das für ein Kelch, den Ihm der Vater zu trinken gegeben hatte? Und wer war der Vater, dem Er gehorchte? Geheimnisse über Geheimnisse!

Sofort trat die Menge den Rückweg in die Stadt an, voraus die Soldaten. Ben Hur wurde unruhig, er war nicht mit sich zufrieden. Er mußte den Nazarener noch einmal sehen, Ihm wenigstens eine Frage stellen.

Sein Obergewand von sich werfend, mengte er sich unter den Pöbel, machte sich kühn mit den Ellenbogen Bahn und langte endlich bei dem Mann an, der das Ende des Strickes hielt, mit dem der Gefangene gebunden war.

Der Nazarener schritt langsam, gesenkten Hauptes, mit auf den Rücken gefesselten Händen dahin. Offenbar war Er mit ganz anderem beschäftigt als mit dem, was um Ihn herum vorging. Als sie an die Brücke kamen, drängte sich Ben Hur zu Ihm vor und flüsterte Ihm zu: „Meister, sage mir nur das eine: gehst du freiwillig mit den Leuten da?"

Mittlerweile waren ihm andere nachgekommen, und er hörte mehr als einmal die zornige Frage an sich richten: „Wer bist du, Mensch?"

„O Meister", sagte er darum rasch, „ich bin dir freundlich gesinnt und habe dich lieb. Sprich, wenn ich Leute zu deiner Hilfe bringe, nimmst du die dir gebotene Rettung an?"

Der Nazarener gab nicht das leiseste Zeichen, daß Er ihn verstanden hatte, dennoch fühlte Ben Hur, daß nichts zu machen war.

Und er hätte im Augenblick auch gar nichts unternehmen können. Ein Dutzend Hände legte sich auf ihn, und von allen Seiten hieß es: „Er ist einer Seiner Anhänger. Ergreift ihn – tötet ihn!"

Mit einer Kraft, die ihm die Aufregung verlieh, schüttelte er seine Bedränger ab und durchbrach den Kreis, der sich um ihn geschlossen hatte. Die Kleider wurden ihm vom Leibe gerissen, aber er achtete es nicht und floh vor ihnen zurück in den Garten, wo er im Dickicht verschwand.

Zum Glück fand er das Obergewand wieder, das er über die Mauer geworfen hatte. Er hüllte sich hinein, lenkte seine Schritte dem Khan zu, schwang sich dort auf sein Pferd und ritt zu den für sich und die Seinen aufgeschlagenen Zelten zurück.

Unterwegs nahm er sich vor, den Nazarener am nächsten Morgen sobald wie möglich aufzusuchen. Hatte er doch keine Ahnung, daß der von allen Freunden verlassene Mann geradewegs vor Hannas geführt wurde, um noch in der gleichen Nacht verhört zu werden!

Das Herz des jungen Mannes klopfte so ungestüm, als er endlich zur Ruhe ging, daß er nicht schlafen konnte, denn seine Hoffnung auf Wiederherstellung des jüdischen Königreiches hatte sich nun als schöner Traum erwiesen, und Ben Hur gehörte nicht zu denen, die ruhig bleiben, wenn ihre Luftschlösser plötzlich wie mit einem Schlage in nichts zusammenstürzen.

Achtes Kapitel

Etwa um die zweite Stunde am nächsten Morgen kamen zwei Männer vor Ben Hurs Zelt gesprengt und verlangten, den Jüngling zu sprechen.

„Friede sei mit euch, Brüder", redete er die Galiläer an, die zur Schar seiner Vertrauten gehörten. „Setzt euch!"

„Nein", antwortete der ältere der beiden kurz, „niedersitzen und ausruhen hieße, den Nazarener dem Tode preisgeben. Komm mit uns, Sohn Judas! Das Urteil ist gefällt und das Kreuz bereits nach Golgatha unterwegs."

Ben Hur starrte sie an.

„Das Kreuz!" war alles, was er sagen konnte.

„Sie verhörten ihn noch gestern nacht", fuhr der Mann fort. „Mit Tagesanbruch wurde er vor Pilatus geführt. Zweimal sprach der Römer die Überzeugung aus, er sei unschuldig. Zweimal weigerte er sich, ihn auszuliefern. Schließlich wusch er sich die Hände und sagte: „Auf eure Verantwortung also!" Und sie antworteten –"

„Wer?"

„Die Priester und das Volk. Sein Blut komme über uns und unsere Kinder!"

„Heiliger Vater Abraham!" rief Ben Hur. „Hat man je so etwas erlebt, daß ein Römer gerechter an einem Israeliten handelt als seine eigenen Stammesgenossen? Und angenommen, Er ist wirklich Gottes Sohn, womit wird Sein Blut dann wieder von deren Kindern weggewaschen werden können? Es darf nicht sein – der Augenblick des Kampfes ist gekommen!"

Ben Hurs Gesicht strahlte, und er klatschte in die Hände.

„Schnell, die Pferde!" rief er dem eintretenden Araber zu. „Amrah soll mir ein frisches Gewand und mein Schwert bringen!"

Er trank rasch einen Becher Wein, aß einen Bissen Brot und schwang sich dann aufs Pferd.

„Wohin willlst du zuerst?" fragte der Galiläer.

„Die Legionen sammeln", sagte Ben Hur.

„Ach, Herr", erwiderte der Mann sichtlich beschämt. „Ich und mein Freund hier sind die einzigen, die treugeblieben sind. Alle anderen haben sich den Priestern angeschlossen, die dem Nazarener nach dem Leben trachten."

Ben Hur blickte langsam von einem zu anderen. Es war ihm, als höre er wieder den Meister fragen: „Soll ich den Kelch nicht trinken, den mir mein Vater gegeben hat?", und er sagte sich: „Dieser Tod kann nicht abgewendet werden. Er ist dem Mann von einem Höheren auferlegt worden – und wer könnte dieser Höhere anders sein als Jehovah? Wenn er einwilligt zu sterben, wenn Er freiwillig dem Tod entgegengeht, was kann da ein anderer machen?" Überdies war sein Plan an der Treulosigkeit der Galiläer gescheitert. Wie merkwürdig, daß letztere gerade heute an den Tag kommen mußte. Sollte sein Plänemachen, sein jahrelanges Arbeiten, der Aufwand an Geld, den er gemacht hatte, sollte das alles – Auflehnung gegen Gott gewesen sein?

Als er die Zügel wieder aufnahm und sagte: „Laßt uns nach Golgatha gehen", hatte er noch keine Ahnung, was nun in erster Linie geschehen müsse.

Die drei Freunde ritten schweigend bis an den Hiskiasteich. Dort wogte aber eine solche Menschenmenge, daß es unmöglich war, durchzukommen. Sie mußten absteigen und śich hinter einem Haus verbergen, bis der Zug vorüber war.

Eine halbe Stunde, eine Stunde lang strömten die Leute an Ben Hur und seinen Freunden vorbei, so daß er hätte sagen können: „Ich habe alle in Jerusalem vertretenen Klassen der Gesellschaft gesehen, alle Sekten Judäas, alle Stämme Israels und alle Nationen der Erde, deren Vertreter sie sind. Der Jude aus der Wüste Libyens ging an mir vorüber, der aus Ägypten und der vom Rhein kommende – kurz, Juden aus allen Ländern des Ostens, des Westens und aller Inseln, mit denen wir Handelsbeziehungen haben." Die einen waren zu Fuß, die anderen beritten, sei es auf Pferden oder Dromedaren, wieder andere fuhren in Wagen oder wurden in Sänften getragen. So verschiedenartig ihre Kleidung war, hatten doch alle die wunderbare Ähnlichkeit in den Gesichtszügen, welche die Kinder Israels heutzutage noch kennzeichnet, einerlei welchem Klima sie ausgesetzt sind oder welche Lebensweise sie führen. Sie hatten es alle eilig – um einen armen Nazarener mit anderen Übeltätern zusammen sterben zu sehen.

So viele sie waren, gab es auch noch andere, die dem Schauspiel beiwohnen wollten, Tausende von Menschen außer den Juden, die ihn haßten und verachteten – Griechen, Römer, Araber, Syrer, Afrikaner, Ägypter, Orientalen –, so daß es schien, als habe die ganze Welt ihre Vertreter geschickt, um der Kreuzigung beizuwohnen.

Trotz der ungeheuren Menschenmenge war es verhältnismäßig still – man hörte nur dann und wann einen Hufschlag auf dem felsigen Boden, Rädergerassel, undeutliches Stimmengewirr und hin und wieder einen Ausruf. In aller Mienen war jedoch deutlich jener gewisse Ausdruck zu lesen, den die Menschen in der Regel haben, wenn sie einer Schreckensszene entgegeneilen. Ben Hur vermutete, daß es zum Passahfest gekommene Fremde waren, die nichts mit dem Verhör des Nazareners zu tun hatten und ihm möglicherweise sogar freundlich gesinnt waren.

Endlich hörte er vom Turm her lautes Geschrei.

„Horch, jetzt kommen sie!" sagte einer seiner Freunde.

Die Leute auf der Straße blieben stehen und horchten, während die Töne aber in der Luft verhallten, sahen sie einander schaudernd an und gingen nachdenklich weiter.

Immer näher kam das Getümmel. Da sah Ben Hur die Diener des Simonides mit dem Rollstuhl kommen. Esther ging neben dem Vater her, und dicht hinter ihr wurde eine bedeckte Sänfte getragen.

„Friede dir, Simonides, und dir, Esther", sagte Ben Hur, indem er auf die Freunde zuging. „Wenn ihr nach Golgatha wollt, so bleibt hier, bis der Menschenstrom vorüber ist, dann gehe ich mit euch. Hier ist noch Platz."

Des Kaufmanns Kopf war tief auf die Brust herabgesunken, doch richtete er sich einen Augenblick auf und antwortete: „Sprich mit Balthasar. Ist es ihm recht, so bin ich dabei. Er ist in der Sänfte."

Ben Hur zog hastig den Vorhang zurück. Der Ägypter lag da wie ein Toter. Als er den Vorhang sich bewegen hörte, fragte er mit matter Stimme: „Können wir Ihn hier sehen?"

„Den Nazarener?" erwiderte Ben Hur. „Ja, er muß ein paar Schritte von uns entfernt vorüberkommen."

„Lieber Gott!" rief der alte Mann inbrünstig. „Nur einmal noch – einmal noch! Oh, welch ein Schreckenstag für die Welt!"

Wenige Augenblicke später hatte die kleine Gesellschaft Zuflucht hinter dem Haus gefunden. Es wurde wenig gesprochen, denn jeder hing seinen Gedanken nach, Balthasar stieg mühsam aus der Sänfte und stützte sich auf einen Diener, Esther und Ben Hur bildeten Simonides' Gesellschaft.

Mittlerweile kam das Geschrei näher. Endlich war der Zug vorbei.

„Was jetzt noch kommt, ist Jerusalem", sagte Ben Hur bitter.

Voran kam eine Schar Knaben, die spottend riefen: „Der König der Juden! Platz, Platz für den König der Juden!"

Danach folgte eine Abteilung bewaffneter Soldaten, und hinter ihnen – der Nazarener!

Dieser war offenbar zu Tode erschöpft. Alle paar Schritte wankte Er, als sei Er im Begriff, zu Boden zu sinken. Über dem nahtlosen Untergewand hing ein beflecktes, arg zerrissenes Obergewand. Die bloßen Füße hinterließen Blutspuren auf den Steinen. Um den Hals trug Er eine hölzerne Tafel mit einer Inschrift. Eine Dornenkrone war Ihm so fest auf den Kopf gedrückt worden, daß aus den dadurch verursachten Wunden das Blut über Gesicht und Hals geströmt war. Das lange, von den Dornen verwirrte Haar war in Strähnen zusammengeklebt, die Haut totenbleich, die Hände auf der Brust gefesselt. Schon irgendwo in der Stadt war er erschöpft unter dem Querbalken des Kreuzes zusammengebrochen, den Er, wie es bei Verurteilten der Brauch war, selbst auf die Richtstätte hatte tragen sollen; nun trug ihn einer Seiner Landsleute für Ihn. Vier Soldaten waren Ihm als Schutzwache beigegeben, dennoch brach dann und wann der Pöbel durch, versetzte Ihm Stockhiebe und spuckte Ihn an. Nichtsdestoweniger entschlüpfte ihm kein Laut, noch blickte Er auf, bis Er nahezu an das Haus kam, hinter dem Ben Hur und seine Freunde Zuflucht gesucht hatten und ihre Bewegung kaum mehr meistern konnten. Esther klammerte sich an ihren Vater, der trotz seiner Willensstärke an allen Gliedern zitterte. Balthasar sank sprachlos zu Boden. Sogar Ben Hur rief in tiefem Schmerz: „O mein Gott, mein Gott!" Als erriete der Nazarener, was in ihnen vorging, oder als habe Er den Ausruf gehört, wandte er ihnen das abgezehrte Gesicht zu und sah einen nach dem anderen mit einem Blick an, den sie zeitlebens nicht mehr vergaßen. Sie fühlten, daß Er an sie, nicht an sich selbst dachte, und sie lasen in Seiner Miene den Segenswunsch, den er nicht aussprechen durfte.

„Wo sind deine Legionen, Sohn Hurs?" fragte Simonides sich ermannend.

„Hannas kann es dir besser sagen als ich."

„Was, untreu geworden?"

„Ja, alle bis auf diese zwei."

„Dann ist alles verloren, und der Mann muß sterben."

Das Gesicht des Kaufherrn zuckte krampfhaft, während er dies sagte, und sein Kopf senkte sich wieder auf die Brust. Er hatte sich rege an Ben Hurs Arbeit beteiligt und dessen Hoffnungen geteilt. Nun waren diese plötzlich erloschen, um nie wieder angefacht werden zu können.

Dem Nazarener folgten zwei andere Männer mit Querbalken über den Schultern.

„Wer sind diese?" fragte Ben Hur einen der Galiläer.

„Mörder, die ebenfalls zum Tode verurteilt sind", antwortete dieser.

Hinter ihnen schritt, die Tiara auf dem Kopf, in goldenem Festgewand, der Hohepriester, umgeben von der Tempelwache und gefolgt vom Hohen Rat und einer Reihe von Priestern.

„Der Schwiegersohn Hannas!" sagte Ben Hur leise.

„Kaiphas!" erwiderte Simonides, und nachdem er den stolzen Würdenträger eine Weile sinnend betrachtet hatte, fügte er hinzu: „Nun weiß ich gewiß, eine Stimme, die niemals trügt, sagt es mir, nun weiß ich gewiß, der Mann, der dort vorn geht, ist der König der Juden, wie auf der Inschrift, die Er an Seinem Halse trägt, zu lesen ist. Ein gewöhnlicher Mensch oder gar ein Übeltäter hat kein solches Gefolge. Seht! Hier sind sämtliche Nationen – hier ist Jerusalem, ganz Israel vertreten. Seht hier das Ephod, das blaue Gewand mit den Fransen, den purpurnen Granaten und den goldenen Glöckchen, das nicht mehr auf der Straße gesehen wurde, seit Jaddua dem Mazedonier entgegenging. Dies alles beweist, daß der Nazarener König ist. Wollte Gott, ich könnte aufstehen und ihm nachgehen!"

Ben Hur hörte erstaunt zu.

Gleich darauf sagte Simonides ungeduldig, als bereue er, seinen Gefühlen freien Lauf gelassen zu haben:

„Wir wollen gehen, sag es Balthasar."

„Ich sehe dort Frauen kommen, die weinen", wandte Esther ein. „Wer sind sie?"

Sie deutete auf vier Frauen, deren eine sich auf den Arm eines Mannes stützte, der Ähnlichkeit mit dem Nazarener hatte. Ben Hur antwortete:

„Der junge Mann ist des Nazareners Lieblingsjünger, die Frau, die auf seinem Arm lehnt, des Meisters Mutter, die anderen Frauen Galiläerinnen, die Ihm zugetan sind."

Esther sah den Trauernden mit Tränen in den Augen nach, bis sie sich in der schreienden und tobenden Menge verloren.

„Kommt, laßt uns weitergehen", mahnte Simonides noch einmal, als Balthasar in die Sänfte gestiegen war.

Ben Hur hörte die Aufforderung nicht. Der Anblick des blutdürstigen Pöbels erinnerte ihn an alles, was er den Nazarener zugunsten der leidenden Menschen hatte tun sehen, an den frischen Trunk Wassers, mit dem Er ihn, den Verschmachtenden, seinerzeit am Brunnen in der Nähe von Nazareth gelabt hatte, an die wunderbare Heilung, die seiner Mutter und Schwester durch Ihn zuteil geworden war. Zugleich lag es ihm schwer auf der Seele, daß er so gar nichts für Ihn tun konnte, dem er doch so viel Dank schuldig war, und er machte sich bittere Vorwürfe. Hätte er mit den Galiläern Wache gehalten, so wären sie nun zum Kampf bereit und könnten den Nazarener aus der Hand seiner Feinde befreien. Das wäre zugleich ein Posaunenruf für Israel, und damit wäre dem langerträumten Freiheitskrieg Bahn gebrochen. Die Gelegenheit ging vorüber, o Gott, war denn nichts, gar nichts zu tun?

Während er noch überlegte, kam eine Gruppe Galiläer vorüber. Er stürzte ihnen nach und rief: „Folgt mir! Ich muß mit euch reden!"

Die Männer gehorchten, und als sie hinter dem Haus geborgen waren, sagte er: „Ihr habt euch von mir bewaffnen lassen und euch damit verpflichtet, für die Freiheit und den zukünftigen König zu kämpfen. Der Augenblick ist gekommen. Geht, sammelt unsere Brüder und teilt ihnen mit, daß ich an dem für den Nazarener aufgerichteten Kreuz zu treffen bin. Beeilt euch! Bleibt nicht so lange müßig stehen! Der Nazarener ist der erwartete König. Stirbt Er, so ist es mit der Freiheit aus."

Sie sahen ihn ehrerbietig an, regten sich aber nicht von der Stelle.

„Habt ihr nicht gehört?" fragte er.

Darauf antwortete einer von ihnen: „Sohn Judas, du hast dich getäuscht. Der Nazarener ist kein König, hat auch gar nicht das Zeug dazu. Wir waren zugegen, als Er nach Jerusalem kam. Wir haben Ihn im Tempel gesehen. Er hat an der Tempeltür Gott den Rücken gekehrt und den Thron Davids ausgeschlagen. Er wird sterben. Aber höre, Sohn Davids, wir wollen deine Schwerter nicht umsonst tragen, sondern sind bereit, sie im Kampf für die Freiheit zu ziehen. Bist du damit zufrieden, so wollen wir dich beim Kreuz treffen."

Der entscheidende Augenblick für den jungen Mann war gekommen. Hätte er „Ja" gesagt und das Anerbieten angenommen, so wäre alles möglicherweise anders gekommen, als es gekommen ist, aber dann wäre es eine von Menschen und nicht von Gott geordnete Sache gewesen. Verwirrung kam über ihn, er wußte nicht wie – später schrieb er sie dem Nazarener zu, denn als dieser auferstanden war, begriff er, daß der Glaube an die Auferstehung nur auf Grund des Todes Jesu möglich ist und daß ohne diesen Glauben das Christentum eine Schale ohne Kern wäre. Die Verwirrung, die sich seiner bemächtigte, beraubte ihn der Fähigkeit, einen Entschluß zu fassen; er stand hilflos – ja keines Wortes fähig – da.

„Komm, wir warten auf dich", sagte Simonides zum vierten Mal.

Da ging er mechanisch hinter dem Rollstuhl drein – neben ihm Esther. Wie Balthasar und seine beiden Freunde seinerzeit vom Geist in die Wüste geführt wurden, so wurde auch Ben Hur auf seinem Weg geleitet.

Neuntes Kapitel

Als die Gruppe – bestehend aus Balthasar, Simonides, Ben Hur, Esther und den zwei treuen Galiläern – auf der sogenannten Schädelstätte ankamen, war Ben Hur noch immer wie einer, der im Schlaf wandelt. In diesem Zustand hätte er so wenig wie ein Kind etwas zur Verhinderung des entsetzlichen Verbrechens tun können, dessen Zeuge er war. Gottes Absichten sind immer hoch erhaben über unsere menschlichen Begriffe, ebenso aber auch die Mittel, durch die sie zur Ausführung gelangen und unserem Glauben faßlich werden.

Auf Golgatha angelangt, blieb Ben Hur stehen, und seine Begleiter folgten seinem Beispiel. Wie Schuppen fiel es ihm plötzlich von den Augen, und vor seinem Geist wurde alles klar.

Die Richtstätte war von einer dichten Menschenmauer umgeben, die durch römische Soldaten am Vordringen gehindert wurde. Ben Hur war bis zu der sorgfältig bewachten Linie geführt worden, und da stand er nun, das Gesicht gegen Nordwesten gerichtet. Wohin er blickte, sah er nichts als dicht aneinandergedrängte Köpfe – eine etwa drei Millionen zählende Volksmenge, die nur Augen für den Nazarener hatte, den Gegenstand ihres Hasses, ihrer Furcht oder Neugierde, der ihnen allen nur Liebe entgegenbrachte und im Begriff war, sein Leben für sie zu lassen.

Aber nicht die vielen Menschen fesselten Ben Hurs Aufmerksamkeit. Sein Blick blieb an der gebeugten Gestalt des Nazareners haften, und ohne daß er sich darüber Rechenschaft zu geben vermocht hätte, ging eine Umwandlung in ihm vor. Es wurde ihm auf einmal klar, daß es etwas Höheres, Besseres gibt, als was das irdische Dasein zu bieten vermag – etwas so viel Besseres, daß es dem Schwachen Kraft zum Tragen körperlicher und seelischer Leiden verleiht, etwas, was dem Tode seinen Stachel nimmt, vielleicht ein anderes reineres, etwa das Geistesleben, an das Balthasar so fest glaubte. Es dämmerte das

Bewußtsein in ihm, daß die Mission des Nazareners darin bestand, denjenigen, die Ihn liebten, ein Führer zu werden in das Reich, das jenseits dieses Erdenlebens Seiner harrte. Es war ihm, als hörte er wieder des geheimnisvollen Mannes Ausspruch: „Ich bin die Auferstehung und das Leben."

Die Worte gewannen Form und Leben für ihn – eine ganz neue Bedeutung –, und er fragte sich wieder und immer wieder, während er den Blick auf dem Mann mit der Dornenkrone haften ließ: „Wer ist die Auferstehung und wer das Leben?"

„Ich bin es", schien die Gestalt zu sagen – und zwar zu ihm persönlich, denn sofort strömte ein nie geahnter Friede in sein Herz, der Friede, der allem Zweifel ein Ende macht und der Anfang von Glaube, Liebe und klarer Erkenntnis ist.

Aus diesem traumartigen Zustand weckten Ben Hur Hammerschläge, und er wurde jetzt erst der Soldaten und Henkersknechte gewahr, die dieKreuze zurichteten.

„Treibe die Leute zur Eile an", sagte der Hohepriester zum Hauptmann. „Die Übeltäter" – mit diesen Worten deutete er auf den Nazarener – „die Übeltäter müssen vor Sonnenuntergang tot und begraben sein, damit das Land nicht verunreinigt wird. So verlangt es das Gesetz."

Ein mitleidig gesinnter Soldat bot dem Nazarener etwas zu trinken an, aber Er nahm es nicht. Da trat ein anderer auf Ihn zu, löste Ihm das hölzerne Täfelchen mit der Inschrift vom Halse und nagelte es am Kreuzesstamm fest. Damit waren die Vorbereitungen vollendet.

„Die Kreuze sind fertig", sagte der Hauptmann zum Hohenpriester, der die Meldung mit einer Handbewegung entgegennahm und erwiderte: „Nagelt zuerst den Gotteslästerer ans Holz. Ist Er wirklich Gottes Sohn, wie Er behauptet, so wird es Ihm nicht schwerfallen, wieder herabzusteigen. Es wird sich ja nun herausstellen, ob Er die Wahrheit gesprochen hat oder nicht."

Als die Soldaten Hand an den Nazarener legten, lief ein Schauder durch die ganze Menge. Selbst die Rohesten in dem großen Volkshaufen schraken zusammen. Später behaupteten ihrer etliche, es sei plötzlich so kalt geworden, daß es sie geschaudert habe.

„Wie still Er ist!" sagte Esther, indem sie den Arm um des Vaters Schulter legte.

Dieser barg das Gesicht an ihrer Brust und entgegnete, an allen Gliedern zitternd: „Blicke weg, blicke weg! Es sollte mich wundern, wenn nicht alle, die zusehen – Unschuldige sowohl wie Schuldige – von nun an dem Fluch Gottes verfallen."

Balthasar sank auf die Knie.

„Sohn Hurs", sagte Simonides mit steigender Erregung, „Sohn Hurs, wenn Gott nicht sofort eingreift, so ist Israel, so sind wir alle verloren."

Ben Hur antwortete: „Ich war wie in einem Traum und sah wie in einem Gesicht, warum alles so kommen mußte. Es ist des Nazareners Wille – es ist Gottes Wille. Folgen wir dem Beispiel des Ägypters hier, verhalten wir uns still, und beten wir."

Als er das Gesicht wieder der Richtstätte zuwandte, war es ihm, als drängten von dorther durch die schauerliche Stille die Worte an sein Ohr:

„Ich bin die Auferstehung und das Leben", und er verneigte sich ehrerbietig.

Mittlerweile hatten die Wachen dem Nazerener die Kleider ausgezogen, so daß man die blutunterlaufenen Striemen sah, welche die Geißelhiebe auf dem Rücken zurückgelassen hatten. Die Erbarmen erregende Gestalt wurde schonungslos aufs Kreuz gelegt, die Arme ausgestreckt und die Hände mit langen spitzen Nägeln an den Querbalken geschlagen, die Füße übereinandergelegt und mit einem langen Eisenstift am Stamme befestigt. Der dumpfe Laut der Hammerschläge war weithin vernehmbar, und selbst diejenigen, die ihn nicht hören konnten, aber den Hammer niederfallen sahen, erbebten vor Furcht.

Danach trugen die Henker das Kreuz mit seiner Last an die Stelle, wo es aufgerichtet werden sollte und senkten den Stamm mit solcher Wucht in die vorher gegrabene Öffnung, daß der

Körper des Nazareners mit seiner Schwere hinabgezogen wurde, und die blutenden Hände die ganze Last zu tragen hatten. Dennoch hörte man keinen Schmerzenslaut, sondern nur die göttliche Bitte: „Vater, vergib ihnen; denn sie wissen nicht, was sie tun."

Das nun einsam zum Himmel ragende Kreuz wurde von der gaffenden Menge mit dem Jubelruf begrüßt: „Gegrüßest seist du, der Juden König! Gegrüßest seist du, der Juden König!"

Der Hohepriester, dem jetzt erst auffiel, was die oben am Kreuz befestigte Inschrift eigentlich bedeutete, wollte sie ändern lassen, aber der Hauptmann ließ es nicht geschehen, sondern sagte barsch: „Was ich geschrieben habe, das habe ich geschrieben."

Die Sonne stand hoch am Himmel, da überzog allmählich eine dichte Finsternis Himmel und Erde, so daß die Leute ihren Augen nicht trauten und sich ihrer eine unbeschreibliche Angst bemächtigte, die sie nahezu der Sprache beraubte.

„Es ist nur eine vorüberziehende Wolke", sagte Simonides zu der bestürzten Esther. „In einigen Sekunden wird es sich wieder aufklären."

Ben Hur aber dachte anders.

„Das ist keine Wolke und auch kein Nebel", sagte er. „Ich bin überzeugt, Simonides, der dort am Kreuze hängt ist Gottes Sohn."

Mit diesen Worten verließ er den ob dieser Rede über die Maßen erstaunten Simonides, trat auf Balthasar zu, der einige Schritte von ihm entfernt kniete, legte die Hand auf des Greises Schulter und sagte: „Höre, o weiser Ägypter! Du allein hast recht gehabt – der Nazarener ist in der Tat Gottes Sohn."

Balthasar zog den jungen Mann zu sich nieder und entgegnete mit matter Stimme: „Ich habe Ihn als Kind in der Krippe zu Bethlehem liegen sehen. Daher ist es kein Wunder, daß ich Ihn eher erkannte als du. Aber ach, daß ich diesen Tag erleben mußte! Wollte Gott, ich wäre mit meinen Brüdern gestorben!"

Die Finsternis wurde immer dichter. Mittlerweile waren auch

die beiden anderen Kreuze samt den daranhängenden Übeltätern aufgerichtet worden, und der Pöbel durfte nun ungehindert die eigentliche Richtstätte betreten. Die Leute stritten sich förmlich um die Plätze, wo sie am besten sehen zu können meinten, und ergingen sich in lauten Schimpf- und Spottreden.

„Hahaha!" schrie ein Soldat, „bist Du der Juden König, so hilf dir selber!"

„Ja", sagte ein Priester, „wenn Er jetzt vom Kreuze heruntersteigt, so wollen wir an Ihn glauben."

Andere schüttelten weise die Köpfe und versetzten: „Er wollte den Tempel niederreißen und in der Zeit von zwei Tagen wieder aufrichten, sich selbst aber kann Er nicht helfen."

Wieder andere fügten hinzu: „Er hat sich für Gottes Sohn ausgegeben, laßt uns nun sehen, ob Gott Ihm hilft."

Was Vorurteile alles zuwege bringen, ist gar nicht zu sagen. Der Nazarener hatte nie einem von diesen Spöttern und Lästerern etwas zuleide getan, die meisten von ihnen sahen Ihn in dieser Seiner Todesstunde zum erstenmal – und doch verfluchten sie Ihn und schenkten ihre Teilnahme den mit Ihm gekreuzigten Mördern.

Als sich die Menge allmählich zu verlaufen begann, traten unsere Freunde auf Simonides' Wunsch näher an die Kreuze heran. Ben Hur stützte den Ägypter, der dennoch große Mühe hatte, vorwärtszukommen. Die Gestalt des Nazareners war kaum mehr zu erkennen, doch hörte man Ihn zuweilen leise stöhnen. Nur einmal sprach Er. Als Er nämlich unter den am Fuße des Kreuzes knienden Frauen seine Mutter und seinen Lieblingsjünger erkannte, sagte Er: „Weib, siehe, das ist dein Sohn!" und weiter: „Siehe, das ist deine Mutter!"

Schon brach die dritte Stunde an, und immer noch drängten sich die Leute, wie von einer geheimnisvollen Macht angezogen, um die Richtstätte. Aber merkwürdigerweise waren sie viel stiller als bisher. Selbst die Wachen, die noch kurz vorher unter rohen Scherzen des Gekreuzigten Kleider unter sich verlost hatten, standen nun mit ihren Vorgesetzten schweigend abseits, die Aufmerksamkeit weit mehr auf den einen Missetäter gerichtet als auf die Scharen von Menschen.

Am seltsamsten aber war das Benehmen des Hohenpriesters und seines Gefolges. Als sie die Sonne ihren Schein verlieren und Berge und Hügel zurückweichen sahen, konnten sie kaum anders, als die wunderbare Erscheinung mit dem Nazarener in Verbindung zu bringen, und je länger das Phänomen dauerte, um so mehr steigerte sich ihre Bestürzung. Von ihren Plätzen aus, gerade hinter den Soldaten, hörten sie mit Spannung auf jedes Wort aus des Nazareners Mund, auf jeden Seufzer, der sich Seiner Brust entrang, und beobachteten jede Seiner Bewegungen. Der Mann konnte am Ende doch der Messias sein – und dann?

Mittlerweile war der Friede, der Ben Hur so plötzlich durchströmt hatte, nicht einen Augenblick von ihm gewichen. Er flehte nun inbrünstig zu Gott, daß Er dem entsetzlichen Leiden bald ein Ende machen möge. Er wußte, daß Simonides nahezu überzeugt war und hörte ihn zu Esther sagen: „Fürchte nichts, Kind. Bleibe bei mir und wache mit mir. Wahrscheinlich wirst du nie wieder etwas Ähnliches erleben, solltest du auch doppelt so alt werden wie ich. Wer weiß, was noch alles kommt! Laß uns bis zuletzt bleiben!"

Als die dritte Stunde etwa zur Hälfte vorüber war, kamen etliche Männer aus dem Abschaum der menschlichen Gesellschaft, blieben vor dem mittleren Kreuze stehen und einer sagte zum anderen: „Das ist der neue Judenkönig."

Einige seiner Genossen riefen unter höhnischem Gelächter: „Gegrüßet seist du, der Juden König!" und fügten noch hinzu: „Wenn du der Sohn Gottes bist, so steige doch herab vom Kreuz!"

Daraufhin hörte einer der Diebe auf zu stöhnen und rief dem Nazarener zu: „Ja, wenn du Christus bist, so hilf dir selbst und uns!"

Die Leute lachten und klatschten Beifall. Während sie dann horchten, ob keine Antwort kam, hörten sie den anderen Übeltäter zu seinem Gefährten sagen: „Und du fürchtest Gott auch nicht? Wir empfangen, was unsere Taten wert sind, dieser aber hat nichts Unrechtes getan." Sich hierauf an den Nazarener wendend, fügte er hinzu: „Herr, gedenke an mich, wenn du in dein Reich kommst."

Simonides fuhr auf. „Wenn du in dein Reich kommst", wiederholte er sinnend. Das war ja gerade der Punkt, über den er sich nicht klar werden konnte, den er so oft mit Balthasar erörtert hatte.

„Hörst du?" sagte Ben Hur zu ihm. „Das Reich kann nicht von dieser Welt sein. Jener Übeltäter bezeugt, daß der König nun in Sein Reich eingeht. Dasselbe ist mir im Traum gezeigt worden."

„Still!" sagte Simonides in geradezu gebieterischem Ton. „Still, ich bitte dich. Ach, wenn der Nazarener antworten wollte!"

Noch hatte er nicht ausgesprochen, da erwiderte der Nazarener mit klarer Stimme und im Ton unerschütterlichen Vertrauens: „Wahrlich, ich sage dir, heute wirst du mit mir im Paradiese sein!"

Simonides faltete die Hände und sprach: „Es ist genug, Herr – es ist genug! Die Finsternis ist vergangen. Wie Balthasar sehe ich nun alles mit anderen Augen – mit den Augen des Glaubens."

Dem treuen Diener war sein Lohn zuteil geworden. Er hatte Blicke in ein neues Leben tun dürfen, in das jenseitige, das Paradies Gottes, und es hatte sich die Überzeugung in ihm Bahn gebrochen, daß er dort das Reich finden werde, von dem er geträumt hatte – und den König! Ein tiefer Friede strömte in sein Herz.

Um so bestürzter waren der Hohepriester und sein Gefolge über die Worte des Nazareners. Um Seiner Behauptung willen, daß Er der Messias sei, hatten sie Ihn ans Kreuz geschlagen, und nun versprach Er einem Übeltäter mit solcher Zuversicht vom Fluchholz herab das Paradies. Was gab dem Mann diese Zuversicht, wenn nicht das Bewußtsein, daß Er aus der Wahrheit war? Und wer anders war die verkörperte Wahrheit als Gott? Es fehlte nicht viel, so wären sie alle geflohen.

Das Atmen wurde dem Nazarener immer schwerer. Kaum, daß Er drei Stunden am Kreuze hing, und schon lag Er in den letzten Zügen.

Einer teilte dem anderen die Kunde mit, und ein Schaudern durchlief die Reihen.

Da ertönte plötzlich von den Lippen des Sterbenden der beinahe vorwurfsvolle Ruf: „Mein Gott, mein Gott, warum hast du mich verlassen?"

Alle, die ihn hörten, fuhren unwillkürlich zusammen; besonders einem der Umstehenden ging er durch Mark und Bein.

In einiger Entfernung von Ben Hur stand ein mit Wasser und Essig gefülltes Gefäß, das die Soldaten heraufgebracht hatten, um dem einen oder anderen der Übeltäter mittels eines in die Flüssigkeit getauchten Schwammes die Zunge kühlen zu können. Ben Hur dachte an das kühle Wasser, das ihm der Nazarener seinerzeit gereicht hatte, und konnte dem Zuge seines Herzens nicht widerstehen, Ihm gleiches mit gleichem zu vergelten. Ohne der zornigen Zurufe der Umstehenden zu achten, lief er zu dem Kreuz und hielt den an einer Stange angebundenen Schwamm an des Nazareners Lippen.

Aber es war zu spät – zu spät!

Das blut- und staubbedeckte Angesicht, das Ben Hur nun deutlich sehen konnte, leuchtete einen Moment wie verklärt, die Augen öffneten sich noch einmal weit und hafteten wie gebannt am Himmel. Aus dem Mund des Gekreuzigten aber erscholl es wie ein Siegesruf: „Es ist vollbracht! Es ist vollbracht!"

Dann trübten sich die Augen wieder, und das dorngekrönte Haupt sank schwer auf die keuchende Brust. Ben Hur dachte, Er habe ausgekämpft. Da öffneten sich die bleichen Lippen noch einmal zu den Worten: „Vater, ich befehle meinen Geist in deine Hände!"

Durch den gemarterten Leib lief ein krampfhaftes Zittern;

ein Schmerzensschrei entrang sich der gequälten Brust, und des heiligen Dulders Erdenleben war beendet – Seine Mission erfüllt. Das alle in Liebe umfassende Herz war gebrochen, denn daran ist der Heiland gestorben – an einem gebrochenen Herzen!

Ben Hur kehrte zu seinen Freunden zurück und sagte einfach: „Es ist vorüber. Er ist tot!"

Die Kunde verbreitete sich wie ein Lauffeuer von Mund zu Mund. Niemand sprach sie laut aus, sondern einer flüsterte dem anderen zu: „Er ist tot! Er ist tot!" Das war alles. Das Volk hatte, was es wollte – der Nazarener war tot! Warum sahen sie einander so verstört an? Sein Blut war auf sie gekommen! Und während sie einander anstarrten, fing der Erdboden an zu wanken. Jeder klammerte sich an seinen Nebenmann, um sich aufrechtzuhalten; im nächsten Augenblick hatte die Sonne die Finsternis durchbrochen, und aller Augen sahen die Kreuze auf dem Hügel schwanken. Sie sahen sie alle drei; das mittlere überragte jedoch die beiden anderen und schien in den Himmel hineinzureichen. Jeder der Anwesenden aber, der den Nazarener verhöhnt, jeder der Ihn geschlagen, jeder, der ausgerufen: „Kreuzige, kreuzige Ihn!", jeder, der Ihm im Herzen den Tod gewünscht hatte – und deren waren viele –, jeder einzelne fühlte sich persönlich für das Geschehene verantwortlich und hatte die Empfindung, daß er, wenn er sein Leben erhalten wollte, so schnell wie möglich die Stätte, wo sich das schauerliche Ereignis abgespielt hatte, verlassen mußte. Sie fingen an zu laufen, sie eilten, so schnell sie konnten, davon, die einen zu Pferd, die anderen auf Dromedaren, wieder andere mit Wagen oder zu Fuß. Aber unerbittlich folgte ihnen überall hin das Erdbeben, und das schreckliche Getöse berstender Felsmassen betäubte sie nahezu, so daß sie zu Boden sanken. Sie schlugen sich an die Brust und schrien vor Entsetzen. Sein Blut war auf sie gekommen, auf sie alle ohne Ausnahme, auf den Einheimischen und den Fremden, den Priester und den Laien, den Bettler, den Pharisäer und den Sadduzäer, ja, auch dem Hohenpriester erging es nicht besser als seinen schuldigen Brüdern.

Als die Sonne wieder auf die Richtstätte schien, waren nur noch die Mutter des Nazareners, Sein Lieblingsjünger, die getreuen galiläischen Frauen, der Hauptmann mit seinen Soldaten und Ben Hur und seine Freunde auf dem Hügel.

„Setze dich hierher", sagte Ben Hur zu Esther, indem er ihr einen Platz zu den Füßen ihres Vaters zurechtmachte, „bedecke deine Augen mit der Hand, aber sieh nicht auf, sondern setze dein Vertrauen auf Gott und den Geist jenes so schmählich gemordeten Gerechten."

„Geben wir Ihm fortan den Namen, der Ihm gebührt – Christus", sagte Simonides ehrfurchtsvoll, und Ben Hur stimmte ihm zu.

Gleich darauf erschütterte ein neuer Erdstoß den Hügel. Das Angstgeschrei der Übeltäter auf den wankenden Kreuzen war schrecklich anzuhören. Obwohl selbst zum Umfallen schwindlig, lief Ben Hur auf den auf dem Boden liegenden Balthasar zu. Aber so laut er ihn auch anrief, bekam er keine Antwort. Der Greis war tot. Da erinnerte sich Ben Hur, daß er in dem Augenblick, in dem der Nazarener verschied, einen Widerhall des Schreis gehört hatte, den der Gekreuzigte noch ausstieß, ehe Er den Geist aufgab, und er hielt fortan an dem Glauben fest, daß der Geist des Ägypters zugleich mit dem seines Herrn und Meisters in das himmlische Reich eingegangen war.

Balthasars Diener hatten ihren Herrn verlassen! Aber als alles vorüber war, trugen die zwei Galiläer den Greis in seiner Sänfte in die Stadt und in den Palast der Hurs zurück. Etwa um dieselbe Stunde, als Christus vom Kreuze genommen wurde, bahrte man Balthasars Leiche im Gastzimmer auf, und da Iras nirgends zu finden war, nahm Ben Hur den ihr geziemenden Platz neben dem Toten ein, dankbar, daß dem alten Manne der Schmerz erspart war, sich von seiner Tochter verlassen zu sehen.

Nach der Beerdigung, als die Tage der Reinigung vorüber waren, brachte Ben Hur seine Mutter und Schwester ins Vaterhaus zurück, und von dem Tage an wurde dort der Name Jesu Christi ebenso hochgehalten wie der Gottes des Vaters.

Fünf Jahre nach der Kreuzigung saß Esther, Ben Hurs Weib, mit ihren Kindern und Tirzah in einem der Zimmer des schönen Landhauses in der Nähe von Misenum.

Während sie mit den Kleinen spielte, erschien eine Dienerin auf der Schwelle und meldete, daß eine Frau die Herrin zu sprechen wünsche.

„Führe sie herein", sagte Esther. „Ich will sie hier empfangen."

Als die Fremde eintrat, wechselte Esther die Farbe und fuhr unwillkürlich zurück. Sich jedoch rasch wieder fassend, ging sie auf sie zu und sagte: „Ich erkenne dich, du bist . . ."

„Ich war Iras, Balthasars Tochter", sagte die Frau kalt.

Esther hatte Mühe, sich ihre Überraschung nicht anmerken zu lassen, und hieß die Dienerin einen Stuhl für die Ägypterin bringen.

„Ist nicht nötig", erwiderte letztere. „Sobald ich dir einen Auftrag für deinen Mann gegeben habe, gehe ich wieder."

Ein Blick auf ihre frühere Rivalin sagte Esther, daß letztere offenbar nicht vom Glück begünstigt gewesen war. Die schlanke Gestalt hatte zwar noch etwas von der früheren Anmut, aber man sah der ganzen Persönlichkeit an, daß sie kein gutes Leben geführt hatte. Die Gesichtszüge hatten einen beinahe gemeinen Ausdruck, die Augenlider waren gerötet und dick verschwollen, die Wangen bleich und die Lippen fest zusammengekniffen. Die Kleidung war vernachlässigt, und die Sandalen hinterließen ihre Spuren auf dem kostbaren Teppich.

„Sag deinem Mann", begann sie, „daß sein Feind tot ist und daß ich ihn um all des Elends willen, das er über mich brachte, mit eigener Hand erschlug."

„Sein Feind!" rief Esther.

„Ja – Messala! Sage Ben Hur ferner, daß ich für das Leid, das ich ihm anzutun suchte, so sehr gestraft wurde, daß selbst er mich bemitleiden würde."

Esther traten die Tränen in die Augen, aber ehe sie etwas erwidern konnte, sagte Iras: „Ich verlange kein Mitleid. Spare deine Tränen, und lebe wohl!"

Mit diesen Worten wandte sie sich zum Gehen. Esther folgte ihr und bat: „Bleibe, bis mein Gatte kommt. Er hat nichts gegen dich und hat dich überall gesucht. Wir wollen uns deiner annehmen. Wir sind Christen."

Die Ägypterin aber blieb fest.

„Kann ich gar nichts für dich tun?" fragte Esther noch einmal.

Da wurden die harten Züge weich, und ein Lächeln spielte um die zynischen Lippen. Iras blickte auf die auf dem Boden spielenden Kinder.

„Erlaube mir eins", sagte sie. Esther nickte. Die Ägypterin beugte sich zu den Kleinen nieder und küßte sie.

Im nächsten Augenblick war sie verschwunden.

Als Ben Hur von dem Besuch hörte, zweifelte er nicht mehr, daß seine Vermutung richtig gewesen war und daß Iras am Tage der Kreuzigung um Messalas willen ihren Vater verlassen hatte. Nichtsdestoweniger machte er sich sofort auf, sie zu suchen – aber vergeblich! Er hörte nie wieder von ihr.

Simonides erreichte ein hohes Alter und zeichnete sich bis zuletzt durch klaren Verstand und edle Hochherzigkeit aus.

Eines Abends saß Ben Hur mit Frau und Kindern auf der Terrasse des alten Handelshauses in Antiochien, als Malluch zu Ben Hur trat und ihm ein Paket überreichte.

„Von wem?" fragte dieser.

„Ein Araber hat es gebracht", lautete die Antwort.

„Wo ist er?"

„Er ist sogleich wieder gegangen."

„Höre", sagte Ben Hur zu Simonides und las ihm folgenden Brief vor:

„Ich, Ilderim, Sohn Ilderims des Großmütigen und Scheich des Stammes Ilderim an Juda, den Sohn Hurs.

Wisse, o Freund meines Vaters, wie mein Vater Dich liebte. Du kannst es aus mitfolgendem Schreiben ersehen. Was er gewollt hat, will ich auch. Daher ist das, was er Dir bestimmt hat, Dein. Alles, was die Parther ihm geraubt haben in der großen Schlacht, in der sie ihn erschlugen, habe ich ihnen wieder abgenommen – so auch dieses Schreiben und die ganze Nachkommenschaft jener Mira, die seinerzeit Mutter so vieler Sterne gewesen ist. Friede Dir und den Deinen! Diese Stimme aus der Wüste ist die Stimme von Scheich Ilderim."

Darauf entrollte Ben Hur einen vergilbten Papyrusstreifen, auf dem geschrieben stand:

„Ilderim, genannt der Großmütige, Scheich des Stammes Ilderim, an meinen Sohn und Nachfolger.

Alles, was ich besitze, o Sohn, soll dein sein am Tage, an dem du mir nachfolgst, ausgenommen der sogenannte Palmenhain bei Antiochien. Dieser soll dem Sohne Hurs gehören, der uns im Zirkus so großen Ruhm erwarb – ihm und den Seinen für ewige Zeiten.

Schände nicht das Andenken deines Vaters."

„Was sagst du dazu?" fragte Ben Hur Simonides.

Der Greis schwieg eine Weile, dann erwiderte er ernst:

„Sohn Hurs, der Herr ist dir in den letzten Jahren sehr gnädig gewesen, du hast ihm viel zu danken. Wäre es nicht an der Zeit, endgültig zu bestimmen, was du Ihm von dem großen Vermögen, das du zur Zeit in Händen hast, geben willst?"

„Das habe ich längst getan", sagte Ben Hur. „Das Vermögen ist für den Dienst des Gebers bestimmt und zwar nicht nur teilweise, Simonides, sondern ganz. Ich frage mich nur: wie kann ich es am nutzbringendsten für Ihn verwenden?"

Simonides antwortete: „Ich bin Zeuge, welche Summen du der hiesigen Gemeinde gegeben hast. Gerade heute, kurz, ehe du die Kunde von dem Geschenk des großmütigen Scheichs bekommen hast, ist mir die Nachricht zugegangen, daß über unsere Brüder in Rom eine Verfolgung ausgebrochen ist. Damit eröffnet sich uns ein neues Arbeitsfeld. Das Licht darf in der großen Weltstadt nicht untergehen."

„Sage mir, wie ich es brennend erhalten kann", entgegnete Ben Hur.

„Das will ich. Die Römer, sogar ein Nero, halten zwei Dinge heilig, nämlich die Asche der Toten und deren Begräbnisplätze.

Wenn du dem Herrn über der Erde keine Tempel bauen kannst, so baue sie darunter, und schaffe die Leichname all derer hin, die im Glauben sterben, damit sie nicht entweiht werden."

Ben Hur stand erregt auf und sagte: „Das ist ein großer Gedanke. Ich will nicht zögern, mich an dessen Ausführung zu machen. Die Zeit drängt. Morgen will ich mich nach Rom einschiffen."

„Recht so!" erwiderte Simonides.

„Und du, Esther, was sagst du dazu?" fragte Ben Hur.

Esther trat zu ihm, legte die Hand auf seinen Arm und antwortete: „So wirst du Christus am besten dienen. Oh, mein Gatte, laß mich dich begleiten und deine Gehilfin in dem Werke sein!"

Wenn einer oder der andere meiner Leser bei Gelegenheit eines Besuchs in Rom den kleinen Abstecher zu den Katakomben von San Calixto machen will, so wird er sehen, was aus Ben Hurs Vermögen geworden ist und ihm danken. In diesem Riesengrab haben die Christen Schutz vor der Wut der Cäsaren gefunden.